LUB
WYCH

Charlaine Harris

KLUB MARTWYCH

Przełożyła Ewa Wojtczak

Wydawnictwo MAG
Warszawa 2010

Tytuł oryginału:
Club Dead

Copyright © 2003 by Charlaine Harris

Copyright for the Polish translation
© 2010 by Wydawnictwo MAG

Redakcja:
Joanna Figlewska

Korekta:
Urszula Okrzeja

Ilustracja na okładce:
Damian Bajowski

Opracowanie graficzne okładki:
Piotr Chyliński

Projekt typograficzny, skład i łamanie:
Tomek Laisar Fruń

ISBN 978-83-7480-159-1
Wydanie I

Wydawca:
Wydawnictwo MAG
ul. Krypska 21 m. 63, 04-082 Warszawa
tel./fax (0-22) 813 47 43
e-mail: kurz@mag.com.pl
www.mag.com.pl

Wyłączny dystrybutor:
Firma Księgarska Jacek Olesiejuk Sp. z o.o.
ul. Poznańska 91, 05-850 Ożarów Maz.
tel. (22) 721-30-00
www.olesiejuk.pl

Druk i oprawa:
drukarnia@dd-w.pl

Powieść dedykuję średniemu z moich dzieci,
Timothy'emu Schulzowi,
który oznajmił mi stanowczo,
że pragnie mieć jedną książkę wyłącznie dla siebie.

Dziękuję Lisie Weissenbuehler, Kerie L. Nickel, Marie La Salle i niezrównanej Doris Ann Norris za ich wkład i pomoc, dużą i małą. Pragnę także podziękować Janet Davis, Irene i Sonyi Stocklin oraz cyberobywatelom portalu „DorothyL" za informacje na temat barów, karcianej gry o nazwie bourree i władz stanowych Luizjany. Joan Coffey uprzejmie dostarczyła mi informacji o Jackson. Cudowna, uczynna Jane Lee całkowicie dała się ponieść nastrojowi i przez wiele godzin cierpliwie woziła mnie po tym mieście w poszukiwaniu idealnego miejsca na wampirzy klub.

ROZDZIAŁ PIERWSZY

Kiedy weszłam do domu Billa, mój wampir siedział zgarbiony nad komputerem. W ostatnich paru miesiącach ten scenariusz stał się aż za bardzo znajomy. Jeszcze kilka tygodni temu, gdy przychodziłam, Bill odrywał się od pracy, teraz jednak bardziej pociągała go klawiatura.

– Witaj, kochanie – rzucił z roztargnieniem, nie odwracając wzroku od ekranu.

Na biurku, obok klawiatury stała pusta butelka po Czystej Krwi grupy zero. Dobrze, przynajmniej pamiętał, że czasem trzeba coś zjeść.

Bill, który nie lubi chodzić w dżinsach i podkoszulkach, miał tego dnia na sobie spodnie khaki i koszulę w stonowaną niebiesko-zieloną kratę. Jego skóra jarzyła się, a gęste ciemne włosy pachniały szamponem „Herbal Essence". Bez wątpienia podnieciłby dziś każdą kobietę. Pocałowałam go w szyję, ale nie zareagował. Polizałam jego ucho. Nadal nic.

Przez ostatnie sześć godzin nieźle się uwijałam w barze „U Merlotte'a" i za każdym razem, ilekroć klient zapomniał mi dać napiwku albo jakiś głupiec poklepał mnie po tyłku, pocieszałam się myślą, że za chwilkę znajdę się sam

7

na sam z moim chłopakiem, z którym cudownie pobaraszkujemy w łóżku i który poświęci mi całą swą uwagę.

Niedoczekanie moje! Nie miałam na co liczyć.

Westchnęłam przeciągle, po czym obrzuciłam piorunującym spojrzeniem plecy Billa. Były to piękne plecy o szerokich ramionach, na które zamierzałam patrzeć z bardzo, bardzo bliska, a może nawet przy okazji wbijać w nie paznokcie. Ogromnie na to liczyłam. Odetchnęłam głęboko.

– Za minutkę zajmę się tobą – oznajmił mój wampir.

Na ekranie komputera dostrzegłam zdjęcie dystyngowanego mężczyzny o srebrzystych włosach i ciemnej opaleniźnie. Wyglądał seksownie, był w typie Anthony'ego Quinna. Seksowny i dobrze zbudowany. Pod zdjęciem widniało nazwisko, a poniżej tekst, który zaczynał się od słów: „Urodzony w 1756 roku na Sycylii". W momencie gdy otworzyłam usta, chcąc skomentować fakt, że wbrew legendzie wampiry można jednak sfotografować, Bill odwrócił się i odkrył, że czytam.

Wcisnął klawisz i zdjęcie zniknęło z ekranu. Zagapiłam się na niego bezradnie, nie do końca wierząc w to, co właśnie zrobił.

– Sookie – rzucił, zmuszając się do uśmiechu.

Nie wysunął kłów, co oznaczało, że z pewnością nie jest w nastroju, którego się po nim spodziewałam. Dokładniej mówiąc, nie miał ochoty na cielesne igraszki ze mną. Podobnie jak wszystkie inne wampiry, Bill wysuwa kły tylko wtedy, gdy ma ochotę possać krew, uprawiać seks lub jedno i drugie. (Niektóre wampiry posuwają się w tych zabawach za daleko i zdarza się, że jeden czy drugi miłośnik kłów straci życie, ale moim zdaniem większość tych osób pociąga właśnie ów element niebezpieczeństwa). Chociaż niektórzy sugerują, że ja również należę do żałosnych istot, które się kręcą wokół wampirów w nadziei na przyciągnięcie ich uwagi, prawda jest inna – związałam się i pragnę utrzymywać kontakt wyłącznie z jednym wampirem (co zresztą nie zawsze mi się udaje), osobnikiem, który właśnie siedzi przede mną. A on zaczyna mieć przede mną sekrety. I wcale się szczególnie nie cieszy, że mnie widzi.

– Billu – odparowałam zimno.

Atmosfera była napięta. Coś iskrzyło. Ale na pewno nie z powodu zwiększonego libido Billa („libido" było w moim kalendarzu Słowem Dnia).

– Zapomnij o tym, co właśnie zobaczyłaś. Nic nie widziałaś – pouczył mnie stanowczo.

Przyglądał mi się twardo ciemnymi piwnymi oczyma.

– Ehe... – odburknęłam, chyba z lekkim sarkazmem. – A nad czym tak siedzisz?

– Otrzymałem tajną misję.

Nie wiedziałam – śmiać się czy obrazić i odejść. Zapanowałam jednak nad sobą, uniosłam brwi i czekałam na więcej informacji. Bill jest oficerem śledczym Piątej Strefy, wampirzej jednostki administracyjnej, czyli Luizjany. Eric, szef tejże Strefy, nigdy przedtem nie przydzielał Billowi żadnego zadania, o którym mój wampir nie mógłby mi powiedzieć. Wręcz przeciwnie, zazwyczaj należałam do ekipy dochodzeniowej i mimo swej niechęci stanowiłam jej integralny element.

– Eric nie może się o niczym dowiedzieć – wyjaśnił Bill. – Żaden z wampirów Piątej Strefy nie może o niczym wiedzieć.

Zaskoczył mnie tym stwierdzeniem.

– Jeżeli zatem... nie pracujesz dla Erica, kto zlecił ci tę misję? – Ponieważ bolały mnie nogi, klęknęłam i oparłam się o kolana Billa.

– Królowa Luizjany – odparł niemal szeptem.

Patrzył na mnie z ogromną powagą, więc usiłowałam się nie roześmiać, ale nie wytrzymałam. Zaczęłam chichotać i nie mogłam przestać.

– Mówisz serio? – spytałam wreszcie, choć doskonale znałam odpowiedź.

Bill prawie nigdy nie żartuje.

Przytuliłam twarz do jego uda, żeby nie dostrzegł mojego rozbawienia. Potem zerknęłam na niego. Był wyraźnie wkurzony.

– Jestem śmiertelnie poważny – zapewnił mnie.

Jego głos brzmiał tak twardo, że zmusiłam się do zmiany nastawienia.

– Okej, chciałabym zrozumieć – oznajmiłam dość spokojnie. Usiadłam na podłodze po turecku i położyłam ręce na kolanach. – Pracujesz dla Erica, który jest szefem Piątej Strefy, lecz istnieje także królowa? Królowa Luizjany?

Bill skinął głową.

– Czyli że podzieliliście nasz stan na strefy, a królowa jest zwierzchniczką Erica, ponieważ jego siedziba znajduje się w Shreveport, mieście leżącym w Piątej Strefie?

Ponownie potwierdził. Przyłożyłam rękę do twarzy i potrząsnęłam głową.

– A gdzie ona mieszka? W Baton Rouge?

Stolica stanu wydała mi się miejscem oczywistym.

– Nie, nie. W Nowym Orleanie. Oczywiście.

Oczywiście. Wampirza centrala. Czytając gazety, można by pomyśleć, że w Nowym Orleanie nie sposób rzucić kamieniem i nie trafić w jednego z nieumarłych (chociaż jedynie prawdziwy głupiec poważyłby się na taki gest). Nowoorleański przemysł turystyczny kwitł, ale do miasta nie przyjeżdżali już ci sami ludzie co kiedyś – lubiący alkohol i dobrą zabawę bywalcy parad. Nowi turyści pragnęli zbliżyć się do wampirów, odwiedzić wampirzy bar, wynająć nieumarłą prostytutkę lub obejrzeć pokaz wampirzego seksu.

Tylko o tym słyszałam, bo od dzieciństwa nie byłam w Nowym Orleanie. Rodzice zabrali tam kiedyś mnie i mojego brata Jasona. Nie miałam jeszcze wtedy siedmiu lat, ponieważ później tato i mama zginęli w wypadku.

Zmarli prawie dwadzieścia lat przed dniem, w którym wampiry wystąpiły w pewnym programie telewizji kablowej i obwieściły, że od dawna egzystują wśród nas. Postanowiły się ujawnić niedługo po odkryciu przez Japończyków krwi syntetycznej, dzięki której wampir, by żyć, nie musi już wysysać krwi z istot ludzkich.

Wampirza społeczność w USA pozwoliła się najpierw ujawnić japońskim klanom wampirzym. Potem, równocześnie, w większości krajów na świecie, które mają telewizję (a który dziś nie ma?), w setkach języków setki starannie wybranych wampirów o ujmującej powierzchowności wygłaszały to samo oświadczenie.

Tej nocy, czyli dwa i pół roku temu, my, zwykli ludzie dowiedzieliśmy się, że w naszym otoczeniu zawsze żyły potwory.

Równocześnie jednak usłyszeliśmy, że pragną one żyć z ludźmi w zgodzie. „Nie stanowimy dla was zagrożenia" –

11

mówiły wampiry. „Do życia nie potrzebujemy już waszej krwi".

Łatwo można sobie wyobrazić, że tej nocy kanały nadające oświadczenie miały niezwykłą oglądalność. A później podniosło się ogromne oburzenie.

Reakcje na usłyszane rewelacje zmieniały się w zależności od kraju.

Najgorzej wampiry zostały przyjęte przez kraje muzułmańskie. Nawet nie chcecie wiedzieć, co się przydarzyło nieumarłemu rzecznikowi w Syrii, chociaż chyba jeszcze gorszą – i ostateczną – śmiercią zmarła wampirzyca z Afganistanu. (Gdzie tamtejsze wampiry miały rozum, wybierając do tego paskudnego zadania istotę płci żeńskiej? Cóż, wampiry może i są inteligentne, czasami jednak wyraźnie widać, że nie mają pojęcia o współczesnym świecie).

Niektóre kraje – spośród których należy wymienić Francję, Włochy i Niemcy – w ogóle nie uznały wampirów za pełnoprawnych obywateli.

Wiele innych – jak Bośnia, Argentyna i większość afrykańskich – odmówiło wampirom statusu prawnego, czyniąc je w ten sposób łatwym celem dla łowców nagród. Natomiast Stany Zjednoczone, Anglia, Meksyk, Kanada, Japonia, Szwajcaria czy państwa skandynawskie potraktowały nieumarłych z większą tolerancją.

Trudno ustalić, czego wampiry się spodziewały. A ponieważ latami potajemnie egzystowały wśród żywych, nauczyły się nie ujawniać tajemnic dotyczących swojej struktury społecznej i rządowej. Dlatego też obecne wyjaśnienia Billa stanowiły dla mnie absolutną nowość.

– Więc królowa wampirów Luizjany przydzieliła cię do tajemnego projektu – podsunęłam, siląc się na obojętny ton. – I właśnie z tego powodu od wielu tygodni spędzasz całe noce przy komputerze.

– Tak – przyznał Bill.

Wziął butelkę Czystej Krwi i podniósł do ust, pozostało w niej jednak zaledwie kilka kropel. Poszedł korytarzem do małej kuchni (podczas przebudowy starego domu rodzinnego, zmniejszył kuchnię, wówczas już bowiem jej nie potrzebował) i wyjął z lodówki kolejną butelkę. Słyszałam, że ją otwiera i wstawia do kuchenki mikrofalowej. Gdy krew się ogrzała, wrócił, potrząsając zatkaną kciukiem butelką, by wyrównać temperaturę zawartości.

– No to ile czasu zamierzasz poświęcić temu projektowi? – zadałam pytanie, które wydało mi się logiczne.

– Tyle, ile będzie trzeba – odparował niezbyt uprzejmie. Był wyraźnie rozdrażniony.

Hm... Czyżby nasz miesiąc miodowy dobiegł końca? Oczywiście mam na myśli miesiąc miodowy w przenośni, ponieważ z racji tego, że Bill jest wampirem, nie mogę go poślubić właściwie nigdzie na świecie.

Poza tym, jakoś mi się do tej pory nie oświadczył...

– No cóż, jeśli jesteś tak bardzo pochłonięty swoim przedsięwzięciem, lepiej będę się trzymała z daleka od ciebie do czasu aż je ukończysz – oznajmiłam powoli.

– Tak pewnie byłoby najlepiej – odparł po dostrzegalnej przerwie, a ja poczułam się tak, jakby rąbnął mnie pięścią w brzuch.

Wstałam w mgnieniu oka i już wkładałam płaszcz na mój zimowy strój roboczy, na który składały się czarne spodnie, biały podkoszulek z długim rękawem, dekoltem w łódkę i haftem „Merlotte" nad lewą piersią. Odwróciłam się do Billa plecami, by nie widział mojej twarzy.

Nie chciałam się rozpłakać, więc nie spojrzałam na niego, nawet kiedy poczułam na ramieniu dotyk jego ręki.

– Muszę ci coś powiedzieć – oznajmił typowym dla siebie chłodnym, spokojnym głosem.

Zastygłam, przerywając wkładanie rękawiczek, nie mogłam się jednak zmusić nawet do zerknięcia na Billa. Niech mówi do moich pleców.

– Jeśli coś mi się stanie – kontynuował (i w tym momencie powinnam się zacząć martwić) – musisz zajrzeć do kryjówki, którą zbudowałem w twoim domu. Powinien tam być mój komputer. I płyty. Nic nikomu nie mów. Jeśli komputera nie będzie w kryjówce, przyjedź i poszukaj go tutaj. Przyjedź za dnia i weź ze sobą broń. Zabierz komputer i wszystkie nośniki, jakie znajdziesz, a później ukryj je w mojej, jak ją nazywasz, dziupli.

Skinęłam głową. Na pewno dostrzegł ten ruch. Nie byłam w stanie się odezwać.

– Jeżeli nie wrócę i nie otrzymasz ode mnie żadnej wiadomości przez... powiedzmy... osiem tygodni... tak, osiem, przekaż Ericowi wszystko, co ci dzisiaj powiedziałem. I poproś go o ochronę.

Nie odzywałam się. Byłam zbyt nieszczęśliwa, żeby się wściekać, i czułam, że za chwilę się rozpłaczę. Gwałtownie pokiwałam głową na znak, że rozumiem. Mój koński ogon mocno smagnął mi kark.

– Wyjeżdżam wkrótce do... Seattle – ciągnął Bill.

Poczułam, że jego chłodne wargi muskają miejsce, którego dotknęła kitka.

Kłamał.

– Kiedy wrócę, porozmawiamy.

Perspektywa tej rozmowy nie wydała mi się pociągająca. Powiedziałabym raczej, że propozycja Billa zabrzmiała złowieszczo.

Znowu kiwnęłam głową. Nie odezwałam się, bo w tej chwili naprawdę płakałam. Nie zamierzałam jednak pokazać Billowi łez, prędzej wolałabym umrzeć.

I tak się rozstaliśmy tej zimnej grudniowej nocy.

***

Nazajutrz wpadłam na niemądry pomysł i postanowiłam pojechać do pracy okrężną drogą. Byłam w takim nastroju, że widziałam cały świat w czarnych barwach. Mimo niemal całkowicie bezsennej nocy coś mnie ostrzegało, że poczuję się jeszcze gorzej, jeśli pojadę Magnolia Creek Road; a jednak pojechałam. Chociaż dzień był zimny i brzydki, wokół starej rezydencji Bellefleurów „Belle Rive" wrzało jak w ulu. Przed domem sprzed wojny secesyjnej stała furgonetka z firmy dezynsekcyjnej i samochód projektanta mebli kuchennych, a dostawca desek na szalunek parkował przed kuchennym wejściem. Wiele się obecnie działo w życiu Caroline Holliday Bellefleur, starszej damy, która od dobrych osiemdziesięciu lat rządzi „Belle Rive" i (przynajmniej częściowo) Bon Temps. Zastanawiałam się, co myślą na temat tych wszystkich zmian w rezydencji jej wnuki: prawniczka Portia i detektyw Andy. Mieszkali z babcią (tak jak ja kiedyś z moją) przez całe swoje dorosłe życie. Chyba przynajmniej cieszą się, widząc, że babci sprawia przyjemność remont posiadłości...

A moją babcię zamordowano kilka miesięcy temu...

Bellefleurowie nie mieli z tym nic wspólnego. I, rzecz jasna, nie istniał żaden powód, dla którego Portia i Andy mieliby się podzielić ze mną nowo zdobytym bogactwem. Tak naprawdę, oboje unikali mnie jak zarazy. Mieli wobec mnie dług wdzięczności i nie mogli tego znieść. A i tak nie zdawali sobie sprawy, jak wiele mi zawdzięczają.

Otrzymali ostatnio tajemniczy spadek po krewnym, który rzekomo „zmarł w tajemniczy sposób gdzieś w Europie" – tak powiedział Andy, opowiadając o pieniądzach kumplowi z posterunku, gdy popijali w „Merlotcie". Kiedy Maxine Fortenberry podrzuciła bilety na loterię kółka kobiet przy Kościele Baptystów Getsemani, powiedziała mi, że „panna Caroline", chcąc ustalić tożsamość ofiarodawcy, przejrzała wszystkie rodzinne dokumenty, jakie zdołała znaleźć; niestety, bez rezultatu.

„Panna Caroline" nie miała jednak najwyraźniej żadnych skrupułów, jeśli chodzi o wydawanie tych pieniędzy.

Nawet Terry Bellefleur, kuzyn Portii i Andy'ego, jeździł teraz nowym pikapem, który stał na ubitej ziemi podwórza przed jego jednopiętrowym domem. Lubiłam Terry'ego, poranionego weterana z Wietnamu. Wiedziałam, że nie ma wielu przyjaciół, i nie zazdrościłam mu nowego auta.

Niemniej jednak pomyślałam o gaźniku, który dopiero co musiałam wymienić w moim starym samochodzie. Zapłaciłam od razu, choć przez chwilę chciałam spytać Jima

Downeya, czy nie przyjąłby połowy kwoty, rozkładając mi pozostałe koszty na następne dwa miesiące. Ale przecież Jim miał żonę i troje dzieci. Pomyślałam, że może poproszę Sama Merlotte'a, mojego szefa, o dodatkowe godziny w barze. Skoro Bill pojechał do Seattle, równie dobrze mogłabym przeprowadzić się do „Merlotte'a", gdyby tylko Sam potrzebował mnie tam non stop. Ja bez wątpienia potrzebowałam pieniędzy.

Mijając „Belle Rive", naprawdę walczyłam z uczuciem zazdrości. Ruszyłam na południe, a potem skręciłam w Hummingbird Road i skierowałam się do baru. Wmawiałam sobie, że wszystko będzie dobrze, że, gdy Bill wróci z Seattle (czy skądkolwiek), będzie ponownie namiętnym kochankiem, okaże mi uczucie i sprawi, że znów poczuję się kimś wyjątkowym. Chciałabym się znowu poczuć z kimś związana, a nie tak samotna jak teraz.

Miałam oczywiście brata, Jasona. Ale niezależnie od więzów krwi i łączącej nas przyjaźni, brat to tylko brat.

Przede wszystkim jednak czułam się w tej chwili odrzucona. A przez lata znałam to uczucie tak dobrze, jak gdyby było moją drugą skórą.

Na pewno nie chciałam wracać do tego stanu.

ROZDZIAŁ DRUGI

Przekręciłam gałkę u drzwi, sprawdzając, czy zamknęłam je na klucz, i odwróciłam się, a wówczas kątem oka zauważyłam, że ktoś siedzi na huśtawce na ganku. Stłumiłam krzyk, gdyż osobnik zaczął wstawać. A później go rozpoznałam.

Miałam na sobie ciężki, gruby płaszcz, a on był w podkoszulku bez rękawów. Właściwie, jego strój wcale mnie nie zaskoczył.

– El... – O rany, mało brakowało! – Jak się miewasz, Bubbo?

Próbowałam mówić spokojnym, beztroskim tonem. Nie wyszło mi to zbyt dobrze, jednak Bubba nie należał do najbystrzejszych osób. Wampiry przyznawały, że dużym błędem było zmienienie go w nieumarłego, gdy był bliski śmierci i koszmarnie odurzony lekami. Kiedy przewieziono go w nocy do kostnicy, przypadkowo pracował tam wampir, który był w dodatku wielkim fanem piosenkarza. Wymyślił na poczekaniu plan i – po dokonaniu jednego czy dwóch morderstw – przywrócił swego idola do życia, już jako wampira. Niestety, nie wszystko ułożyło się po myśli fana, toteż od tamtej pory wampiry

18

przekazują sobie Bubbę niczym nietrafiony prezent. Od ubiegłego roku przebywa w Luizjanie.

– Panno Sookie, co słychać?

Mówił z silnym akcentem, a jego twarz wciąż pozostawała ładna na swój specyficzny sposób. Ciemne włosy opadały mu na czoło w postaci pozornie niechlujnej grzywki. Gęste bokobrody były starannie uczesane. Pewnie jakiś inny fan spośród nieumarłych zajął się nim dzisiejszego wieczoru.

– Wszystko świetnie, dziękuję ci – odpowiedziałam uprzejmie, szczerząc zęby w uśmiechu od ucha do ucha. Tak właśnie się uśmiecham, ilekroć jestem zdenerwowana. – Akurat wybieram się do pracy – dodałam, zadając sobie w duchu pytanie, czy zdołam po prostu wsiąść do samochodu i odjechać. Uznałam, że chyba nie.

– Eee, panno Sookie, przysłano mnie, żebym cię dziś strzegł.

– Kto cię przysłał?

– Eric – odparł z dumą. – Byłem sam w biurze, gdy zadzwonił. Kazał mi ruszyć dupę i przywlec się tutaj.

– Ale co mi grozi?

Rozejrzałam się po leśnej polanie, na której stał mój stary dom. Rewelacje Bubby mocno mnie zdenerwowały.

– Nie wiem, panno Sookie. Eric... powiedział, że mam cię pilnować dziś wieczorem do czasu, aż dotrze ktoś z „Fangtasii". To znaczy, Eric, Chow, panna Pam albo choćby Clancy. Więc jeśli jedziesz do pracy, będę ci towarzyszył. Zajmę się każdym, kto spróbuje cię niepokoić.

Dalsze wypytywanie go nie miało sensu. Wiedziałam, że Bubby lepiej nie stresować. I tak wyglądał na wytrąconego z równowagi, a wolałam nie wiedzieć, jak zachowa się podrażniony. Właśnie dlatego trzeba było pamiętać, by nie zwracać się do niego jego dawnym imieniem... Chociaż od czasu do czasu podśpiewywał, i były to pamiętne chwile.

– Nie możesz wejść do baru – oznajmiłam mu otwarcie.

Wyobraziłam sobie tę katastrofę. Klienci „Merlotte'a" są wprawdzie przyzwyczajeni do widoku wampirów, ale przecież nie zdołałabym wszystkich ostrzec, żeby nie wymawiali dawnego imienia Bubby. Eric był chyba naprawdę zdesperowany; wampirza społeczność stara się przecież trzymać w ukryciu pomyłki w rodzaju Bubby, chociaż od czasu do czasu wymyka się on spod kontroli i włóczy gdzieś samotnie. A potem nagle dostaje „olśnienia" i tabloidy szaleją.

– Może mógłbyś posiedzieć w moim samochodzie, dopóki nie skończę pracy?

Bubbie wyraźnie nie przeszkadzał chłód.

– Muszę być bliżej ciebie – powiedział i zabrzmiało to stanowczo.

– No dobrze, w takim razie może spędzisz ten czas w biurze mojego szefa? Mieści się tuż obok sali barowej i na pewno usłyszysz, jeśli krzyknę.

Bubba nadal nie wyglądał na usatysfakcjonowanego, ale w końcu skinął głową. Odetchnęłam z ulgą, choć nawet nie zdawałam sobie sprawy, że wstrzymuję oddech. Najłatwiej byłoby zostać w domu – zadzwonić i wykręcić się chorobą. Tyle że nie chciałam stawiać przed faktem dokonanym Sama, który na mnie liczył. A poza tym zależało mi na odebraniu wypłaty.

Gdy Bubba usiadł obok mnie na przednim siedzeniu, w samochodzie zrobiło się trochę ciasno. Podskakując na wyboistej drodze, oddaliliśmy się od mojego domu, przejechaliśmy przez las i dotarliśmy do drogi gminnej, a wówczas pomyślałam, że muszę wezwać ekipę, która nawiezie więcej żwiru na mój długi, kręty podjazd. Po chwili zastanowienia uznałam, że jednak tego nie zrobię. Nie stać mnie było obecnie na taki wydatek. Podjazd musi poczekać do wiosny. Albo do lata.

Skręciliśmy w prawo i pokonaliśmy ostatnie kilka kilometrów do „Merlotte'a" – baru, w którym pracowałam jako kelnerka, jeśli tylko nie wypełniałam kolejnych tajnych misji dla wampirów. W połowie drogi przyszło mi do głowy, że nie dostrzegłam przed moim domem samochodu Bubby. W jaki sposób się tam dostał? Może przyleciał? Podobno niektóre wampiry umieją latać. Bubba był wprawdzie najmniej utalentowanym wampirem, jakiego kiedykolwiek spotkałam, ale może to akurat potrafił.

Rok temu wypytałabym go, ale nie dziś. Obecnie przyzwyczaiłam się do towarzystwa nieumarłych. Nie jestem wampirzycą, lecz telepatką. Moje życie było piekłem, dopóki nie spotkałam mężczyzny, w którego myślach nie jestem w stanie czytać. Niestety, nie czytam mu w myślach tylko dlatego, że ów mężczyzna nie żyje.

Jestem już z Billem od wielu miesięcy i aż do ostatniej rozmowy było mi z nim naprawdę dobrze. A ponieważ inne wampiry potrzebują moich usług, jestem bezpieczna – oczywiście do pewnego stopnia. Przeważnie. No, czasami.

Sądząc po zapełnionym jedynie w połowie barowym parkingu, w „Merlotcie" nie było zbyt wielu gości. Sam kupił lokal jakieś pięć lat temu. Poprzedni właściciel zrezygnował – może ze względu na lokalizację baru, który mieścił się na polanie wśród drzew rosnących wokół parkingu? A może nie potrafił zaproponować odpowiednich drinków, jedzenia i dobrej obsługi?

Gdy Sam zmienił nazwę lokalu i wyremontował go, zjawili się klienci. Od tego czasu interesy szły dobrze. Ale w poniedziałkowe wieczory, takie jak dziś, ludzie z naszych stron, czyli północnej Luizjany, rzadko przesiadują przy drinku.

Wjechałam na parking dla pracowników, który znajdował się tuż przed przyczepą Sama Merlotte'a, stojącą na prawo od wejścia dla personelu. Wyskoczyłam zza kierownicy, przebiegłam przez magazyn i zerknęłam przez szybę w drzwiach, oceniając krótki korytarz, z którego prowadziły drzwi do toalet i biura Sama. Pusto. To dobrze. Zastukałam do biura i weszłam. Sam siedział za biurkiem. Jeszcze lepiej.

Sam nie jest zbyt postawnym mężczyzną, choć bardzo silnym. Ma włosy w odcieniu, który można nazwać „rudawy blond", oraz niebieskie oczy, a jest może ze trzy lata starszy ode mnie. Ja mam dwadzieścia sześć. Pracuję dla niego od kilku lat. Lubię go i kiedyś bywał obiektem moich ulubionych fantazji; parę miesięcy temu jednak spotykał się z pewną piękną, lecz morderczą istotą i wówczas mój entuzjazm nieco osłabł. Na pewno jednak mogę go nazwać swoim przyjacielem.

– Wybacz, Sam – powiedziałam, uśmiechając się z nerwów jak idiotka.

– O co chodzi?

Zamknął przeglądany właśnie katalog z produktami dla lokali.

– Muszę tu kogoś ukryć na jakiś czas.

Ta wiadomość wyraźnie go nie zachwyciła.

– Kogo? Czy Bill wrócił?

– Nie, ciągle podróżuje. – Uśmiechnęłam się jeszcze szerzej. – Ale wampiry przysłały jednego ze swoich, żeby mnie... eee... strzegł? I muszę go tu ukryć do czasu, aż skończę pracę. Jeśli się zgodzisz.

– Czemu potrzebujesz ochrony? I czemu ten wampir nie może po prostu siedzieć w barze? Mamy mnóstwo Czystej Krwi.

Czysta Krew bez wątpienia okazała się najbardziej pożądanym spośród konkurujących ze sobą zamienników krwi naturalnej. „Najlepsza zaraz po naturalnej" – głosiła pierwsza reklama, po której wampiry tłumnie rzuciły się do sklepów.

Usłyszałam za sobą cichy odgłos i westchnęłam. Bubba się niecierpliwił.

– Hej, prosiłam cię przecież... – zaczęłam, usiłując się odwrócić.

Niestety, nie zdążyłam. Ktoś położył mi rękę na ramieniu i szarpnął mnie ku sobie. Stanęłam w korytarzu oko w oko z mężczyzną, którego nigdy wcześniej nie widziałam. I który robił właśnie zamach pięścią, zamierzając uderzyć mnie w głowę.

Chociaż wypłukałam już z organizmu większość wampirzej krwi, którą połknęłam kilka miesięcy temu (podkreślę, że w przeciwnym razie nie przeżyłabym), więc obecnie moja skóra jedynie lekko jarzy się w ciemnościach, to wciąż jestem szybsza niż większość ludzkich istot. Wyrwałam się więc błyskawicznie napastnikowi, a potem przykucnęłam i pchnęłam jego nogi. Gdy się zachwiał, Bubbie łatwiej było go chwycić za gardło i zacisnąć na nim dłonie.

Wstałam chwiejnie, a Sam wybiegł z biura. Popatrzyliśmy na siebie, a potem na Bubbę i jego ofiarę.

Cudownie!

– Zabiłem go – oznajmił z dumą Bubba. – Ocaliłem cię, panno Sookie.

Gdy w twoim barze zjawia się facet z Memphis i uświadamiasz sobie, że ów sławny człowiek jest teraz wampirem, a w dodatku obserwujesz, jak na twoich oczach skręca kark potencjalnemu zabójcy... Cóż, nawet Sam miał problem z ogarnięciem tej sytuacji, chociaż i on nie jest zwyczajnym facetem.

– No cóż, rzeczywiście – powiedział łagodnie do Bubby. – Wiesz, kim był?

Dopóki nie zaczęłam się spotykać z Billem, nigdy nie widziałam martwego człowieka – poza domem pogrzebowym. Bill w zasadzie też jest martwy, chodzi mi jednak o osoby „całkowicie" martwe. Tak czy owak, od tamtej pory stale mam do czynienia z trupami. Jak to dobrze, że nie jestem przesadnie wrażliwa.

Ten konkretny martwy człowiek był po czterdziestce i wyraźnie nie miał łatwego życia. Całe jego ręce były pokryte tatuażami, przeważnie kiepskiej jakości, toteż kojarzyły mi się z więzieniem. Mężczyźnie brakowało też kilku przednich zębów. Miał na sobie strój, który wydał mi się typowy dla motocyklistów: poplamione błękitne dżinsy i skórzaną kamizelkę narzuconą na podkoszulek z obscenicznym napisem.

– Co widnieje z tyłu jego kamizelki? – spytał Sam, jak gdyby ten szczegół był dla niego strasznie ważny.

Bubba uprzejmie kucnął i obrócił zwłoki na bok. Gdy ręka trupa opadła bezwładnie na dłoń wampira, poczułam napływ mdłości. Zmusiłam się jednak do obejrzenia kamizelki. Jej tył zdobił profil wilczego łba. Wilk wyglądał, jak gdyby wył, a cały łeb znajdował się w środku białego kręgu, który uznałam za księżyc. Na widok tego obrazka mój szef zaniepokoił się jeszcze bardziej.

– Wilkołak – oznajmił krótko.

Tak, to wiele wyjaśniało.

Na dworze było zbyt mroźno, by nosić jedynie podkoszulek i kamizelkę. O ile nie było się wampirem. Wilkołaki znosiły zimno nieco lepiej niż zwykli ludzie, lecz przeważnie starały się nosić ciepłe okrycia podczas chłodów, ponieważ istnienie wilkołaczej społeczności ciągle nie było znane ludzkiej rasie (z wyjątkiem mnie, szczęściary, i prawdopodobnie kilkuset innych dobrze poinformowanych). Zastanawiałam się zatem, czy zabity zostawił płaszcz w barze, na przykład na haku przy głównym wejściu. Oznaczałoby to, że ukrywał się w męskiej toalecie, czekając, aż się zjawię. A może wszedł za mną tylnymi drzwiami? Może zostawił płaszcz w swoim aucie?

– Widziałeś, jak wchodził? – spytałam Bubbę.

Byłam chyba trochę rozkojarzona.

25

– Tak, panno Sookie. Pewnie czekał na ciebie na dużym parkingu. Zostawił samochód za rogiem, wysiadł i wszedł tylnym wejściem chwilkę po tobie. Wbiegłaś drzwiami, on tuż za tobą, a ja za nim. Miałaś wielkie szczęście, że przyjechałem tu z tobą.

– Dziękuję ci, Bubbo. Masz rację. Dobrze, że tu byłeś. Ciekawe, co zamierzał ze mną zrobić...

Na samą myśl poczułam zimny dreszcz na całym ciele. Czy wilkołak szukał tylko jakiejś samotnej kobiety, którą chciał porwać, czy polował właśnie na mnie? Uprzytomniłam sobie, że głupio się pocieszam. Skoro Eric tak bardzo bał się o mnie, że przysłał mi ochroniarza, na pewno wiedział o jakimś zagrożeniu. Czyli że atak na mnie był nieprzypadkowy.

Bubba wyszedł bez słowa tylnymi drzwi. Wrócił po minucie.

– Wilkołak miał na przednim siedzeniu auta mocną taśmę klejącą i kneble – oznajmił. – W samochodzie zostawił też kurtkę. Przyniosłem ją, żeby wsunąć mu pod głowę.

Pochylił się, wsunął grubą kurtkę moro pod głowę zabitego i okrył nią jego twarz i szyję. Owinięcie głowy stanowiło naprawdę dobry pomysł, gdyż z ust nieżyjącego pociekło trochę krwi. Po ukończeniu zadania Bubba zlizał ją z palców.

Widząc, że wpadam w lekki dygot, Sam objął mnie.

– To jednak dziwne... – mówiłam, gdy prowadzące z baru na korytarz drzwi zaczęły się otwierać i pojawiła się w nich twarz Kevina Pryora.

Kevin był przemiłym facet, ale pracował w policji. A gliniarz był ostatnią osobą, jakiej obecnie potrzebowaliśmy.

26

– Przepraszam, niestety, toaleta się zatkała – bąknęłam i pchnęłam drzwi, o mało nie uderzając nimi w pociągłą twarz zaskoczonego mężczyzny. – Słuchajcie, może popilnuję drzwi, a wy dwaj wyniesiecie tego faceta i załadujecie do jego pojazdu? Potem wymyślimy, co z nim zrobić.

Podłogę korytarza na pewno trzeba było umyć. Odkryłam, że drzwi prowadzące na korytarz można zamknąć na klucz. Nigdy przedtem tego nie zauważyłam.

Sam miał wątpliwości.

– Sookie, nie sądzisz, że powinniśmy wezwać policję? – spytał.

Rok temu zadzwoniłabym na posterunek, jeszcze zanim ciało upadło na podłogę. Jednakże w ciągu tego ostatniego roku wiele się nauczyłam. Spojrzałam Samowi w oczy i skinęłam głową w stronę Bubby.

– Myślisz, że wytrzyma w więzieniu? – mruknęłam.

Bubba nucił pod nosem pierwsze słowa *Blue Christmas*.

– Ani ty, ani ja nie mielibyśmy przecież dość siły, żeby udusić tego wilkołaka – dodałam przekonująco.

Po chwili wahania Sam pokiwał głową. Również nie widział innego wyjścia.

– Okej, Bubba, zanieśmy faceta do jego auta.

Pobiegłam po mopa, a mężczyźni – to znaczy wampir i zmiennokształtny – wynieśli motocyklistę tylnymi drzwiami. Zanim wrócili, przynosząc ze sobą powiew lodowatego powietrza, zdążyłam umyć podłogę w korytarzu i męskiej toalecie (jak gdyby naprawdę doszło w niej do zalania). Rozpyliłam w korytarzu trochę odświeżacza powietrza, żeby nikt nie wyczuł żadnego dziwnego zapachu.

Dobrze, że działałam szybko, ponieważ ledwie przekręciłam klucz w drzwiach, Kevin znów je pchnął.

– Wszystko w porządku? – spytał.

Kevin lubi biegać, więc jego ciało jest szczupłe, pozbawione zbędnego tłuszczu, a przy tym jest niewysoki. Wygląda trochę ciapowato i nadal mieszka z mamą. Ale mimo to wcale nie jest głupi. W przeszłości czasem wsłuchiwałam się w jego myśli, więc wiem, że Kevin zazwyczaj skupia się na szczegółach związanych z pracą w policji albo snuje marzenia związane z czarnoskórą partnerką, postawną Kenyą Jones. Teraz wyczułam u niego podejrzliwość.

– Chyba naprawiliśmy – odpowiedział mu Sam. – Podłoga jest świeżo wytarta, więc patrz pod nogi. Nie poślizgnij się, bo jeszcze przyjdzie ci do głowy mnie zaskarżyć!

– Ktoś jest w twoim biurze? – spytał Kevin, kiwając głową ku zamkniętym drzwiom.

– Jeden z przyjaciół Sookie – odparł Sam.

– Lepiej pójdę na salę i podam parę drinków – oznajmiłam niefrasobliwym tonem, obrzucając obu mężczyzn promiennymi uśmiechami.

Uniosłam rękę, wygładziłam koński ogon i odeszłam w moich reebokach. W barze panowały pustki, toteż kelnerka, którą przyszłam zastąpić (Charlsie Tooten) popatrzyła na mnie z ulgą.

– Nic się nie dzieje – mruknęła do mnie. – Ci przy stoliku numer sześć piją ten dzbanek od godziny, a Jane Bodehouse usiłuje poderwać każdego faceta, który wejdzie. Kevin przez cały wieczór pisał coś w notesie.

Walcząc z niechęcią, zerknęłam na jedyną klientkę baru. Każdy lokal ma swoich pijaków, którzy przesiadują w nim od otwarcia do zamknięcia. Jane Bodehouse należała do naszych. Zwykle piła samotnie w domu, lecz mniej więcej raz na dwa tygodnie wpadała do nas i starała się poderwać jakiegoś faceta. Każdy kolejny podryw był trudniejszy, bo Jane miała po pięćdziesiątce, ale z powodu trybu życia, jaki prowadziła od dobrych dziesięciu lat, czyli częstego braku snu i niewłaściwego odżywiania, wyglądała znacznie starzej.

Dziś wieczorem nie dodawał jej również uroku makijaż, gdyż wykonując go, wyraźnie wyjechała poza brzegi brwi i ust. Rezultat był naprawdę paskudny. Trzeba będzie zadzwonić po jej syna, żeby ją odebrał. Nie miałam wątpliwości, że kobieta nie jest w stanie kierować samochodem.

Skinęłam głową Charlsie i pomachałam Arlene, innej kelnerce, która siedziała przy stoliku ze swoim najnowszym facetem, Buckiem Foleyem. Skoro odpoczywała, w lokalu rzeczywiście interes się nie kręcił. Arlene pomachała mi w odpowiedzi tak energicznie, że aż zawirowały jej rude loki.

– Jak tam dzieciaki?! – zawołałam, odstawiając na miejsce szklanki, które Charlsie wyjęła ze zmywarki.

Własne zachowanie wydawało mi się zupełnie normalne, dopóki nagle nie zauważyłam, jak strasznie trzęsą mi się ręce.

– Wspaniale. Coby przynosi same szóstki, a Lisa wygrała konkurs ortograficzny – odparła z szerokim uśmiechem.

Każdemu, kto uważa, że czterokrotna mężatka nie może być dobrą matką, wystarczy wskazać Arlene. Żeby zrobić jej

przyjemność, posłałam również szybki uśmieszek Bucko-
wi. Buck przypomina wszystkich innych facetów, z którymi umawia się moja przyjaciółka – co oznacza, że drań nie
dorasta jej do pięt.

– Świetnie! – ucieszyłam się. – Dzieciaki równie bystre
jak ich mama.

– Ach, słuchaj znalazł cię ten facet?

– Jaki? – spytałam, choć miałam wrażenie, że już wiem.

– Ten w ciuchach harleyowca. Pytał mnie, czy jestem
tą kelnerką, która spotyka się z Billem Comptonem, bo
rzekomo miał jej dostarczyć jakąś przesyłkę.

– Nie znał mojego nazwiska?

– Nie. Dziwne, prawda? O mój Boże, Sookie, skoro nie
znał nawet twojego imienia, jak mógł twierdzić, że przychodzi od Billa?!

Skoro Arlene dopiero teraz na to wpadła, możliwe, że
Coby odziedziczył jednak inteligencję po ojcu. Ale uwielbiam Arlene za charakter, a nie za umysł.

– I co powiedziałaś? – spytałam, uśmiechając się do niej
szeroko.

Był to znów oczywiście objaw zdenerwowania, a nie
szczery wyraz mojej radości. Niestety, czasem bezwiednie
zdarza mi się ten głupi uśmiech.

– Że wolę mężczyzn, którzy są ciepli i oddychają – odparła i roześmiała się. Arlene bywa od czasu do czasu naprawdę nietaktowna. Pomyślałam, że może powinnam
się zastanowić i odpowiedzieć sobie na pytanie, dlaczego
właściwie się z nią przyjaźnię. – Nie, tak naprawdę wcale
mu tak nie powiedziałam. Rzuciłam tylko, że jesteś blondynką i przyjdziesz o dwudziestej pierwszej.

Dzięki, Arlene. Czyli że napastnik wiedział, jak wyglądam, bo wydała mnie najlepsza przyjaciółka. Równocześnie oznaczało to jednak, że nie znał mojego imienia i nie wiedział, gdzie mieszkam. Słyszał tylko, że pracuję w barze „U Merlotte'a", a moim chłopakiem jest Bill Compton. Pocieszyła mnie ta myśl, choć tylko trochę.

Trzy godziny wlokły się niemiłosiernie. Do sali barowej przyszedł Sam i szepnął mi, że zostawił Bubbie czasopismo i butelkę krwi syntetycznej. Stanął za barem i czegoś tam szukał.

– Dlaczego ten facet jeździł samochodem, a nie motorem? – spytał cicho. – I czemu jego wóz ma numery rejestracyjne z Missisipi?

Umilkł, bo właśnie podszedł Kevin i spytał, czy dzwoniliśmy po syna Jane, Marvina. Sam zatelefonował, a Kevin czekał obok, dopóki się nie upewnił, że Marvin zjawi się w „Merlotcie" za dwadzieścia minut. W końcu wsunął notes pod pachę i odszedł. Zastanowiłam się, czy Kevin odkrył w sobie talent poetycki, czy może pisze życiorys.

Czterej mężczyźni, usiłując ignorować zaczepki Jane, dokończyli wreszcie w żółwim tempie dzban piwa i wyszli. Każdy zostawił po dolarze napiwku. Ależ szeroki gest, nie ma co! Przy takich klientach nigdy nie zdołam kupić żwiru na podjazd.

Gdy Arlene zostało pół godziny do końca zmiany, posprzątała i spytała, czy może już wyjść z Buckiem. Ponieważ dzieci zostawiła u matki, ona i Buck przez kilka godzin będą mieli przyczepę wyłącznie dla siebie.

– Bill wróci wkrótce do domu? – spytała mnie, wkładając płaszcz.

Buck rozmawiał z Samem o footballu.

Wzruszyłam ramionami. Zadzwonił do mnie trzy noce wcześniej, oznajmił, że dotarł do rzekomego Seattle bezpiecznie i spotka się z... tym, z kim miał się spotkać. Dzwonił z numeru zastrzeżonego. Nie wiedziałam, gdzie naprawdę jest, i uważałam, że to zły znak.

– Tęsknisz za nim? – spytała cicho.

– A jak sądzisz? – odparowałam, krzywiąc się lekko. – Idź do domu i baw się dobrze.

– Buck bardzo dobrze umie się bawić – zapewniła mnie, niemal lubieżnym tonem.

– Szczęściara.

Kiedy po pewnym czasie przybyła Pam, w „Merlotcie" została tylko jedna klientka – Jane Bodehouse. Ale Jane się nie liczyła, bo nie bardzo wiedziała, co się wokół dzieje.

Pam jest wampirzycą, współwłaścicielką „Fangtasii" – wampirzego baru dla turystów w Shreveport, zastępczynią Erica. Blondynka, ma prawdopodobnie ze dwieście parę lat i spore poczucie humoru; a poczucie humoru nie jest cechą charakterystyczną nieumarłych. Jeśli można się przyjaźnić z wampirzycą, moją przyjaciółką jest Pam.

Usiadła na stołku barowym i popatrzyła na mnie ponad lśniącym drewnianym blatem.

Jej przybycie nie wróżyło nic dobrego. Nigdy nie widziałam jej nigdzie poza „Fangtasią".

– Co słychać? – zagaiłam na powitanie i uśmiechnęłam się do niej nerwowo.

– Gdzie Bubba? – spytała prosto z mostu i popatrzyła gdzieś nad moim ramieniem. – Jeśli go nie ma, Eric się wścieknie.

Po raz pierwszy zauważyłam, że Pam mówi ze słabym akcentem, którego pochodzenia nie potrafiłam jednak ustalić. A może chodziło jedynie o modulację charakterystyczną dla dawnego angielskiego?

– Bubba jest na tyłach, w biurze Sama – odparłam, patrząc jej w oczy.

Denerwowałam się coraz bardziej. Zbliżył się do nas Sam i stanął obok mnie, więc przedstawiłam ich sobie. Pam poświeciła mu więcej uwagi niż zwykłemu człowiekowi (którego być może po prostu by zignorowała), ponieważ mój szef jest istotą zmiennokształtną. Sądziłam, że popatrzą na siebie z niejakim zainteresowaniem, Pam bowiem jest nienasycona, jeśli chodzi o seks, a Sam to przystojny osobnik nadnaturalny. Chociaż wampiry rzadko okazują emocje, Pam wydała mi się nagle wyraźnie nieszczęśliwa.

– Co się dzieje? – spytałam po chwili milczenia.

Spojrzała mi w oczy. Obie jesteśmy błękitnookimi blondynkami, ale różnimy się od siebie jak chart od labradora. Na włosach i oczach podobieństwo się kończy. Zresztą, Pam ma proste, bardzo jasne włosy, oczy natomiast bardzo ciemne, niemal granatowe. Teraz dostrzegałam w nich smutek. W tym momencie rzuciła znaczące spojrzenie Samowi, który bez słowa poszedł pomóc synowi Jane, znużonemu mężczyźnie po trzydziestce, odprowadzić matkę do samochodu.

– Bill zaginął – obwieściła Pam, zaskakując mnie tym stwierdzeniem.

– Wcale nie. Jest w Seattle – zapewniłam ją. Nauczyłam się tego określenia akurat dziś rano, ponieważ było w moim kalendarzu Słowem Dnia. I od razu mi się przydało.

– Okłamał cię.

Zastanowiłam się, po czym niedbale machnęłam ręką. Nie uwierzyłam jej.

– Przez cały czas był w Missisipi. W Jackson – dodała.

Zagapiłam się na lakierowane drewno kontuaru. Niby wcześniej podejrzewałam, że Bill mnie oszukuje, jednak wypowiedziane bez ogródek słowa Pam cholernie zabolały. Okłamał mnie i zniknął.

– No i... jak zamierzacie go... znaleźć? – wydukałam i zawstydziłam się z powodu swojego drżącego głosu.

– Szukamy. Robimy wszystko co w naszej mocy – zapewniła mnie. – Ale ten, kto go porwał, może również starać się dopaść ciebie. Dlatego Eric przysłał Bubbę.

Nie miałam siły jej odpowiedzieć. Przez dobrą chwilę próbowałam nad sobą zapanować.

Wrócił Sam. Przypuszczam, że przyśpieszył kroku na widok mojego zdenerwowania. Gdy stanął tuż za moimi plecami, odezwał się:

– Ktoś napadł na Sookie, gdy przyszła dziś wieczorem do pracy. Bubba ją uratował. Ciało jest w samochodzie. Wywieziemy je po zamknięciu baru.

– Tak szybko – zauważyła Pam jeszcze smutniejszym tonem.

Zmierzyła wzrokiem Sama i skinęła głową. Oboje byli istotami nadnaturalnymi, chociaż bez wątpienia dla niej ważniejszy od niego byłby pierwszy lepszy wampir.

– Lepiej pójdę do auta i zobaczę, co tam znajdę.

Pam nie miała cienia wątpliwości, że sami pozbędziemy się zwłok i na pewno nie zawiadomimy policji. Wampiry mają kłopot z akceptacją organów ścigania i obowiązkiem zgłaszania policji ewentualnych problemów. Chociaż nieumarli nie mogą wstępować do wojska, zostają czasem policjantami i nawet lubią taką robotę. Tyle że inne wampiry często nimi pogardzają.

Rozmyślałam o wampirzych gliniarzach pewnie po to, by nie skupiać się na słowach Pam.

– Kiedy Bill zaginął? – spytał Sam.

Mówił spokojnie, choć wyczułam, że tłumi gniew.

– Oczekiwaliśmy go ubiegłej nocy – odparła Pam.

Gwałtownie uniosłam głowę. Nie wiedziałam. Dlaczego mi nie powiedział, że wraca do domu?

– Po drodze do Bon Temps zadzwonił do nas do „Fangtasii" i powiedział, że właśnie jedzie do domu. Chciał się z nami spotkać dziś wieczorem.

Takie tłumaczenie nie pasowało do Pam.

Wampirzyca wystukała cyfry na klawiaturze telefonu komórkowego. Usłyszałam sygnał wybierania, a później wysłuchałam jej rozmowy z Erikiem. Gdy zrelacjonowała fakty, oznajmiła:

– Ona siedzi tutaj. Niewiele mówi.

Wcisnęła mi komórkę w rękę, a ja mechanicznie przyłożyłam ją do ucha.

– Sookie, słuchasz?

Wiedziałam, że Eric potrafi wychwycić nawet dźwięk muśnięcia moich włosów o słuchawkę lub cichy odgłos mojego oddechu.

– Wiem, że tak – dodał. – Wysłuchaj mnie i bądź posłuszna. Na razie nie mów nikomu, co zaszło. Zachowuj się normalnie. Żyj jak zwykle. Jedno z nas przez cały czas będzie cię obserwowało, więc niczym się nie przejmuj. Zapewnimy ci ochronę nawet w trakcie dnia, znajdziemy jakiś sposób. Pomścimy Billa, a ciebie będziemy strzec...

Chcą pomścić Billa? Więc Eric był przekonany, że mój wampir nie żyje? Że umarł na dobre?!

– Nie wiedziałam, że miał wrócić ubiegłej nocy – jęknęłam, jak gdyby to była najważniejsza informacja, jaką usłyszałam.

– Miał... złe wieści, które zamierzał ci przekazać – wtrąciła się niespodziewanie Pam.

Eric usłyszał jej słowa i sapnął z irytacją.

– Powiedz Pam, żeby się zamknęła – rozkazał mi ostro.

Odkąd go poznałam, ani razu nie wydał mi się tak bardzo rozgniewany jak teraz. Nie przekazałam jego polecenia Pam, uznałam, że i tak do niej dotarło. Większość wampirów ma niezwykle wyostrzony słuch.

– Czyli że znaliście tę złą nowinę i wiedzieliście, że wraca – wytknęłam mu.

Nie dość, że Bill zaginął, a może nawet umarł (trwale umarł), to na dodatek oszukał mnie co do miejsca swojego pobytu i powodów wyjazdu. I jeszcze ukrywał przede mną jakiś ważny sekret, informację, która dotyczyła mnie osobiście. Byłam tak zszokowana, że nawet nie odczuwałam bólu. Ale wiedziałam, że niedługo go poczuję.

Oddałam telefon Pam, odwróciłam się i wyszłam z baru.

Załamałam się w samochodzie. Powinnam była zostać w „Merlotcie", żeby pomóc Samowi w pozbyciu się zwłok.

Nie był wampirem i został wmieszany w tę sprawę z mojego powodu. Zachowałam się wobec niego nie w porządku. Wahałam się jednak tylko chwilę, po czym odjechałam. Bubba może mu pomóc... i Pam, która wiedziała wszystko, podczas gdy ja nie miałam o niczym pojęcia.

A jednak, jadąc do domu, przez las, dostrzegłam bladą twarz wśród drzew. O mało nie krzyknęłam do wampira i nie zaprosiłam go do siebie. Mógłby przynajmniej noc przesiedzieć na kanapie. Ale pomyślałam: nie, muszę być sama. Nie ma w tym wszystkim mojej winy. I nie będę podejmować żadnej decyzji. Będę trzymać się z dala. Nie chcę o niczym wiedzieć.

Nigdy wcześniej nie czułam takiego bólu i złości. Tak mi się przynajmniej wtedy wydawało. Późniejsze rewelacje i zdarzenia pokazały, jak bardzo się wówczas myliłam.

Wbiegłam do domu i zamknęłam za sobą drzwi na klucz. Wampiry są silne, więc taki zamek na pewno nie powstrzymałby żadnego przed wejściem, ale nie mogły gdzieś wejść, jeśli nie udzielono im jednoznacznego pozwolenia. A na dworze miały oczywiście nad istotami ludzkimi sporą przewagę, przynajmniej do świtu.

Włożyłam starą nocną koszulę z niebieskiego nylonu, usiadłam przy kuchennym stole i zagapiłam się beznamiętnie na swoje ręce. Zastanawiałam się, gdzie jest teraz Bill. Czy chociaż chodzi po ziemi? A może pozostała po nim kupka popiołu obok grilla? Pomyślałam o jego gęstych kasztanowych włosach, po których tak często przesuwałam palcami. Rozważyłam potencjalne powody, dla których nie wspomniał mi o planowanym powrocie. Po chwili, która trwała dla mnie ledwie parę minut, zerknęłam na zegar na kuchence. Siedziałam przy stoliku, gapiąc się przed siebie, przez ponad godzinę!

Powinnam położyć się do łóżka. Było późno i zimno, normalnie przydałby mi się sen. Wiedziałam jednak, że od tej pory nic w moim życiu nigdy już nie będzie normalne. Nie, nie, wręcz przeciwnie! Skoro Bill odszedł, moje życie właśnie teraz stanie się... normalne.

Nie będzie Billa, więc nie będzie też wampirów: żadnego Erica, Pam czy Bubby.

Żadnych istot nadnaturalnych: żadnych wilkołaków, zmiennokształtnych czy menad. Nie spotkałabym ich wszystkich, gdyby nie związek z Billem. Gdyby Bill nigdy nie wszedł do „Merlotte'a", pracowałabym nadal jako zwykła kelnerka i słuchała niechcianych myśli otaczających mnie osób; słuchałabym o zachłanności, pożądaniu, rozczarowaniu, nadziejach i fantazjach – o życiu.

Stuknięta Sookie, małomiasteczkowa telepatka z Bon Temps w Luizjanie.

Zanim spotkałam Billa byłam dziewicą. A teraz mogłabym uprawiać seks jedynie z JB du Rone'em, który był tak przystojny, że niemal nie zauważałam jego bezdennej głupoty. Przez głowę JB przelatywało tak niewiele myśli, że w jego towarzystwie czułam się prawie przyjemnie. Mogę go dotykać i nie widzę żadnych nieprzyjemnych obrazów. Ale Bill... Odkryłam, że prawą rękę zacisnęłam w pięść i uderzam nią w stolik tak mocno, że aż mnie rozbolała.

Bill powiedział, że jeśli coś mu się przytrafi, mam „pójść do" Erica. Nie wiedziałam, czy Eric miałby wówczas pomóc mi w zdobyciu jakiegoś spadku po Billu, chronić mnie przed innymi wampirami, czy po prostu byłabym...

Erica „no wiecie". No cóż, wtedy musiałoby mnie łączyć z Erikiem to samo co wcześniej z Billem. Odparłam mojemu wampirowi, że nie godzę się na to, by mnie sobie przekazywali niczym pałeczkę w sztafecie.

Tyle że Eric sam przystąpił do działania, więc nawet nie zdążyłam zadecydować, czy skorzystać z ostatniej rady Billa.

Hm, straciłam wątek. Zresztą zazwyczaj miałam w głowie chaos.

Och, Billu, gdzie jesteś?

Ukryłam twarz w dłoniach.

Byłam tak zmęczona, że czułam pulsowanie w skroniach, a w mojej wygodnej kuchni o tak wczesnej porze panował chłód. Wstałam, żeby pójść do łóżka, chociaż wiedziałam, że i tak nie zasnę. Pragnęłam Billa z niemal bolesną intensywnością, która wydała mi się aż osobliwa, toteż zadałam sobie pytanie, czy przypadkiem nie zawładnęła mną jakaś nadnaturalna moc.

Chociaż dzięki telepatycznym zdolnościom, które posiadam, jestem odporna na uroki rzucane przez wampiry, może jestem podatna na inne siły? A może po prostu utraciłam jedyną miłość. Poczułam się słaba, pusta i zdradzona. Poczułam się gorzej niż wtedy, gdy umarła moja babcia, gorzej niż wtedy, gdy utonęli moi rodzice. Kiedy rodzice zmarli, byłam przecież bardzo młoda i prawdopodobnie nie w pełni i nie od razu zrozumiałam, że odeszli na zawsze. Obecnie nie pamiętałam zbyt dobrze tamtego okresu. A kiedy moja babcia umarła kilka miesięcy temu, pocieszenie czerpałam z rytuałów pogrzebowych typowych dla Południa Stanów Zjednoczonych.

Poza tym wiedziałam, że żadna z tych drogich mi osób nie opuściła mnie z własnej woli.

Odkryłam, że stoję w progu kuchni. Wyłączyłam górne światło.

Leżąc pod kołdrą w łóżku w ciemnościach, zaczęłam płakać i przez bardzo długi czas nie mogłam przestać. To nie była moja noc. Przypominało mi się wszystko, co kiedykolwiek utraciłam, i ogarnął mnie prawdziwy żal. Wydało mi się, że towarzyszy mi w życiu pech gorszy niż większości ludzi. Chociaż usiłowałam przestać użalać się nad sobą, nieszczególnie mi się udało. Dodatkowo dręczyła mnie myśl, że nie wiem, co się stało z Billem.

Chciałam, żeby położył się za mną i mnie przytulił. Chciałam poczuć na karku jego chłodne wargi. Chciałam, żeby jego blada dłoń przesunęła się w dół po moim brzuchu. Chciałam z nim porozmawiać. Chciałam, żeby wyśmiał moje okropne podejrzenia. Chciałam mu opowiedzieć o moim dniu; o głupich problemach z gazownią i o nowych kanałach w kablówce. Pragnęłam mu przypomnieć, że potrzebuje nowej baterii łazienkowej, powiadomić go, że mój brat, Jason, dowiedział się, że jednak nie będzie ojcem (to dobrze, ponieważ nie był na razie żonaty).

Najsłodsza w posiadaniu życiowego partnera jest możliwość dzielenia z nim życia.

Widocznie jednak moje życie nie było dostatecznie ciekawe, by ktoś chciał je ze mną dzielić.

ROZDZIAŁ TRZECI

O świcie udało mi się zasnąć na jakieś pół godzinki. Najpierw postanowiłam wstać i zaparzyć sobie kawę, uznałam jednak, że nie widzę w tym sensu. Po prostu leżałam dalej. W którymś momencie, jeszcze rano, zadzwonił telefon, ale nie odebrałam. Ktoś również zadzwonił do drzwi; nie zareagowałam.

Po południu przypomniałam sobie, że coś powinnam jednak zrobić, wypełnić zadanie, na które nalegał Bill. Sytuacja pasowała do jego opisu jak ulał.

Korzystam obecnie z wielkiej sypialni, niegdyś należącej do mojej babci, więc przeszłam przez korytarz i wkroczyłam do mojego dawnego pokoju. Kilka miesięcy wcześniej Bill wyciął podłogę mojej starej szafy i przerobił ją na klapę, pod którą, w niskim korytarzyku pod domem, stworzył sobie prowizoryczną kryjówkę. Świetnie się sprawił.

Zanim otworzyłam drzwi szafy, sprawdziłam, czy nie widać mnie z zewnątrz. Na podłodze szafy nic nie stało, była przykryta jedynie dopasowanym dywanikiem odciętym od dużej wykładziny leżącej w pokoju. Podniosłam dywanik, podważyłam scyzorykiem brzegi klapy i w końcu ją otworzyłam. Zajrzałam do stojącego w skrytce czarnego pudła. Było pełne: komputer Billa, pudełko płyt, nawet jego monitor i drukarka.

Najwidoczniej przewidział, że coś może mu się przydarzyć, i przed wyjazdem ukrył efekty swojej pracy. Choć sam był wiarołomny, we mnie wyraźnie wierzył. Pokiwałam głową, opuściłam klapę i ułożyłam dywanik, starannie dopasowując narożniki. Na podłodze szafy postawiłam nieużywane obecnie rzeczy – pudełka z letnim obuwiem, letnią torbę zawierającą ręcznik na plażę, jedną z wielu tubek emulsji do opalania oraz składany fotel. Wsunęłam jeszcze w narożnik ogromny parasol i uznałam, że szafa prezentuje się wystarczająco realistycznie. Moje letnie sukienki na wieszakach wisiały obok siebie, wraz z cieniutkimi szlafroczkami i koszulkami nocnymi. Nagle straciłam zapał, uprzytomniłam sobie bowiem, że spełniłam ostatnią prośbę Billa i nawet nie mogę go o tym powiadomić.

Z jednej strony (żałosne, prawda?) pragnęłam mu przekazać, że dochowałam wierności, z drugiej miałam ochotę pójść do szopy na narzędzia i naostrzyć kilka kołków.

Zbyt rozdarta, by wymyślić sobie jakieś zajęcie, wpełzłam z powrotem do łóżka i przykryłam się. Skończył się dla mnie czas działania, czas siły, optymizmu i praktycznego podejścia. Znowu pogrążyłam się w zgryzocie i przytłaczającej mnie świadomości, że zostałam zdradzona.

Kiedy się obudziłam, było znowu ciemno, a Bill był ze mną w łóżku. Och, dzięki Bogu! Ogarnęła mnie ogromna ulga. Tak, teraz wszystko będzie dobrze. Poczułam jego chłodne ciało za swoim, obróciłam się, na wpół uśpiona, i objęłam go. Uniósł moją długą nylonową nocną koszulę i gładził ręką moją nogę. Przyłożyłam głowę do jego

cichej piersi i przytuliłam się. Objął mnie i przycisnął
mocno do siebie. Westchnęłam zadowolona, wsunęłam
między nas dłoń i zaczęłam rozpinać jego spodnie. Sytuacja wróciła do normalności.

Tylko że... ten mężczyzna pachniał inaczej!

Gwałtownie otworzyłam oczy i odepchnęłam twarde
jak skała ramiona. Wydałam z siebie krótki pisk przerażenia.

– To ja – usłyszałam znajomy głos.

– Co tu robisz, Ericu?

– Przytulam się.

– Ty sukinsynie! Sądziłam, że to Bill... Sądziłam, że
wrócił!

– Sookie, powinnaś wziąć prysznic.

– Co takiego?

– Masz tłuste włosy, a twój oddech powaliłby konia.

– Nie obchodzi mnie, co o mnie myślisz – odparowałam beznamiętnie.

– Idź się umyć.

– Dlaczego?

– Ponieważ musimy porozmawiać, a jestem pewien, że
nie chcesz odbyć długiej pogawędki w łóżku. Chociaż, jeśli
chodzi o mnie, chętnie poleżę tu z tobą... – dla potwier-
dzenia swoich słów znów przysunął się do mnie – ...ale
cieszyłbym się bardziej, baraszkując z czyściutką Sookie,
do której się przyzwyczaiłem.

Chyba żadna jego uwaga nie wygoniłaby mnie szybciej z łóżka. Gorący prysznic cudownie podziałał na moje
wyziębione ciało i nieco poprawił mi humor. Nie po raz
pierwszy Eric zaskoczył mnie w moim własnym domu.

Będę musiała cofnąć mu zaproszenie do niego. Przed tym radykalnym krokiem powstrzymywała mnie wcześniej – i nadal powstrzymuje – obawa, że gdybym kiedyś potrzebowała pomocy, a on nie zdołałby wejść, mogłabym zginąć, zanim zdążę krzyknąć słowa pozwolenia.

Wkroczyłam do łazienki, z dżinsami, bielizną i czerwono-zielonym bożonarodzeniowym swetrem z reniferem, ponieważ akurat te rzeczy leżały na wierzchu w szufladzie. W tych cholernych świątecznych rzeczach można paradować tylko przez miesiąc, więc większość z nich teraz nosiłam. Wysuszyłam włosy, żałując, że nie ma Billa, który chętnie je czesał. Naprawdę robił to z przyjemnością, a i mnie było miło. Wyobraziwszy to sobie, o mało znowu się nie załamałam, więc oparłam głowę o ścianę i przez długą chwilę trwałam w bezruchu, zbierając siły. W końcu zrobiłam głęboki wdech, odwróciłam się do lustra i wklepałam w policzki trochę fluidu. Opalenizna już mi zeszła, w końcu była zima, ale dzięki wizycie w solarium obok wypożyczalni wideo Bon Temps miałam na twarzy ładne kolorki.

Lubię lato. Lubię słońce, krótkie lekkie sukienki i uczucie, że przez wiele godzin panuje dzień i można robić to, co się chce. Nawet Bill kochał zapach lata; uwielbiał zapach olejku do opalania i (jak mawiał) słońce na mojej skórze.

Ale zima też miała zalety – noce były znacznie dłuższe. Tak przynajmniej uważałam, gdy Bill spędzał je ze mną. Na tę myśl cisnęłam szczotką do włosów w przeciwległą ścianę łazienki. Odbiła się od niej i wpadła do wanny, wywołując nieziemski łoskot.

– Ty draniu! – wrzasnęłam z całych sił.

Głośne wykrzyczenie takich słów uspokoiło mnie bardziej niż cokolwiek innego.

Kiedy wyłoniłam się z łazienki, zauważyłam, że Eric jest całkowicie ubrany. Miał na sobie podkoszulek reklamowy jednego z producentów zaopatrujących „Fangtasię" (napis głosił: „Ta krew jest dla ciebie") i błękitne dżinsy. Zdążył już posłać łóżko.

– Czy Pam i Chow mogą wejść? – spytał.

Przeszłam przez salon, dotarłam do frontowych drzwi i otworzyłam je. Dwa wampiry w milczeniu siedziały na ganku na huśtawce. Były w stanie, który nazywałam znieruchomieniem. Kiedy wampiry nie mają nic konkretnego do roboty, osobliwie zastygają i zamykają się we własnym świecie. Siedzą lub stoją zupełnie nieruchomo, z otwartymi oczyma, lecz są nieobecne. W takim stanie wyraźnie wypoczywają.

– Proszę, wejdźcie – powiedziałam.

Weszli powoli, rozglądając się z zainteresowaniem, jak gdyby byli na wycieczce edukacyjnej. Wiejski dom w Luizjanie, zbudowany mniej więcej sto sześćdziesiąt lat temu. Od tamtego czasu należy do naszej rodziny. Kiedy mój brat Jason postanowił zamieszkać osobno, wprowadził się do domu, który moi rodzice zbudowali tuż po ślubie. Ja zostałam tutaj, z babcią, w tym stale przebudowywanym i często remontowanym budynku; a później babcia zapisała mi go w testamencie.

Salon znajduje się w tym samym miejscu od początku. Inne pomieszczenia, takie jak nowoczesna kuchnia i łazienki, są stosunkowo nowe. Piętro, dużo mniejsze niż parter, zostało dodane na początku dwudziestego wieku, przy uwzględnieniu potrzeb wielodzietnej rodziny. Rzadko wchodzę na górę. Latem jest tam strasznie gorąco, nawet mimo klimatyzacji.

Wszystkie moje meble są stare, pozbawione konkretnego stylu, wygodne i absolutnie stereotypowe. W salonie stoją kanapy, krzesła, odbiornik telewizyjny i magnetowid. Dalej jest korytarz, z jednej strony którego znajduje się moja ogromna sypialnia z własną łazienką, po drugiej natomiast jest druga łazienka, dalej moja dawna sypialnia i kilka szaf: między innymi na bieliznę i na okrycia wierzchnie. Na końcu korytarza znajduje się kuchnia z jadalnią – pomieszczenia dobudowane wkrótce po ślubie dziadka i babci. Z kuchni można wyjść przez drzwi siatkowe na zadaszony tylny ganek, na którym stoi przydatna stara ławka, pralka, suszarka i szereg regałów z półkami.

W każdym pomieszczeniu mam wiatrak sufitowy, a w dyskretnym miejscu na gwoździku wisi packa na muchy. Babcia nie włączała klimatyzacji, jeśli naprawdę nie musiała.

Pam i Chow nie weszli wprawdzie na piętro, ale na parterze nie umknął im żaden szczegół.

Dopóki nie usadowili się przy starym sosnowym stole, przy którym jadało posiłki kilka pokoleń Stackhouse'ów, czułam się jak mieszkanka właśnie skatalogowanego muzeum. Otworzyłam lodówkę i wyjęłam trzy butelki Czystej Krwi, podgrzałam je w kuchence mikrofalowej, wstrząsnęłam każdą i postawiłam na stole przed gośćmi.

Chowa znałam bardzo słabo. Pracował w „Fangtasii" dopiero od paru miesięcy. Przypuszczam, że nabył udziały w barze, dokładnie tak jak poprzedni barman. Chow ma niezwykłe ciemnoniebieskie tatuaże w stylu azjatyckim, tak misterne, że wyglądają jak fantazyjny strój. Tak bardzo się różniły od więziennych bazgrołów wilkołaka, który na mnie napadł, jak gdyby stanowiły inny rodzaj formy artystycznej. Ktoś mi powiedział, że tatuaże Chowa są charakterystyczne dla członków jakuzy, lecz nigdy nie miałam odwagi spytać o nie ich właściciela, szczególnie że nie była to moja sprawa. Jeśli jednak Chow miał rzeczywiście prawdziwe tatuaże jakuzy, był stosunkowo młodym wampirem. Sprawdziłam informacje o jakuzie i wiem, że tatuowanie to stosunkowo świeża moda w długiej historii tej przestępczej organizacji. Chow miał długie czarne włosy (nic dziwnego!) i słyszałam z wielu źródeł, że stanowi prawdziwą atrakcję „Fangtasii". Większość wieczorów pracował z obnażonym torsem. Dziś, z powodu chłodu miał na sobie zapinaną na suwak czerwoną kamizelkę.

Mimowolnie zastanowiłam się, czy kiedykolwiek czuje się naprawdę nagi; jego ciało było przecież tak intensywnie przyozdobione. Żałowałam, że nie mogę go wypytać, uznałam wszakże taki pomysł za wykluczony. Był jedyną osobą pochodzenia azjatyckiego, jaką kiedykolwiek spotkałam, i chociaż wiadomo, że poszczególne osoby niewiele mówią o rasie, którą reprezentują, każdy z nas dokonuje pewnych uogólnień. Chow wyglądał na człowieka nieco zamkniętego w sobie. Z drugiej strony, bynajmniej nie był nieprzeniknionym milczkiem, chętnie gawędził z Pam, choć w języku, którego nie rozumiałam. A mnie posyłał jakieś niepokojące uśmiechy.

No, dobra, może wcale nie był taki zagadkowy. Najpewniej cholernie mnie obrażał, a ja byłam zbyt głupia, by to zauważyć.

Pam jak zawsze miała na sobie ubrania dobrej jakości. Tego wieczoru włożyła ciepłe białe spodnie z dzianiny i niebieski sweter. Jej blond włosy lśniły; proste i rozpuszczone, sięgały pleców. Wyglądała jak Alicja w Krainie Czarów, tyle że miała... kły.

— Dowiedzieliście się już czegoś więcej o Billu? — spytałam, kiedy wypili po łyku Czystej Krwi.

— Trochę — odparł Eric.

Położyłam ręce na kolanach i czekałam.

— Wiem, że Billa porwano — oznajmił, a mnie się wydało, że pokój zawirował.

Żeby się uspokoić, zrobiłam głęboki wdech.

— Przez kogo? — zapytałam, nie przejmując się gramatyką.

— Nie jesteśmy pewni — odparł Chow. — Świadkowie nie są co do tego zgodni.

Mówił z akcentem, ale bardzo wyraźnie.

— Może z nimi pogadam — zaproponowałam. — Jeśli są istotami ludzkimi, wszystkiego się od nich dowiem.

— Gdyby podlegali naszemu zwierzchnictwu, na pewno takie działanie byłoby logiczne — przyznał Eric uprzejmie. — Ale, niestety, nie są.

Kurde, zwierzchnictwu?!

— Wyjaśnij mi — poprosiłam.

Byłam pewna, że wykazuję nadzwyczajną w tych okolicznościach cierpliwość.

– Te istoty ludzkie przysięgały wierność królowi Missisipi.

Wiedziałam, że rozdziawiam usta, lecz nic nie mogłam na to poradzić.

– Wybacz – bąknęłam po długiej chwili – mogłabym jednak przysiąc, że użyłeś słowa... „król". Król Missisipi?

Eric pokiwał głową.

Spuściłam wzrok, starając się zachować powagę. Mimo smutnych okoliczności nie potrafiłam. Czułam, że za chwilę zacznę chichotać.

– Mówisz serio? – jęknęłam bezradnie.

Nie wiem dlaczego istnienie króla Missisipi wydało mi się takie zabawne. Przecież już wcześniej usłyszałam, że Luizjaną rządzi królowa. Przypomniałam sobie, że informację o królowej powinnam zachować dla siebie. Całkowicie.

Wampiry popatrzyły po sobie i równocześnie skinęły głowami.

– A ty jesteś królem Luizjany? – spytałam Erica, z wysiłkiem udając niewiedzę, po czym roześmiałam się tak szaleńczo, że o mało nie spadłam z krzesła. Możliwe, że w moim rechocie pobrzmiewała nutka histerii.

– O nie – zapewnił mnie. – Jestem tylko szeryfem Piątej Strefy.

To zdanie rozśmieszyło mnie jeszcze bardziej. Po twarzy pociekły mi łzy. Zakłopotany Chow dziwnie mi się przyglądał. Wstałam, podgrzałam sobie w kuchence mikrofalowej gorącą czekoladę i mieszałam ją łyżeczką, żeby szybciej ostygła. Podczas tej błahej czynności powoli się uspokajałam, toteż gdy wróciłam do stołu, byłam niemal opanowana.

– Nigdy wcześniej mi tego nie mówiliście – stwierdziłam, tłumacząc się z nagłego wybuchu wesołości. – Podzieliliście Amerykę na królestwa, zgadza się?

Pam i Chow popatrzyli na Erica z niejakim zaskoczeniem, ale ich zlekceważył.

– Tak – przyznał po prostu. – I to odkąd wampiry przybyły do Ameryki. System zmieniał się oczywiście przez lata wraz ze wzrostem populacji. W ciągu pierwszych dwustu lat w Ameryce zjawiło się niewiele wampirów, powodem była ryzykowna podróż. Trudno przepłynąć ocean i nie umrzeć z głodu. Skądś trzeba brać zapasy krwi. – Domyśliłam się, naturalnie, że źródłem owych zapasów była załoga. – Ale zakup Luizjany wiele zmienił.

Tak, jasne. Stłumiłam kolejny nawrót chichotu.

– I te królestwa podzielono na...?

– Na strefy. Kiedyś nazywano je lennami, później uznaliśmy określenie za, hm, zacofane. Każda strefa ma swojego szeryfa. Jak wiesz, mieszkamy w Piątej Strefie Królestwa Luizjany. Stan, którego poznałaś w Dallas, jest szeryfem Strefy Szóstej w Królestwie... w Teksasie.

Wyobraziłam sobie Erica jako szeryfa Nottingham, a gdy ten wizerunek przestał mnie śmieszyć – jako Wyatta Earpa. Z pozoru zachowywałam się beztrosko, fizycznie jednak czułam się paskudnie. Postanowiłam przemyśleć te rewelacje później, a na razie skupić się na obecnych problemach.

– Z tego co zrozumiałam, ktoś porwał Billa w biały dzień? – Cała trójka pokiwała głowami. – I świadkami porwania było kilka istot ludzkich, które mieszkają w Królestwie Missisipi. – Ogromnie mi się spodobało to określenie. – Ci ludzie żyją pod... panowaniem wampirzego króla?

– Russella Edgingtona. Tak, mieszkają w jego królestwie, jednak niektórzy są skłonni udzielić nam informacji. Za pewną cenę.

– A ten król nie pozwoliłby wam ich przesłuchać?

– Nie spytaliśmy go jeszcze. Możliwe, że właśnie on wydał rozkaz porwania Billa.

Słysząc to stwierdzenie, miałam ochotę zadać szereg pytań, lecz postanowiłam skoncentrować się jedynie na najważniejszych kwestiach.

– Jak mogę do nich dotrzeć? O ile postanowię, że chcę pomóc.

– Zastanawialiśmy się, w jaki sposób mogłabyś wypytać istoty ludzkie w miejscu zniknięcia Billa – powiedział Eric. – Nie tylko te, które przekupiłem i dzięki temu dowiedziałem się, co właściwie się tam dzieje, lecz wszystkie osoby związane z Russellem. To ryzykowne zadanie, więc muszę podzielić się z tobą pewnymi informacjami. Możliwe, że zrezygnujesz. Już raz przecież usiłowano na ciebie napaść. Na szczęście, jak widać, ci, którzy przetrzymują Billa, niewiele jeszcze o tobie wiedzą. Wkrótce jednak Bill zacznie mówić. Jeśli znajdziesz się w pobliżu wtedy, gdy Bill się załamie, łatwo cię dopadną.

– Wówczas nie będę im już potrzebna – zauważyłam. – To znaczy, gdy Bill się wygada.

– To niekoniecznie jest prawda – wtrąciła Pam.

Znowu posłali sobie zagadkowe spojrzenia.

– Och, opowiedzcie mi wszystko – poleciłam.

Zauważyłam, że Chow dopił krew, więc wstałam i poszłam po następną butelkę.

– Ludzie Russella Edgingtona utrzymują, że jego zastępczyni, Betty Joe Pickard, podobno wczoraj odleciała do Saint Louis. Istoty ludzkie, które miały zabrać na lotnisko jej trumnę, rzekomo przez przypadek wzięły trumnę Billa, a kiedy dostarczyły ją do hangaru wynajmowanego przez Anubis Airlines, pozostała bez nadzoru może jakieś dziesięć minut, czyli tyle, ile trwa wypełnienie papierów. W tym czasie, tak twierdzą, ktoś chyba wytoczył trumnę na wózku za hangar, załadował ją na ciężarówkę i odjechał.

– Może ktoś się przebrał za strażnika z Anubisa – powiedziałam z powątpiewaniem.

Firma Anubis Air zajmowała się bezpiecznym transportem wampirów zarówno w dzień, jak i w nocy, toteż ich wizytówką była gwarancja absolutnego bezpieczeństwa dla śpiących w trumnach wampirów. Wampiry nie muszą oczywiście sypiać w trumnach, lecz w nich na pewno najłatwiej je przewozić. Gdy wampiry latały wcześniej liniami Delta, czasem dochodziło do „nieszczęśliwych wypadków". Kiedyś jakiś fanatyk dostał się do luku bagażowego i przy użyciu toporka otworzył kilka trumien. Do podobnych zdarzeń doszło na pokładach samolotów linii Northwest. Większość nieumarłych uznała wówczas, że lepiej dopłacić za transport Anubisowi, i teraz niemal wszystkie wampiry korzystały z usług firmy Anubis Air i jej linii lotniczych.

– Myślę, że raczej ktoś się wmieszał między ludzi Edgingtona. Ci od króla uznali go za jednego z pracowników

Anubisa, a personel Anubisa pomyślał, że to człowiek Edgingtona. Ktoś taki mógł wytoczyć trumnę z Billem, gdy ludzie Edgingtona wyszli, a strażnicy z Anubisa jakoś dali się zwieść.

– Pracownicy Anubisa nie poprosiliby o dokumenty? Pozwoliliby tak po prostu zabrać trumnę?

– Twierdzą, że widzieli papiery, ale to były dokumenty Betty Joe Pickard. Betty udawała się do Missouri negocjować porozumienie handlowe z wampirami z Saint Louis.

Zaciekawiło mnie, czym, u diabła, wampiry z Missisipi handlują z wampirami z Missouri, zdecydowałam jednak, że wolę nie wiedzieć.

– Panowało wtedy szczególne zamieszanie – dodała Pam. – Pod ogonem innego samolotu linii Anubis dostrzeżono ogień i zapewne strażnicy oderwali się od pracy.

– Kolejny „przypadek".

– Właśnie – przyznał Chow.

– Ale właściwie dlaczego ktoś chciałby porwać Billa? – zadałam kolejne pytanie.

Bałam się, że znam na nie odpowiedź, miałam jednak nadzieję, że moi goście powiedzą mi coś innego. Dzięki Bogu, że Bill przygotował mnie na tę chwilę.

– Pracował nad pewnym projektem specjalnym – odrzekł Eric, patrząc mi w oczy. – Mówił ci coś o nim?

Więcej, niżbym chciała. Lecz mniej, niż powinnam wiedzieć.

– O czym? – odparowałam.

Przez całe życie ukrywałam własne myśli i teraz wykorzystałam zdobyte w tej kwestii doświadczenie. Od niego zależał obecnie mój los.

Eric zerknął na Pam, potem na Chowa. Oboje nieznacznie kiwnęli głowami, więc Eric ponownie skupił wzrok na mnie.

– Trochę trudno mi w to uwierzyć, Sookie – powiedział.

– Doprawdy?! – warknęłam gniewnie. – Od kiedy nieumarli zwierzają się ludziom? A Bill jest przecież jednym z was. – Wyrzuciłam to wszystko z całą wściekłością, na jaką potrafiłam się zdobyć.

Wampiry znowu popatrzyły po sobie.

– Sądzisz, że uwierzymy – uściślił Eric – że Bill nie powiedział ci, nad czym pracuje?

– Tak, sądzę, że mi uwierzycie, ponieważ nie powiedział.

Właściwie sama się domyśliłam tego, co wiedziałam.

– Powiem ci, co zamierzam zrobić – powiedział w końcu Eric. Przyjrzał mi się bacznie, a spojrzenie jego niebieskich oczu było twarde jak marmur i równie mało ciepłe. Przestał udawać sympatycznego. – Nie wiem, czy kłamiesz. Dla twojego dobra mam nadzieję, że mówisz prawdę. Mógłbym cię torturować, aż powiesz wszystko albo do czasu, aż zyskam pewność, że od samego początku mówiłaś prawdę.

O kurczę. Zrobiłam głęboki wdech, wypuściłam powietrze i spróbowałam wymyślić odpowiednią do sytuacji modlitwę. „Boże, nie pozwól, abym krzyczała zbyt głośno"? Nie, trochę mało przekonująca i zbyt pesymistyczna. Poza tym nie usłyszy mnie tu nikt oprócz wampirów, niezależnie od tego, jak głośno będę krzyczeć. Kiedy przyjdzie co do czego, równie dobrze mogę sobie zedrzeć gardło.

– Ale – kontynuował w zadumie Eric – mógłbym ci zrobić podczas tortur nieodwracalną krzywdę, a wówczas nie wypełnisz dla mnie drugiej części mojego planu. Zresztą, nie ma dla mnie właściwie większej różnicy, czy wiesz, co Bill robił za naszymi plecami.

„Za ich plecami?". O cholera. Teraz wiedziałam, na kogo zrzucić winę za bardzo kłopotliwe położenie, w którym się znalazłam. Na mojego ukochanego, Billa Comptona.

– Chyba zrobiło to na niej wrażenie – rzuciła Pam.

– Ale nie takie, jakiego oczekiwałem – odparł powoli Eric.

– Mnie także nie podoba się pomysł z torturami. – Moja sytuacja była tak paskudna, że chyba nie mogłam pogorszyć jej bardziej, a z powodu stresu nie bardzo wiedziałam, co mówię. – I tęsknię za Billem.

Chociaż w tym momencie chętnie skopałabym mu tyłek, naprawdę za nim tęskniłam. I gdybym mogła porozmawiać z nim chociaż dziesięć minut, o ileż lepiej byłabym przygotowana na to, co mnie czekało w najbliższych dniach. Łzy popłynęły mi po twarzy. Niestety, moi goście mieli dla mnie więcej informacji – czy ich pragnęłam, czy nie.

– Przypuszczam, że powiecie mi, dlaczego mnie okłamał i podał inny cel podróży. Skoro wiecie... A Pam wspomniała też o złych nowinach.

Eric popatrzył na wampirzycę niezbyt miło.

– Ona znowu płacze – oznajmiła Pam, chyba nieco skrępowana. – Wydaje mi się, że zanim pojedzie do Missisipi, powinna poznać prawdę. W dodatku, jeśli kryje Billa, zrozumie, że...

Co zrozumiem? Że powinnam puścić farbę? Na co liczyli? Że nagle przestanę być lojalna wobec Billa i postanowię im wszystko wyznać?

Było oczywiste, że Chow i Eric chcieli, żebym o niczym nie wiedziała, i bardzo im się nie podobało, że Pam sugeruje mi istnienie problemów w moim związku. Obaj patrzyli na nią uważnie przez długą minutę, potem Eric skinął głową.

– Poczekaj razem z Chowem przed domem – nakazał jej.

Wampirzyca rzuciła mu ostre spojrzenie, a potem ona i Chow wyszli, pozostawiając na stoliku butelki po krwi. Nawet nie podziękowali za poczęstunek. Ani nie wypłukali butelek. Byłam roztargniona i bez sensu snułam rozważania na temat kiepskich manier wampirów. Odkryłam, że przesadnie trzepoczę powiekami, i przyszło mi do głowy, że za chwilę zemdleję. Nie należę wprawdzie do tych słabowitych dziewczyn, którym z byle powodu uginają się nogi, czułam jednak, że sytuacja naprawdę mnie przerasta. Ponadto, uprzytomniłam sobie, że nic nie jadłam od ponad dwudziestu czterech godzin.

– Nie rób tego – powiedział stanowczym tonem Eric.

Spróbowałam skoncentrować się na jego głosie i zagapiłam się na niego. Skinęłam głową dla podkreślenia, że się staram.

Podszedł do mnie, odwrócił krzesło, które wcześniej zajmowała Pam, postawił je naprzeciwko mnie. Bardzo blisko mnie. Usiadł, pochylił się i przykrył dużą bladą dłonią obie moje, które nadal trzymałam skromnie na podołku. Gdyby zacisnął rękę, mógłby zmiażdżyć mi wszystkie palce. A wówczas nigdy już nie pracowałabym jako kelnerka.

– Nie cieszę się, gdy widzę, że się mnie boisz – oznajmił. Jego twarz znalazła się zbyt blisko mojej.

Wyczułam zapach wody kolońskiej. „Ulysse", pomyślałam.

– Zawsze bardzo cię lubiłem. – Tak, zawsze bardzo chciał mnie zaciągnąć do łóżka. – No i chcę się z tobą pieprzyć – dodał. Wyszczerzył zęby w uśmiechu, który w tej konkretnej chwili nic mnie nie obchodził. – Kiedy się całujemy... to jest bardzo podniecające.

Hm, całowaliśmy się, że tak powiem, służbowo, a nie dla przyjemności. Ale przyznam, że było to ekscytujące przeżycie. Jakżeby inaczej? Eric był niezwykle przystojny i liczył sobie kilkaset lat, w trakcie których miał czas udoskonalić technikę pieszczot.

Zbliżał się do mnie coraz bardziej. Nie byłam pewna, czy zamierza ugryźć mnie, czy pocałować. Wysunął kły. Był rozzłoszczony, napalony, głodny, albo jedno, drugie i trzecie. Kiedy ktoś staje się wampirem, początkowo podczas mówienia sepleni – do czasu, aż przyzwyczai się do kłów. Eric radził sobie z nimi bez problemów. Na udoskonalenie tej techniki również miał parę stuleci.

– Wiesz, po tej rozmowie o torturach jakoś nie czuję się seksownie – bąknęłam.

– A na Chowa podziałała – wyszeptał mi w ucho Eric.

Nie drżałam, chociaż pewnie powinnam.

– Może coś ustalimy – poprosiłam. – Zamierzasz mnie torturować czy nie? Jesteś moim przyjacielem czy wrogiem? Chcesz znaleźć Billa czy pozwolisz mu umrzeć?

Eric zaśmiał się, krótko i niewesoło, lecz przynajmniej przestał się do mnie przysuwać.

– Sookie, jesteś niemożliwa – oświadczył. Wnosząc z jego tonu, moje pytania go nie ujęły. – Nie zamierzam cię torturować. Przede wszystkim nie chciałbym zniszczyć twojej pięknej skóry. Któregoś dnia zobaczę ją w całej okazałości. – Miałam szczerą nadzieję, że gdy będzie ją oglądał, moja skóra nadal będzie na moim ciele. – Nie zawsze będziesz się mnie bała – ciągnął, jak gdyby dokładnie znał naszą przyszłość. – I nie zawsze będziesz tak oddana Billowi jak teraz. Szczególnie że muszę ci coś powiedzieć.

Nadeszła pora na złe wiadomości. Chłodne palce Erica splotły się z moimi i bezwiednie chwyciłam jego dłoń mocniej. Nie przychodziła mi do głowy żadna riposta, w każdym razie żadna bezpieczna. Patrzyłam mu w oczy i czekałam.

– Billa wezwano do Missisipi – powiedział Eric. – Wezwała go pewna wampirzyca, którą znał wiele lat temu. Nie wiem, czy wiedziałaś, że wampiry niemal nigdy nie wiążą się z innymi wampirami, a bardzo rzadko spędzają ze sobą więcej niż jedną noc. Nie robimy tego, ponieważ partnerzy na zawsze mają później nad sobą władzę. Łączenie się w pary i dzielenie krwią... Tak oczy owak, ta wampirzyca...

– Jej imię – warknęłam.

– Lorena – wyznał niechętnie.

A może przez cały czas miał ochotę mi o niej powiedzieć i niechęć była tylko na pokaz? Kto wie, do diabła, jak to jest z wampirami.

Zrobił pauzę, czekając, aż coś powiem, ale milczałam.

– Była w Missisipi. Nie jestem pewien, czy mieszka tam na stałe, czy pojechała tam specjalnie, żeby omotać Billa. Wiem, że kiedyś mieszkała w Seattle, przez wiele lat wraz z Billem.

Zastanowiłam się, dlaczego Bill podał mi właśnie to miasto jako nieprawdziwy cel swojej podróży. Bez wątpienia nie wybrał tej nazwy przypadkowo.

– Ale niezależnie od jej intencji ściągnęła go tam... nie wiem, czemu nie przyjechała do niego tutaj... może Bill nie chciał ze względu na ciebie...

W tej sekundzie zapragnęłam umrzeć. Wzięłam haust powietrza i spuściłam wzrok na nasze złączone dłonie. Czułam się zbyt upokorzona, by spojrzeć Ericowi w oczy.

– Natychmiast... zauroczyła go... znowu. Po kilku nocach zadzwonił do Pam i powiedział, że jedzie do domu wcześniej, ale nie powiadomi cię, ponieważ, zanim się z tobą zobaczy, pragnie zabezpieczyć twoją przyszłość.

– Zabezpieczyć?

– Chodzi o pewne przedsięwzięcie finansowe na twoją korzyść.

Z szoku aż pobladłam.

– Chciał mi zapłacić – powiedziałam tępo.

Nawet jeśli miał szczere zamiary, nie mógłby chyba zrobić wobec mnie niczego bardziej obraźliwego. Odkąd pojawił się w moim życiu, nigdy nawet nie przemknęło mu przez myśl pytanie, jak wygląda moja sytuacja finansowa, chociaż nie mógł się doczekać, by wspomóc swoich nowo odkrytych potomków, Bellefleurów.

A teraz, gdy postanowił zniknąć z mojego życia i poczuł się winny za to, że opuszcza taką nędzną, żałosną istotę... Tak, teraz zaczął się martwić.

– Chciał... – Eric przerwał i popatrzył bacznie na moją twarz. – No cóż, zostawmy na razie tę kwestię. Nie powiedziałbym ci tego wszystkiego, gdyby Pam się nie wtrąciła. Gdybyś nie usłyszała tego ode mnie, nie moje słowa by cię tak strasznie zraniły. I nie musiałbym cię prosić o to, o co zamierzam poprosić.

Zmusiłam się do uważniejszego słuchania, ściskając jego dłoń niczym ostatnią deskę ratunku.

– Muszę cię bowiem poprosić, Sookie... a ty musisz zrozumieć, że od ciebie zależy również mój los...

Patrzyłam mu prosto w oczy, więc zauważył moje zaskoczenie.

– Tak, od tego zależy moja praca, a może również moje życie... nie tylko twoje i Billa. Jutro przyślę kogoś do ciebie. Mieszka w Shreveport, ale ma drugie mieszkanie w Jackson. Ma przyjaciół w środowisku tamtejszych nadnaturalnych, czyli wampirów, zmiennokształtnych i wilkołaków. Dzięki niemu poznasz niektórych z nich. I ludzi, którzy dla nich pracują.

Nie do końca byłam w tym momencie sobą, ale powtórzyłam sobie wszystko w myślach i wydało mi się, że rozumiem, więc pokiwałam głową. Jego palce gładziły moje, wciąż i wciąż.

– Ten mężczyzna jest wilkołakiem – kontynuował beztrosko – a zatem również szumowiną. Można mu jednak ufać bardziej niż wielu innym, a poza tym jest mi dłużny dużą przysługę.

Przemyślałam to i ponownie pokiwałam głową. Długie palce Erica wydawały się prawie ciepłe.

– Wprowadzi cię w środowisko wampirów z Jackson i będziesz mogła podsłuchać, co myślą współpracujący z nimi ludzie. Wiem, że to trochę ryzykowny plan, lecz jeśli można jeszcze ustalić, czy Billa uprowadził Russell Edgington, być może uda ci się to odkryć. Osobnik, który próbował porwać ciebie, sądząc po rachunkach znalezionych w jego samochodzie, przyjechał właśnie z Jackson, a wilczy łeb na jego kamizelce sugeruje wilkołaka. Nie wiem, kto i czego od ciebie chciał, ale podejrzewam, że skoro pragnęli cię schwytać, Bill żyje i nie chce mówić. Pewnie miałabyś na niego wpłynąć...

– Zdaje mi się, że powinni w takim razie uprowadzić raczej Lorenę – odburknęłam.

Oczy Erica rozszerzyły się w dowód uznania.

– Może już ją mają – stwierdził. – A może Bill uprzytomnił sobie, że właśnie ona go zdradziła. Że nie porwano by go, gdyby nie ujawniła sekretu, który jej przekazał.

Rozważyłam jego słowa i po raz kolejny skinęłam głową.

– Naprawdę ciekawi mnie, co tam robiła – podjął Eric. – Chyba wiedziałbym, gdyby należała do społeczności Missisipi. Zastanowię się nad tym szczegółem w wolnym czasie.

Po jego poważnej minie poznałam, że sporo już o tym myślał.

– Sookie, jeśli ten plan nie powiedzie się w ciągu mniej więcej trzech dni, może będziemy musieli porwać któregoś z wampirów Missisipi w ramach odwetu. Taki gest oczywiście niemal natychmiast doprowadzi do wojny, a wojna... nawet z Missisipi... to koszty finansowe i straty w ludziach. A tamci pewnie wówczas i tak zabiją Billa.

Okej, na moich barkach spoczywa odpowiedzialność za los świata. Dzięki, Ericu. Bardzo potrzebowałam więcej odpowiedzialności i większego stresu.

– Ale wiedz, że jeśli mają Billa... jeśli on nadal żyje... odbijemy go. I będziecie znowu razem, jeśli tego zechcesz.

Duże „jeśli".

– Odpowiadając na twoje kolejne pytanie: jestem twoim przyjacielem i będę nim, póki mogę... póki doprzyjaźń z tobą nie zagrozi mojemu życiu. Albo przyszłości mojej strefy.

No cóż, mówił bez ogródek. Doceniałam jego szczerość.

– Dopóki ta przyjaźń będzie dla ciebie wygodna, chcesz powiedzieć – uściśliłam bez mrugnięcia okiem, co było zarówno nieprecyzyjne, jak i niesprawiedliwe. Zdumiało mnie, gdy zobaczyłam, że naprawdę przejął się moją oceną jego intencji. – Ericu, chcę cię o coś spytać.

Uniósł brwi, sugerując, że czeka na moje pytanie. W zamyśleniu przesuwał dłońmi w górę i w dół po moich ramionach, jak gdyby nie zdawał sobie sprawy z tego, co robi. Ten ruch skojarzył mi się z człowiekiem ogrzewającym dłonie nad ogniem.

– Jeśli dobrze cię zrozumiałam, Bill pracował nad projektem dla... – Miałam szaleńczą ochotę zachichotać i bezwzględnie się powstrzymałam. – Dla królowej Luizjany – dokończyłam. – A wy nic o tym projekcie nie wiedzieliście. Zgadza się?

Patrzył na mnie przez długą chwilę, najprawdopodobniej zastanawiając się, co mi odpowiedzieć.

– Obwieściła mi, że dała Billowi zlecenie – odrzekł wreszcie. – Ale nie zdradziła szczegółów, nie powiedziała też, dlaczego akurat Bill miał je wykonać ani na kiedy ma je skończyć.

Chyba każdy przywódca czuje się dotknięty, gdy ktoś wyżej postawiony korzysta bez jego wiedzy z usług jego podwładnego.

– Więc dlaczego ta królowa nie szuka Billa? – spytałam, siląc się na obojętny ton.

– Bo nie wie, że zniknął.

– Jak to?

– Nie powiedzieliśmy jej.

Prędzej czy później Eric przestanie odpowiadać na moje pytania.

– Dlaczego?

– Ukarałaby nas.

– Za co? – Zaczynałam myśleć jak dwulatka.

– Ponieważ dopuściliśmy do tego, że coś mu się przydarzyło w czasie, gdy wypełniał dla niej zadanie.

– Jaka byłaby kara?

– Och, w jej przypadku trudno powiedzieć. – Zaśmiał się nerwowo. – Coś bardzo nieprzyjemnego.

Był teraz jeszcze bliżej mnie, jego twarz prawie dotykała moich włosów. Wciągnął powietrze, bardzo delikatnie. Dla wampirów węch i słuch mają o wiele większe znaczenie niż wzrok, chociaż i ten zmysł jest u nich niezwykle wyostrzony. Eric połknął kiedyś nieco mojej krwi, toteż lepiej znał moje emocje niż wampir, który jej nie pił. A wszystkie wampiry interesują się ludzkimi uczuciami, ponieważ drapieżnik powinien znać zwyczaje swojej ofiary.

Eric potarł swoim policzkiem o mój. Był jak kot, który lubi ocierać się o nogi.

– Ericu.

Podał mi więcej informacji, niż planował.

– Hm?

– Tak serio, co zrobi wam królowa, jeśli nie zdołacie odbić Billa i ona z tego powodu nie dostanie na czas swojego projektu?

Moje pytanie nie odniosło pożądanego skutku. Eric odsunął się i spojrzał na mnie oczyma bardziej błękitnymi niż moje i bardziej lodowatymi niż pustkowia Arktyki.

– Sookie, naprawdę nie chcesz tego wiedzieć – odrzekł. – Ale efekty jego pracy wystarczą. Tak naprawdę obecność Billa nie jest konieczna.

Popatrzyłam na niego niemal równie zimno.

– A co dostanę w zamian za przeprowadzenie dla was tych poszukiwań? – warknęłam.

Eric wyglądał równocześnie na zdziwionego i zadowolonego.

– Gdyby Pam nie zasugerowała ci zdrady Billa, cieszyłabyś się, że możesz nam pomóc, a potem bezpiecznie tu oboje wrócicie – przypomniał mi.

– Cóż, teraz jednak wiem już o Lorenie.

– I mimo że wiesz, zgadzasz się wyświadczyć nam tę przysługę?

– Pod jednym warunkiem.

Eric stał się ostrożny.

– Jakim? – spytał.

– Jeśli coś mi się stanie, ona ma skończyć z kołkiem w sercu.

Gapił się na mnie co najmniej całą sekundę, po czym ryknął śmiechem.

– Musiałbym zapłacić ogromną grzywnę – powiedział, kiedy przestał rechotać. – Zresztą nie wiem, czy dałbym radę. Łatwiej powiedzieć niż zrobić. Ona ma trzysta lat.

– Twierdzisz, że jeśli plan zawiedzie, przydarzy wam się coś strasznego – wytknęłam.

– To prawda.

– Mówiłeś, że desperacko potrzebujecie mojej pomocy.

– Zgadza się.

– Właśnie dlatego proszę o rewanż.

– Byłaby z ciebie niezła wampirzyca, Sookie – oznajmił w końcu. – W porządku, mamy zatem umowę. Jeśli coś ci się stanie, Lorena nigdy więcej nie będzie się pieprzyła z Billem.

– Och, to nie wystarczy.

– Nie? – Popatrzył na mnie z maksymalnym możliwym sceptycyzmem.

– Nie, ponieważ go zdradziła.

Błękitne oczy Erica wpatrywały się w moje.

– Powiedz mi coś, Sookie. Poprosiłabyś mnie o to, gdyby była istotą ludzką?

Szeroko rozciągnięte usta o wąskich wargach, które przeważnie układały się w wyraz rozbawienia, teraz zacisnął – tak mocno, że tworzyły niemal linię prostą.

– Gdyby była istotą ludzką, sama bym się nią zajęła – odcięłam się i wstałam, by odprowadzić go do wyjścia.

Po odjeździe Erica oparłam się o drzwi i przyłożyłam policzek do drewna. Czy mówiłam serio? Długo się zastanawiałam, czy jestem naprawdę osobą kulturalną, za jaką pragnę uchodzić. Cóż, gdy powiedziałam, że sama zajęłabym się Loreną, naprawdę tak myślałam. Mam w sobie jakąś dzikość, lecz do tej pory zawsze nad sobą panowałam. Babcia nie wychowała mnie na morderczynię.

Kiedy wlokłam się korytarzem do sypialni, zdałam sobie sprawę, że coraz częściej ujawnia się mój prawdziwy charakterek. Od dnia, w którym poznałam wampiry.

Nie rozumiałam, dlaczego tak się dzieje. Wampiry potrafią się doskonale kontrolować. Czemu ja miałabym tracić nad sobą panowanie?

Dobra, wystarczy tej psychoanalizy jak na jedną noc. Musiałam pomyśleć o jutrze.

ROZDZIAŁ CZWARTY

Skoro wyjeżdżałam z miasta, musiałam zrobić pranie, przejrzeć zawartość lodówki i wyrzucić część jedzenia. Nie czułam się zbytnio senna, ponieważ poprzedniej doby spędziłam sporo czasu w łóżku, więc wyjęłam walizkę i otworzyłam ją, a później wpakowałam trochę ubrań do pralki stojącej na ganku za domem. Nie miałam ochoty roztkliwiać się dłużej nad własnym charakterem. Trzeba było rozważyć wiele innych kwestii.

Eric bez wątpienia wybrał przymus, aby skłonić mnie do poddania się jego woli. Podawał mi liczne powody, dla których powinnam zrobić to, czego ode mnie chciał, i stosował różne metody: zastraszanie, groźby, próbę uwiedzenia, pragnienie powrotu Billa, błaganie o ratunek dla niego (oraz dla Pam i Chowa) i jego dobro... że nie wspomnę o moim własnym zdrowiu.

„Może powinienem poddać cię torturom" – mówił – „ale wolałbym uprawiać z tobą seks. Potrzebuję Billa, lecz jestem na niego wściekły, bo mnie oszukał. Muszę zachować pokój z Russellem Edgingtonem, a równocześnie powinienem wyrwać Billa z jego łap. Bill jest moim poddanym, a jednak potajemnie pracował dla mojej szefowej".

Cholerne wampiry. Każdy zrozumie, dlaczego cieszę się, że nie działa na mnie ich urok. To jedna z niewielu zalet związanych z moimi umiejętnościami telepatycznymi. Niestety, istoty ludzkie ze zdolnościami parapsychologicznymi są dla nieumarłych jednocześnie bardzo atrakcyjne i przydatne.

Nie mogłam oczywiście przewidzieć tego wszystkiego, gdy zaczęłam się spotykać z Billem. A później Bill stał się dla mnie niemal równie niezbędny jak powietrze, i to nie tylko z powodu głębokiego uczucia, jakie do niego żywiłam, ani rozkoszy, jaką odczuwałam, gdy się kochaliśmy. Dodatkowo pełnił również rolę kogoś w rodzaju mojego ochroniarza, ponieważ dzięki niemu nie mógł mnie sobie „zawłaszczyć" wbrew mojej woli żaden inny wampir.

Załadowałam pralkę i suszarkę kilka razy, a kiedy w końcu złożyłam wyprane ubrania, poczułam się dużo spokojniejsza. Byłam niemal spakowana, teraz zaś dołożyłam jeszcze parę romansów i kryminałów, na wypadek gdybym znalazła trochę czasu na czytanie. Jestem samoukiem i lubię beletrystykę.

Przeciągnęłam się i ziewnęłam. Wraz z planem działania zyskałam jako taki spokój duszy, a ponieważ ubiegłej nocy i w dzień spałam raczej nerwowo i nie obudziłam się tak wypoczęta, jak tego oczekiwałam, miałam nadzieję, że zapewne łatwo zasnę.

Kiedy myłam zęby i kładłam się do łóżka, myślałam, że może nawet bez pomocy wampirów potrafiłabym znaleźć Billa. Lecz wyrwanie go z więzienia, w którym przebywał, i zorganizowanie ucieczki uwieńczonej powodzeniem –

cóż, to była osobna kwestia. A potem musiałabym zdecydować, co dalej z naszym związkiem.

Obudziłam się o czwartej nad ranem, z dziwnym uczuciem, że muszę rozważyć pewien szczegół. W nocy przyszło mi do głowy coś, czego nie mogłam sobie teraz przypomnieć. Miałam to, jak się mówi, na końcu języka.

Wreszcie sobie przypomniałam pewne wątpliwości. A jeżeli Bill wcale nie został porwany, lecz po prostu zbiegł? Może tak bardzo się zadurzył w Lorenie lub tak bardzo od niej uzależnił, że postanowił opuścić luizjańskie wampiry i dołączyć do grupy z Missisipi? Nie, uznałam taki plan za zbyt skomplikowany. Poza tym, informatorzy Erica potwierdzili fakt uprowadzenia i obecność Loreny w Missisipi. Z pewnością istniał mniej dramatyczny i prostszy sposób zorganizowania własnego zniknięcia.

Zastanowiłam się, czy Eric, Chow i Pam jeszcze przeszukują dom Billa, który mieścił się po drugiej stronie cmentarza.

Nie znajdą tego, czego szukają. Może wrócą tu, do mnie. Eric powiedział, że Bill właściwie nie jest im potrzebny, że wystarczą jego pliki komputerowe, których tak bardzo pragnęła królowa.

Znów zapadłam w sen, tym razem ze zwykłego wyczerpania. W ostatniej chwili wydało mi się, że z dworu dobiega mnie śmiech Chowa.

Nawet świadomość zdrady Billa nie usunęła go z moich sennych marzeń. Przez sen szukałam go obok siebie. Obracałam się kilkakrotnie, wyciągając ręce i sprawdzając, czy wślizgnął się do łóżka obok mnie, tak jak mu się to często zdarzało. Niestety, za każdym razem odkrywałam, że obok mnie w łóżku jest pusto i zimno.

Ale i tak czułam się lepiej niż wtedy, gdy znalazłam w nim Erica zamiast Billa.

O pierwszym brzasku wstałam i wzięłam prysznic, a później zaparzyłam dzbanek kawy.

I wówczas rozległo się stukanie do frontowych drzwi.

– Kto tam? – spytałam, stając przy nich.

– Przysłał mnie Eric – odpowiedział ktoś szorstkim tonem.

Otworzyłam drzwi i spojrzałam w górę. A potem jeszcze wyżej. I jeszcze.

Był ogromny. Miał zielone oczy. Jego zmierzwione włosy były kręcone, gęste i czarne jak smoła. Jego mózg pracował tak intensywnie, że wydawał się rozgrzany do czerwoności. Wilkołak.

– Wejdź. Chcesz kawy?

Nie wiem, czego się spodziewał, ale chyba się zawiódł.

– No pewnie, kochanie. Masz jajka? Kiełbasę?

– Jasne. – Wprowadziłam go do kuchni. – Jestem Sookie Stackhouse – rzuciłam przez ramię. Nachyliłam się, żeby wyjąć jajka z lodówki. – A ty?

– Alcide – odparł, wymawiając swoje imię „Al-siii", z ledwie słyszalnym „d". – Alcide Herveaux.

Obserwował mnie bez przerwy, gdy wyjmowałam patelnię – starą, poczerniałą żeliwną patelnię mojej babci. Dostała ją w prezencie ślubnym i oczywiście zahartowała, jak każda kobieta z prawdziwego zdarzenia. Włączyłam gaz na kuchence. Najpierw obsmażyłam kiełbasę, by uzyskać tłuszcz. Zdjęłam ją na pokryty papierowym ręcznikiem talerz, który wsunęłam do piekarnika, by plasterki zachowały ciepło. Spytałam Alcide'a, w jakiej postaci chce jajka, po czym zrobiłam jajecznicę, którą wyłożyłam na gorący talerz. Wilkołak otworzył prawą szufladę, od razu znajdując sztućce, a kiedy bez słowa wskazałam, w której szafce znajdują się kubki, nalał sobie soku i kawy. Przy okazji napełnił również ponownie mój kubek.

Jadł kulturalnie. Zjadł wszystko.

Nalałam gorącej wody z płynem i umyłam naczynia. Na końcu wyszorowałam patelnię, wytarłam ją i wtarłam nieco oleju w poczerniałe miejsca. Przy okazji popatrywałam na mojego gościa. Kuchnia przyjemnie pachniała śniadaniem i płynem do naczyń. Miły, spokojny poranek.

I tyle. A czego się spodziewałam, gdy Eric powiedział mi, że osoba winna mu przysługę wprowadzi mnie w środowisko wampirów z Missisipi? Kiedy wyjrzałam przez kuchenne okno na zimowy krajobraz, uprzytomniłam sobie, że właśnie tak wyobrażałam sobie kiedyś swoją przyszłość z mężczyzną u boku – w tych rzadkich momentach w przeszłości, gdy pozwalałam sobie na snucie takich wizji.

Tak żyją normalni ludzie. Był ranek, pora wstawania i wyruszania do pracy. Kobieta przygotowuje śniadanie dla mężczyzny, który za chwilę wyjdzie, żeby zarobić na chleb. Ten wielki, szorstki osobnik jadł zwykłe potrawy. Pewnie jego pikap stał teraz przed moim domem.

Hm, niby był wilkołakiem. Ale sposób życia wilkołaka jest bardziej podobny do życia istot ludzkich niż w przypadku wampira.

Z drugiej strony, informacjami, których nie posiadałam o wilkołakach, można by zapełnić grubą księgę.

Alcide skończył jeść, wstawił talerz do wody w zlewie i sam go umył, a potem wytarł. Ja tymczasem wytarłam stół. Szło nam tak gładko, jak gdybyśmy te chwile wyreżyserowali. Wilkołak zniknął na minutę w łazience, podczas gdy ja po raz ostatni powtórzyłam sobie w myślach czynności, które muszę wykonać przed wyjazdem. Musiałam pomówić z Samem, tak, to było najważniejsze. Do brata zadzwoniłam już ubiegłego wieczoru, informując, że wyjeżdżam na kilka dni. U Jasona była Liz, więc nie wypytał mnie dokładniej o wyjazd. Zgodził się odbierać moją pocztę i gazety.

Alcide wrócił i usiadł naprzeciwko mnie przy stole. Zastanawiałam się, jak powinniśmy porozmawiać o naszym wspólnym przedsięwzięciu; usiłowałam przewidzieć wszelkie kłopoty, w które mogę wdepnąć. Może on martwił się o to samo. Nie potrafię czytać w myślach ani wilkołakom, ani innym istotom zmiennokształtnym; są stworzeniami nadnaturalnymi. Umiem jedynie niezawodnie interpretować ich nastroje, a od czasu do czasu udaje mi się wychwycić pojedynczą, sensowną myśl. Zmiennokształtnych rozumiem lepiej niż wampiry. Jest jeszcze jedna różnica. Wielu z nich, zarówno wśród zmiennokształtnych, jak i wilkołaków, pragnie zmiany obecnego stanu rzeczy, większość jednak pozostaje zwolennikami życia w ukryciu. Byli przecież świadkami ujawnienia się wampirów i wiedzą, co się stało w życiu tamtych dzięki rozgłosowi – z tego też względu ci o dwoistej naturze zazwyczaj dziko chronią swoją prywatność.

Wilkołaki to najwięksi awanturnicy w świecie zmiennokształtnych. Są zmiennokształtni z definicji i jako jedyni posiadają własną, odrębną społeczność. No i w ich obecności nikomu nie wolno ich nazwać wilkołakami.

Alcide Herveaux wyglądał na twardego osobnika. Był wielki jak głaz, a jego bicepsy kojarzyły mi się z siłownią. Gdyby planował wyjście wieczorem do jakiegoś eleganckiego lokalu, musiałby się ogolić po raz drugi. Do jego wyglądu pasowała praca na budowie lub nabrzeżu portowym.

Prawdziwy facet.

– Jak cię zmusili do tego zadania? – spytałam.

– Wiedzą o długach mojego taty – wyjaśnił. Położył ogromne ręce na stole i wsparł na nich głowę. – Posiadają kasyno w Shreveport, wiesz o tym?

– Jasne.

Niektóre osoby z mojej okolicy organizowały tam sobie wypady na weekend. Jechały do Shreveport albo do Tuniki (w Missisipi, niedaleko Memphis) i wynajmowały pokój na kilka dni. Pograły na automatach, obejrzały jakieś występy, popróbowały jedzenia w restauracjach.

– Mój tato za bardzo się zaangażował. Jest właścicielem firmy mierniczej, w której dla niego pracuję, ale lubi hazard. – Zielone oczy zapłonęły wściekłością. – Za dużo grał w kasynie w Luizjanie, więc twoje wampiry mają jego rachunki, to znaczy wiedzą o jego długach. Gdyby nagle zażądały spłaty, nasza firma musiałaby ogłosić upadłość.

Najwyraźniej wilkołaki miały równie kiepskie zdanie o wampirach, jak wampiry o nich.

– No więc, żeby temu zapobiec, muszę cię wprowadzić między wampiry z Jackson. – Rozparł się na krześle i spojrzał mi w oczy. – Nie jest trudno zabrać ładną kobietę do

Jackson i pochodzić z nią po lokalach. Teraz, kiedy cię poznałem, cieszę się, że mogę w ten sposób pomóc ojcu wyjść z długów. Ale dlaczego, do cholery, ty to robisz?! Wyglądasz na prawdziwą kobitkę, a nie jedną z tych chorych suk, które uganiają się za wampirami.

To była odświeżająco bezpośrednia rozmowa, szczególnie w porównaniu z moją ostatnią naradą z wampirami.

– Spotykam się z jednym wampirem, to znaczy, z wyboru – powiedziałam z goryczą. – Z Billem, moim... No cóż, nie wiem nawet, czy jest jeszcze moim chłopakiem. Tak czy owak... Być może porwały go wampiry z Jackson. A mnie ostatniej nocy ktoś usiłował uprowadzić. – Uznałam, że dla własnego bezpieczeństwa powinien o tym wiedzieć. – Ponieważ porywacz wyraźnie nie znał mojego nazwiska, wiedział jedynie, że pracuję w barze „U Merlotte'a", prawdopodobnie w Jackson nic mi nie grozi, dopóki się nie dowiedzą, że jestem dziewczyną Billa. Muszę ci też powiedzieć, że osobnik, który próbował mnie schwytać, okazał się wilkołakiem. I miał tablice rejestracyjne z hrabstwa Hinds.

Jackson leży w hrabstwie Hinds.

– I nosił kamizelkę harleyowca? – spytał Alcide. Skinęłam głową, a wilkołak na chwilę popadł w zadumę. Uznałam to za dobry znak. Nie traktowałam tego zdarzenia lekko i ucieszyło mnie, że i on rozważał je z całą powagą. – W Jackson jest mała grupa złożona z wilkołaków – powiedział. – Kręcą się wokół nich inni spośród „większych" zmiennokształtnych... pantery, niedźwiedzie. Dość często świadczą usługi wampirom.

– Więc jest o jednego mniej.

Mój nowy towarzysz przez chwilę przyswajał sobie tę informację, a potem posłał mi długie, wyzywające spojrzenie.

– Jakie armaty taka mała kobietka jak ty zamierza wytoczyć przeciwko wampirom z Jackson? Jesteś mistrzynią sztuk walki? Świetnie strzelasz? Służyłaś w wojsku?

Uśmiechnęłam się. Nie mogłam się powstrzymać.

– Nie. A nigdy o mnie nie słyszałeś?

– Jesteś sławna?

– Chyba nie. – Cieszyłam się, że nie ma wobec mnie żadnych uprzedzeń. – Poczekam, aż sam odkryjesz moje atuty.

– O ile nie zamierzasz przemienić się w węża. – Wstał. – Nie jesteś też facetem, prawda?

Pod wpływem tej nowej myśli rozszerzyły mu się oczy.

– Nie, Alcide, jestem kobietą – zapewniłam go, starając się, by zabrzmiało to rzeczowo. Niestety, wyszło dość opryskliwie.

– Od początku mógłbym się o to założyć. – Wyszczerzył do mnie zęby w uśmiechu. – Skoro nie jesteś żadną supermenką, to co zamierzasz zrobić, gdy odkryjesz miejsce pobytu twojego mężczyzny?

– Zamierzam zadzwonić do Erica... – Nieoczekiwanie zdałam sobie sprawę, że zdradzanie wampirzych tajemnic to kiepski pomysł. – Eric jest szefem Billa i on zdecyduje, co robić dalej.

Alcide przyjrzał mi się sceptycznie.

– Nie ufam Ericowi. Nie ufam żadnemu z nich. Eric na pewno wystawi cię do wiatru.

– W jaki sposób?

– Może wykorzystać twojego mężczyznę do swoich celów. Może zażądać rekompensaty za przetrzymywanie jednego ze swoich ludzi. Może wykorzystać porwanie twojego mężczyzny jako argument do wypowiedzenia wojny, a wówczas twój wampir zostanie stracony w trybie natychmiastowym.

Przyznam, że nie wybiegałam myślą tak daleko w przyszłość.

– Bill wiele wie – bąknęłam. – Wiele ważnych rzeczy.

– To dobrze. Może ta wiedza go ocali. – Potem zobaczył moją minę i również się zmartwił. – Hej, Sookie, przepraszam. Czasem coś chlapnę, zanim się zastanowię. Przywieziemy go z powrotem, chociaż mdło mi się robi, gdy wyobrażam sobie taką babkę jak ty z jednym z krwiopijców.

Przykre słowa, a zarazem komplement.

– Dzięki... chyba – powiedziałam, zmuszając się do uśmiechu. – A ty? Masz plan? Wiesz, jak przedstawisz mnie tym wampirom?

– Tak. Jest taki nocny klub w Jackson, blisko siedziby zgromadzenia stanowego. Przychodzą tam tylko nadnaturalni ze swoimi partnerami. Żadnych turystów. Lokal należy do wampirów, które chętnie tam bywają, ale dla zwiększenia dochodów pozwalają nam, szumowinom, potowarzyszyć sobie w zabawie. – Wyszczerzył zęby w uśmiechu. Zęby miał idealne, białe i ostre. – Moja wizyta w lokalu nie wzbudzi niczyich podejrzeń. Zawsze tam wpadam, kiedy jestem w Jackson. Pójdziesz jako moja przyjaciółka. – Był nieco zakłopotany. – Hm, chyba lepiej ci powiem, bo wyglądasz mi na osóbkę, która lubi dżinsy, a w tym klubie goście ubierają się szykownie.

Sądząc po wyrazie twarzy, pewnie się bał, że nie mam w szafie żadnej eleganckiej sukienki. A nie chciał, żebym się ośmieszyła, występując w nieodpowiednim stroju. Co za facet!

– Twoja dziewczyna nie będzie zła? – spytałam, ze zwykłej ciekawości ciągnąc go za język.

– Prawdę mówiąc, mieszka w Jackson – odparł. – Tyle że zerwaliśmy parę miesięcy temu. Spotyka się teraz z innym zmiennokształtnym. Facet zmienia się w pieprzoną sowę.

Czy ta dziewczyna jest stuknięta? No cóż, oczywiście muszą być jakieś powody. A poza tym, to na pewno nie moja sprawa.

Dlatego nie skomentowałam. Bez słowa weszłam do swojego pokoju, żeby zapakować do torby podręcznej dwie wyjściowe sukienki i odpowiednie dodatki. Obie kiecki kupiłam w sklepie „Ciuszki Tary”, który prowadziła (a obecnie również posiadała) moja przyjaciółka Tara Thornton. Tara zawsze pamiętała, by do mnie zadzwonić, ilekroć przychodził okres wyprzedaży kolekcji. Centrum, w którym mieściły się „Ciuszki Tary”, należało właściwie do Billa, toteż powiedział mi, że we wszystkich sklepach i lokalach znajdujących się w budynku mogę robić zakupy na jego rachunek, oparłam się jednak pokusie. No cóż, z małym wyjątkiem – czasami kazałam mu płacić za stroje, które podarł mi w bardziej pasjonujących momentach naszych zabaw erotycznych.

Z obu tych sukienek byłam bardzo dumna, ponieważ nigdy wcześniej takich nie miałam. Zamek torby zasuwałam z uśmiechem.

Alcide wsunął głowę do sypialni i spytał, czy jestem gotowa. Obrzucił spojrzeniem kremowo-żółtą narzutę na łóżku i zasłony, a ja skinęłam głową.

– Muszę jeszcze tylko zadzwonić do mojego szefa – odrzekłam. – A potem ruszamy.

Usiadłam na brzegu łóżka i podniosłam słuchawkę.

Alcide oparł się o ścianę przy drzwiach szafy, podczas gdy ja wystukiwałam prywatny numer Sama. Ponieważ szef odezwał się do mnie zaspanym głosem, przeprosiłam, że dzwonię tak wcześnie.

– Co się dzieje, Sookie? – spytał półprzytomnie.

– Muszę wyjechać na parę dni – oznajmiłam. – Przepraszam, że nie powiadomiłam cię wcześniej, ale zadzwoniłam w nocy do Sue Jennings i spytałam, czy weźmie za mnie zmiany. Zgodziła się, więc będzie przychodziła zamiast mnie.

– Dokąd jedziesz? – spytał.

– Muszę jechać do Missisipi – odparłam. – Do Jackson.

– Załatwiłaś z kimś, żeby odbierał twoją pocztę?

– Mój brat. Dzięki, że pytasz.

– Roślinki do podlewania?

– Żadnej, która by nie przeżyła do mojego powrotu.

– Okej. Jedziesz sama?

– Nie – odparłam z wahaniem.

– Z Billem?

– Nie, on... hm... się nie zjawił.

– Masz kłopoty?

– Nic mi nie jest – skłamałam.

– Powiedz mu, że jedzie z tobą mężczyzna – zahuczał Alcide, a ja popatrzyłam na niego z irytacją.

Opierał się dalej o ścianę i niewiele sobie robił z mojego spojrzenia.

– Jest tam ktoś?

Sam czasami naprawdę szybko chwyta.

– Tak, Alcide Herveaux – powiedziałam, uznałam bowiem, że taka dokładna odpowiedź należy się osobie troszczącej się o moje bezpieczeństwo. Poza tym, pierwsze wrażenie bywa całkowicie błędne i Alcide powinien wiedzieć, że istnieje ktoś, kto mógłby obarczyć go odpowiedzialnością za niepowodzenie.

– Aha – odrzekł Sam. Chyba znał wymienione przeze mnie nazwisko. – Daj mi go do telefonu.

– Dlaczego?

Rozumiem, że ktoś się o mnie troszczy, ale takie wścibstwo to już przesada.

– Oddaj mu tę pieprzoną słuchawkę!

Sam niemal nigdy nie przeklina, więc skrzywiłam się, żeby pokazać, co myślę o jego stwierdzeniu. Gdy podałam słuchawkę Alcide'owi, ostentacyjnie wymaszerowałam do salonu i wyjrzałam przez okno. No tak. Dodge ram, duży pikap na wysokich kołach i z długą kabiną. Byłam pewna, że takie auto ma wszystko, czego dusza zapragnie.

Wyszłam z domu, ciągnąc za uchwyt walizkę na kółkach, a torbę powicsiłam na oparciu fotela przy drzwiach, więc kiedy po nią wróciłam, musiałam tylko włożyć ciężki płaszcz. Cieszyłam się, że Alcide ostrzegł mnie w kwestii strojów, ponieważ sama na pewno nie wpadłabym na pomysł zapakowania czegoś eleganckiego. Głupie wampiry. Głupie przepisowe stroje.

Byłam w ponurym nastroju. Bardzo ponurym.

Wróciłam do domu, przeglądając w myślach zawartość walizki, podczas gdy dwaj zmiennokształtni odbywali (przypuszczalnie) „męską rozmowę". Zerknęłam do sypialni i zobaczyłam, że Alcide siedzi z telefonem przy uchu na brzegu mojego łóżka, dokładnie tam gdzie ja siedziałam wcześniej. Dziwnie pasował do tego pomieszczenia.

Przeszłam do salonu i znowu wyjrzałam przez okno. Może to jakaś rozmowa zmiennokształtnych? Chociaż dla Alcide'a Sam (który zazwyczaj zmienia się w owczarka collie, chociaż nie ogranicza się do tej formy) zalicza się raczej do zmiennokształtnej miernoty, to jednak coś ich łączyło. Z kolei Sam na pewno trochę nieufnie odnosił się do Alcide'a, bo wilkołaki mają kiepską reputację.

Wreszcie Alcide przeszedł korytarzem, ciężko stąpając w traperach po sekwojowej podłodze.

– Obiecałem, że będę na ciebie uważał – oświadczył. – No cóż, miejmy po prostu nadzieję, że wszystko pójdzie dobrze.

Nie uśmiechał się.

Zamierzałam zareagować gniewem, ale ostatnie zdanie, które wypowiedział, zabrzmiało tak poważnie, że uszło ze mnie całe powietrze, jak z przebitego balonika. W skomplikowanych stosunkach ludzi, wampirów i wilkołaków łatwo popełnić błąd. Przecież mój plan był słabiutki, a wampiry nie miały nad Alcide'em aż tak wielkiej władzy. Może Billa porwał jakiś król, a może chętnie dał się uprowadzić, bo wiedział, że blisko niego będzie wampirzyca Lorena. Może się wścieknie, gdy go odnajdę i zasugeruję powrót do dawnego życia?

A może już nie żył?

Zamknęłam drzwi wyjściowe na klucz i podążyłam ku Alcide'owi, który pakował moje rzeczy do dużej kabiny dodge'a.

Karoseria wozu lśniła czystością, w środku jednak panował bałagan typowy dla wnętrz pojazdów mężczyzn, którzy spędzają wiele godzin w drodze – leżał tam kask, faktury, kosztorysy, wizytówki, wysokie buty, apteczka... Na szczęście nie dostrzegłam kawałków jedzenia. Podczas gdy podskakiwaliśmy na moim dziurawym podjeździe, podniosłam spięty gumką plik prospektów z napisem: „Herveaux i Syn, AAAbsolutnie Dokładne Pomiary". Wyjęłam pierwszy prospekt i przeczytałam go z uwagą. Alcide tymczasem dotarł do autostrady międzystanowej I-20 i skręcił na wschód, w stronę Monroe, Vicksburga i dalej, do Jackson.

Odkryłam, że rodzina Herveaux, ojciec i syn, posiada ogromną, działającą w dwóch stanach firmę mierniczą z filiami w Jackson, Monroe, Shreveport i Baton Rouge. Główne biuro, jak powiedział mi wcześniej Alcide, mieściło się w Shreveport. W broszurze zauważyłam zdjęcie przedstawiające dwóch mężczyzn – starszy pan Herveaux był na swój sposób postacią tak samo imponującą jak jego syn.

– Czy twój tato również jest wilkołakiem? – spytałam, kiedy już przetrawiłam zdobyte informacje i pojęłam, że rodzinie Herveaux na pewno dobrze się powodzi. Może nawet byli bogaci, jednak pracowali na swój sukces bardzo ciężko, a ich sytuacja na pewno byłaby lepsza, gdyby starszy pan Herveaux potrafił zapanować nad hazardowym nałogiem.

– I ojciec, i matka – odparł po zastanowieniu Alcide.

– Och, wybacz.

Nie byłam pewna, za co przepraszam, ale uznałam, że bezpieczniej będzie wypowiedzieć to stwierdzenie.

– To jedyna metoda, żeby spłodzić wilkołaka – wytłumaczył mi po chwili.

Nie miałam pojęcia, czy udziela mi wyjaśnień z uprzejmości, czy dlatego, że jego zdaniem naprawdę powinnam o tym wiedzieć.

– Więc jak to możliwe, że Ameryka nie jest pełna wilkołaków i zmiennokształtnych? – spytałam po rozważeniu jego odpowiedzi.

– Widzisz, partnerzy muszą wziąć ślub, co nie zawsze okazuje się możliwe. W dodatku z każdego związku rodzi się tylko jedno dziecko z tą cechą. A śmiertelność wśród niemowląt jest wysoka.

– Czyli że, jeśli ożenisz się z wilkołaczycą, jedno z waszych dzieci będzie wilkołakiem?

– Forma ujawni się na początku... hm... okresu dojrzewania.

– Och, to musi być okropne – zauważyłam. – Nastolatek ma trudne życie i bez tego.

Uśmiechnął się, nie do mnie, lecz patrząc na drogę.

– Tak, to komplikuje wiele spraw.

– A twoja była dziewczyna... jest zmiennokształtna?

– Tak. Zazwyczaj nie umawiam się ze zmiennokształtnymi, ale pewnie sądziłem, że z nią będzie inaczej. Wilkołaki i zmiennokształtni czują do siebie bardzo silny pociąg fizyczny. Zwierzęcy magnetyzm, że tak powiem – odparł Alcide, próbując zażartować.

Mój szef, także osobnik zmiennokształtny, cieszył się przyjaźnią innych zmiennokształtnych w okolicy. Szczególnie przypadła mu do gustu menada, z którą „biegał" (określenie „umawiał się" nie bardzo pasowało do ich związku), dopóki nie wyruszyła w dalszą drogę. Obecnie Sam miał nadzieję znaleźć inną odpowiednią dla siebie istotę zmiennokształtną. Ogólnie rzecz biorąc, lepiej czuł się z osobami dziwnymi, takimi jak ja, lub z innymi zmiennokształtnymi, niż ze zwyczajnymi kobietami. Mówiąc mi o tym kiedyś, chciał, by zabrzmiało to jak komplement lub może neutralne stwierdzenie, mnie jednak zrobiło się przykro, choć wiem o swojej inności od dzieciństwa.

Telepatia bowiem nie czeka na okres dojrzewania.

– Dlaczego? – spytałam bez ogródek. – Dlaczego sądziłeś, że tym razem będzie inaczej?

– Powiedziała mi, że jest bezpłodna. Ale dowiedziałem się, że brała pigułki antykoncepcyjne. To duża różnica. Nie mogłem przejść nad tym do porządku dziennego. Widzisz, ze związku zmiennokształtnej i wilkołaka rodzi się dziecko, które będzie musiało się przemieniać podczas każdej pełni księżyca, ponieważ z przemiany na własne życzenie korzystają jedynie potomkowie czystej pary... czyli gdy i ojciec, i matka są wilkołakami lub zmiennokształtnymi.

Przemknęło mi przez głowę, że to daje do myślenia.

– Czyli że spotykacie się również ze zwyczajnymi dziewczynami? Ale taki związek jest chyba trudny. W codziennym wspólnym życiu niełatwo przecież utrzymać w tajemnicy coś tak... hm... znaczącego?

– Tak – przyznał. – Związek ze zwykłą dziewczyną może być trudny. Z kimś jednak muszę się przecież spotykać.

W jego grzmiącym głosie dosłyszałam nutę desperacji.

Przez długi moment zastanawiałam się nad tymi wszystkimi szczegółami, a potem zamknęłam oczy i policzyłam do dziesięciu. Tęskniłam za Billem w sposób najbardziej elementarny i niespodziewany. Pragnęłam go całym swoim ciałem! Obecne emocje skojarzyły mi się w pierwszej chwili z tymi, których doświadczyłam jakiś tydzień temu, gdy oglądałam na wideo *Ostatniego Mohikanina* i patrzyłam, jak Daniel Day-Lewis biegnie przez las; dostałam prawdziwego fioła na punkcie tego aktora. Ach, gdybym to ja wyłoniła się z zza drzewa, zanim zobaczył Madeleine Stowe...

Tak, będę musiała się pilnować.

– Więc jeśli kogoś ugryziesz, on nie zmieni się w wilkołaka?

Postanowiłam, że lepiej rozmawiać niż poddać się ogarniającym mnie myślom. Wtedy jednak przypomniałam sobie ostatnią sytuację, w której Bill mnie ugryzł, i poczułam przypływ ciepła do... O, cholera!

– W ten sposób można zmienić dorosłego. Tak jak w filmach. Tacy umierają dość szybko, nieszczęśnicy... I nie mogą przekazywać tej cechy w genach, jeśli... hm... spłodzą dziecko, będąc w ludzkiej postaci. A jeżeli uprawiają seks w zmienionej formie, partnerka poroni ewentualnego potomka.

– To ciekawe.

Nie przyszła mi do głowy inna riposta.

– Posiadamy oczywiście element nadnaturalny, dokładnie tak, jak jest w przypadku wampirów – ciągnął Alcide, nadal nie patrząc w moją stronę. – Nikt do końca nie rozumie powiązania genów i składnika nadnaturalnego. Dlatego nie możemy powiadomić świata o swoim istnieniu, jak to zrobiły wampiry. Ludzie wysterylizowaliby nas i zamknęli w ogrodach zoologicznych albo jakichś gettach... ponieważ czasami zmieniamy się w zwierzęta. A wampiry dzięki ujawnieniu się zyskały rzekomo rozgłos i bogactwo.

Powiedział to wszystko z ogromną goryczą.

– Zatem, jak to możliwe, że opowiadasz mi o całej sprawie tak jawnie? Skoro to taka wielka tajemnica?

W dziesięć minut przekazał mi więcej sekretnych informacji, niż otrzymałam od Billa przez kilka miesięcy.

– Jeśli mam spędzić z tobą kilka dni, twoja wiedza o nas bardzo ułatwi mi życie. Wiem, że masz własne problemy, i wydaje mi się, że wampiry również posiadają pewną władzę nad tobą. Nie sądzę, żebyś chciała mi o tym opowiedzieć. A jeśli dojdzie do najgorszego i uznam, że kompletnie się co do ciebie pomyliłem, po prostu poproszę Erica, żeby złożył ci wizytę i wymazał wspomnienia. – Potrząsnął głową. – Nie wiem dlaczego ci się zwierzam, naprawdę nie wiem. Może dlatego, że poczułem się nagle tak, jak gdybym cię znał.

Znowu nie potrafiłam wymyślić właściwej odpowiedzi, chciałam jednak coś powiedzieć. Dłuższe milczenie przydałoby zbyt dużego znaczenia jego ostatniemu zdaniu.

– Przykro mi, że wampiry trzymają w szachu twojego tatę. Ale widzisz, ja muszę znaleźć Billa. A to jest najprawdopodobniej jedyny sposób, w jaki mogę tego dokonać. Przynajmniej tyle jestem mu dłużna, nawet jeśli...

Głos mi się załamał. Nie miałam ochoty dokończyć tego zdania. Wszystkie możliwe zakończenia uznałam za zbyt smutne i zbyt ostateczne.

Alcide wzruszył ramionami, co w jego przypadku oznaczało naprawdę potężny ruch.

– Zabranie ładnej dziewczyny do baru to nic wielkiego – zapewnił mnie ponownie, próbując podtrzymać na duchu.

Na jego miejscu chyba nie byłabym aż tak wspaniałomyślna.

– Twój tato od dawna gra?

– Wpadł w hazard po śmierci mojej matki – odparł po dłuższej przerwie wilkołak.

– Wybacz. – Zapatrzyłam się gdzieś w bok, na wypadek gdyby potrzebował trochę prywatności. – Ja także nie mam rodziców.

– Od dawna nie żyją?

– Odkąd skończyłam siedem lat.

– Kto cię wychował?

– Babcia i brat.

– Babcia wciąż żyje?

– Nie. Zmarła w tym roku. Została zamordowana.

– Brutalnie?

Musiałam przyznać, że jest bezpośredni.

– Tak. – Miałam jeszcze jedno pytanie. – Czy to rodzice powiedzieli ci, kim jesteś?

– Nie. Powiedział mi dziadek, gdy miałem jakieś trzynaście lat. Zauważył oznaki. Nie mam pojęcia, jak sobie radzą młode wilkołaki, które nie mają nikogo bliskiego.

– Musi im być naprawdę trudno – przyznałam.

– Wiesz, próbujemy uświadamiać wszystkie młode wilkołaki mieszkające w okolicy. Powinny zostać ostrzeżone, zanim coś zacznie się z nimi dziać.

Tak, ostrzeżenie usłyszane od obcego jest lepsze niż żadne. Jednak sama taka rozmowa może u dziecka spowodować potężny uraz.

Zatrzymaliśmy się w Vicksburgu, żeby zatankować. Zaproponowałam, że zapłacę za paliwo, lecz Alcide oznajmił stanowczo, że wrzuci sobie tę kwotę w koszty firmy, ponieważ w Jackson naprawdę musi się spotkać z kilkoma klientami. Nie zgodził się też, gdy chciałam nalać benzynę, przyjął jednak kubek kawy, którą mu kupiłam, choć dziękował tak wylewnie, jak gdyby otrzymał ode mnie nowy garnitur. Dzień był zimny, lecz pogodny, więc przed ponownym wskoczeniem do samochodu, dla rozprostowania nóg przespacerowałam się dziarsko wokół centrum turystycznego.

Na widok zdjęć z pola bitwy przypomniałam sobie jeden z najbardziej intensywnych dni, jakie przeżyłam, odkąd dorosłam. Bezwiednie zaczęłam opowiadać Alcide'owi o ulubionym klubie mojej babci, Potomkach Wybitnych Poległych, i o wycieczce sprzed dwóch lat, właśnie na pole bitwy pod Vicksburgiem. Prowadziłam jeden samochód, drugim kierowała Maxine Fortenberry (babcia jednego z dobrych kolegów mojego brata Jasona). Jechaliśmy długo. Każdy członek klubu przygotował na tę okoliczność ulubiony tekst o oblężeniu, a w informacji turystycznej wszyscy kupili mapy i liczne pamiątki.

Chociaż nie wszystko się udało, mile spędziłam czas. Przeczytaliśmy notki na wszystkich pomnikach i zjedliśmy prowiant przy odnowionym okręcie USS „Cairo". Do domu wróciliśmy obładowani pamiątkami i wyczerpani. W drodze powrotnej wpadliśmy nawet do kasyna Isle of Capri, gdzie przez godzinę rozglądaliśmy się ze zdumieniem, a później odważyliśmy się nieśmiało zagrać na automacie. Moja babcia była tamtego dnia bardzo szczęśliwa, niemal równie mocno jak tego wieczoru, gdy udało jej się podstępnie nakłonić Billa do przemówienia na zebraniu klubu Potomków.

– Dlaczego chciała, żeby przemawiał? – spytał Alcide.

Uśmiechał się, słuchając mojego opisu naszej kolacji w „Cracker Barrel".

– Bill jest weteranem – odrzekłam. – Weteranem wojny, nie weterynarzem.

– No i? – spytał, lecz po chwili zrozumiał i dorzucił: – Twierdzisz, że twój chłopak walczył w wojnie secesyjnej?!

– Tak. Był wtedy człowiekiem. Wampirem został dopiero po wojnie. Miał wtedy żonę i dzieci.

Jakoś nie mogłam wciąż go nazywać swoim chłopakiem, skoro o mało nie zostawił mnie dla kogoś innego.

– Kto go zmienił w wampira? – spytał Alcide.

Wjechaliśmy już do Jackson i wilkołak kierował się do mieszkania w centrum, za które płaciła jego firma.

– Nie wiem – odparłam. – Nie mówił o tym.

– Trochę mnie to dziwi.

No cóż, ja też trochę się dziwiłam, sądziłam jednak, że jest to dla Billa sprawa bardzo osobista i że gdy zechce, opowie mi. Wiedziałam, że starszego wampira i „nowo wprowadzonego" zawsze łączy silny związek.

– Chyba już nie jest moim chłopakiem – przyznałam.

Zresztą, określenie „chłopak" moim zdaniem zbyt słabo określało mój stosunek do Billa.

– Ach tak?

Zarumieniłam się. Nie trzeba było nic mówić.

– Ale i tak muszę go odnaleźć.

Przez jakiś czas milczeliśmy. Ostatnim dużym miastem, jakie odwiedziłam, było Dallas i od razu zauważyłam, że Jackson jest znacznie mniejsze (co dla mnie stanowiło duży plus). Alcide wskazał mi złotą figurkę na kopule nowego gmachu zgromadzenia stanowego, a ja wyraziłam stosowny podziw. Myślałam, że to orzeł, ale nie miałam pewności, a krępowałam się spytać. Czyżbym potrzebowała okularów? Budynek, do którego się kierowaliśmy, stał niedaleko skrzyżowania ulic High i State. Nie był nowy; tynk na cegłach ze złotawobrązowego zmienił się w brudnoszary.

– Tutaj mieszkania są większe niż w nowo budowanych domach – powiedział Alcide. – Mam małą sypialnię gościnną. Wszystko powinno być przygotowane na nasz przyjazd. Zatrudniamy sprzątaczkę.

Bez słowa skinęłam głową. Nie mogłam sobie przypomnieć, czy kiedykolwiek przedtem byłam w jakimś apartamentowcu. Po chwili jednak uprzytomniłam sobie, że byłam. Oczywiście, że tak. W Bon Temps mamy dwupiętrowy budynek z apartamentami, Kingfisher. Pewnie kiedyś kogoś tam odwiedziłam. W ostatnich siedmiu latach wiele osób wynajmowało tam pokoje.

Mieszkanie Alcide'a, jak sam mi powiedział, znajdowało się na najwyższym piętrze, czyli na piątym. Z ulicy zjeżdżało się w dół, do podziemnego parkingu-garażu.

Wjazdu pilnował strażnik w budce. Alcide pokazał mu plastikową kartę. Strażnik, przysadzisty mężczyzna, któremu z ust zwisał papieros, ledwo na nią zerknął, po czym wcisnął odpowiedni przycisk i blokujący drogę szlaban się uniósł. Ochrona budynku nie zrobiła na mnie najlepszego wrażenia. Pomyślałam, że temu facetowi łatwo sama dałabym radę, a mój brat Jason potrafiłby go zrównać z chodnikiem.

Wygramoliliśmy się z auta i wyjęliśmy bagaże z dawnego tylnego siedzenia. Z torbą poszło mi całkiem dobrze. Nie pytając mnie o zgodę, Alcide chwycił moją małą walizkę i pośpieszył na środek parkingu. Zobaczyłam połyskujące drzwi windy. Alcide wcisnął guzik i drzwi natychmiast się otworzyły. W środku wybrał przycisk z numerem pięć i winda ze zgrzytem ruszyła w górę. Było w niej bardzo czysto, a gdy drzwi rozsunęły się ze świstem, dostrzegłam, że podłogę holu piątego piętra pokrywa dywan.

– Były wolne mieszkania, więc kupiliśmy – oznajmił Alcide, jakby to nie było nic wielkiego.

Cóż, wraz z ojcem trochę zarobili.

Jak mi powiedział, na piętrze znajdowały się cztery apartamenty.

– Kim są wasi sąsiedzi?

– W pięćset jedynce mieszka dwóch senatorów stanowych, ale jestem pewien, że rozjechali się do domów na święta – odparł. – Apartament pięćset dwa zajmuje pani Charlesowa Osburgh Trzecia wraz z pielęgniarką. Panią Osburgh, dostojną starszą damę, spotykałem jeszcze w ubiegłym roku. Teraz już chyba nie wychodzi. Pięćset trójka stoi obecnie pusta, no chyba że pośrednik handlu nieruchomościami sprzedał ją w ciągu ostatnich dwóch tygodni.

Przekręcił klucz w zamku, otworzył i pchnął drzwi do mieszkania numer 504, po czym gestem zaprosił mnie do środka. Weszłam do cichego, ciepłego korytarza. Po lewej stronie mieściła się kuchnia, otoczona nie ścianami, ale kontuarami, toteż za nią było widać wielkie pomieszczenie pełniące zapewne funkcję salonu i jadalni. Po prawej stronie, przy samym wejściu, zauważyłam drzwi, prawdopodobnie od szafy na płaszcze, i drugie, nieco dalej, które prowadziły do małej sypialni ze schludnie posłanym małżeńskim łożem. Za nią znajdowała się niewielka łazienka z biało-błękitnymi kafelkami i ręcznikami na wieszakach.

Drzwi naprzeciwko salonu, po mojej lewej stronie, otwierały się na większą sypialnię. Zajrzałam przelotnie do środka, nie chcąc wyjść na osobę wścibską, nazbyt zainteresowaną prywatną przestrzenią Alcide'a. Zauważyłam jednak, że łóżko w tym pomieszczeniu jest ogromne. Zastanowiłam się, czy Alcide i jego ojciec podczas pobytu w Jackson często podejmują gości.

– Główna sypialnia ma własną łazienkę – wyjaśnił mój gospodarz. – Chciałbym ci ją oddać, ale tam stoi aparat, a ja czekam na kilka służbowych telefonów.

– Mniejsza sypialnia całkowicie mi wystarczy – zapewniłam go.

Gdy wypakowałam torbę i walizkę w „swoim" pokoju, rozejrzałam się nieco dokładniej. Cała sypialnia była w odcieniach beżu. Beżowy dywan, beżowe meble. Beżowa tapeta z nieco orientalnym wzorkiem w kształcie pędów bambusa. Było tu bardzo spokojnie i bardzo czysto.

Kiedy powiesiłam sukienki w szafie, zadałam sobie pytanie, ile wieczorów spędzę w tym klubie. Jeśli pójdę tam więcej niż dwukrotnie, będę musiała zrobić zakupy. Niemożliwe! Lub co najmniej nierozważne, przy moich ograniczonych dochodach. Znów ogarnęły mnie znajome smutne myśli na temat marnego stanu moich finansów.

Tego, co zostawiła mi babcia, niech ją Bóg błogosławi, nie było wiele, szczególnie po uiszczeniu kosztów pogrzebu. Dom był darem cudownym i nieoczekiwanym.

Pieniądze, które odłożyła na wychowanie mnie i Jasona, oraz uzyskane za ropę naftową znalezioną na ziemi rodziców, dawno się skończyły. Honorarium za wykonanie zlecenia dla wampirów z Dallas wydałam głównie na zakup tych dwóch sukienek, podatek od nieruchomości oraz opłatę za ścięcie drzewa, którego korzenie ubiegłej zimy uszkodziło gradobicie, przez co zaczęło się niebezpiecznie chylić w stronę domu; jeden duży konar spadł już wcześniej, częściowo niszcząc blaszany dach. Na szczęście Jason i Hoyt Fortenberry wiedzieli wystarczająco dużo o dekarstwie, więc jakoś go połatali.

Przypomniałam sobie ciężarówkę dekarza przed „Belle Rive".

Raptownie usiadłam na łóżku. Skąd u mnie takie myśli? Jestem aż tak małostkowa i gniewam się na swojego chłopaka za to, że wymyślał dziesiątki sposobów, by wspomóc finansowo swoich potomków (nieżyczliwych i czasami przemądrzałych Bellefleurów), podczas gdy ja, miłość jego pozagrobowego życia, roniłam łzy nad swoim niedostatkiem?

Dobra, tak, jestem aż tak małostkowa.

Och, powinnam się wstydzić!

Może później. Nie skończyłam jeszcze wymieniać skarg.

Skoro już myślałam o pieniądzach (czy raczej o ich braku), zastanowiłam się, czy Ericowi, kiedy wysyłał mnie w tę misję, w ogóle przyszło do głowy, że jeśli wezmę na ten czas urlop, nie dostanę zapłaty. A ponieważ jej nie dostanę, nie będę mogła uiścić rachunków za prąd, kablówkę czy telefon, nie ubezpieczę też samochodu...

Miałam jednak chyba moralny obowiązek znaleźć Billa, niezależnie od losów naszego związku, prawda?

Położyłam się na plecach na łóżku i powiedziałam sobie w myślach, że wszystko będzie dobrze. Wiedziałam, że tak naprawdę powinnam odbyć rozmowę z Billem (zakładając, że kiedyś wróci) i wyjaśnić mu swoją sytuację, a wtedy on... na pewno coś poradzi.

Ale nie potrafiłabym po prostu przyjąć od niego pieniędzy. Naturalnie, byłoby inaczej, gdybyśmy się pobrali. Tak, wtedy wszystko byłoby w porządku, ponieważ męża i żonę łączy wspólnota majątkowa. My jednak nie możemy się pobrać. Prawo zabrania istotom ludzkim poślubiać wampiry.

No i Bill nigdy mi się nie oświadczył.

– Sookie?

Zamrugałam i usiadłam prosto. Alcide opierał się o framugę, ręce zaplótł na piersi.

– W porządku?

Niepewnie skinęłam głową.

– Tęsknisz za nim?

Za bardzo wstydziłam się wspomnieć o kłopotach finansowych, zresztą pieniądze nie były ważniejsze od Billa.

Dlatego, żeby uprościć sytuację, potwierdziłam skinieniem głowy.

Alcide usiadł obok i objął mnie. Był taki ciepły. Pachniał proszkiem do prania, mydłem i mężczyzną. Zamknęłam oczy i znowu policzyłam do dziesięciu.

– Tęsknisz – odpowiedział sam sobie.

Ujął moją lewą dłoń.

Nie wiesz nawet, jak za nim tęsknię, pomyślałam.

Najwyraźniej, gdy człowiek przyzwyczai się do regularnego uprawiania niesamowitego seksu, jego ciało pozbawione tej rozrywki zaczyna żyć własnym życiem (że tak powiem) i samo tęskni za dotykiem i przytulaniem. I teraz moje ciało niemo błagało Alcide'a Herveaux, żeby rzucił mnie na łóżko. Tak bardzo pragnęło czyichś pieszczot. Tu i teraz!

– Naprawdę tęsknię za nim, niezależnie od problemów, jakie przeżywamy – jęknęłam cichym, drżącym głosikiem.

Nie otwierałam oczu, bo gdybym to zrobiła, mogłabym zobaczyć na jego twarzy drobną zachętę, malutką oznakę pożądania. A to by mi wystarczyło.

– O której godzinie powinniśmy twoim zdaniem wyjść do klubu? – spytałam, zdecydowanie zmieniając temat.

Był taki ciepły...

Inny temat!

– Chciałbyś, żebym przygotowała kolację, zanim wyjdziemy?

Przynajmniej tyle mogłam zrobić. Wystrzeliłam z łóżka jak rakieta i odwróciłam się do Alcide'a z najbardziej naturalnym uśmiechem, na jaki potrafiłam się zdobyć. Albo seks, albo żadnej bliskości.

– Och, chodźmy po prostu do „Mayflower Cafe" – powiedział. – Lokal wygląda jak stara jadłodajnia, zresztą to jest stara jadłodajnia, ale na pewno ci się spodoba. Wszyscy w nim bywają: senatorowie i stolarze, wszyscy... Podają tam piwo, w porządku?

Wzruszyłam ramionami i kiwnęłam głową. Dla mnie w porządku.

– Nie piję zbyt dużo – stwierdziłam.

– Ani ja – odparł. – Może dlatego, że mój tatko czasem za dużo w siebie wlewa. A potem podejmuje kiepskie decyzje. – Chyba pożałował, że to powiedział. – Z „Mayflower" pójdziemy do klubu – dodał z większym animuszem. – Zmierzch teraz wprawdzie zapada naprawdę wcześnie, ale wampiry przychodzą dopiero wówczas, gdy napiją się krwi, poderwą dziewczynę albo skończą interesy. Powinniśmy dotrzeć tam około dwudziestej drugiej. Czyli że około dwudziestej możemy zjeść kolację. O ile ci to pasuje.

– Jasne, świetnie.

Nie wiedziałam, co począć. Była dopiero czternasta. W mieszkaniu nie trzeba było sprzątać. Nie musiałam nic ugotować. Gdybym chciała poczytać, miałam w walizce romanse, tyle że w moim obecnym stanie taka lektura nie wydawała mi się odpowiednia.

– Słuchaj, nie obrazisz się, jeśli pójdę się spotkać z paroma klientami? – spytał.

– O tak, świetnie. – Pomyślałam, że na pewno się uspokoję, jeśli tylko Alcide zniknie z mojego najbliższego otoczenia. – Idź, pozałatwiaj swoje sprawy. Mam książki i jest telewizor.

Może zacznę czytać powieść kryminalną.

– Gdybyś chciała... Nie wiem... moja siostra, Janice, jest właścicielką salonu piękności, który mieści się mniej więcej cztery przecznice dalej, w jednej ze starszych dzielnic. Wyszła za mąż za chłopaka stąd. Jeśli chcesz, odwiedź ją i zrób się na bóstwo.

– Och, ja... nie... no cóż, to...

Nie umiałam wymyślić sensownego i wiarygodnego powodu odmowy, innego niż oczywista przeszkoda w postaci braku pieniędzy, o których nie chciałam wspominać.

Widziałam po minie Alcide'a, że wpadł na jakąś myśl.

– Jeśli wstąpisz do niej, Janice będzie miała okazję ci się przyjrzeć. Masz przecież udawać moją nową przyjaciółkę, a siostra szczerze nienawidzi Debbie. Naprawdę się ucieszy z twojej wizyty.

– Jesteś strasznie miły – bąknęłam, starając się nie pokazać po sobie, jaka jestem zdezorientowana i wzruszona. – Nie spodziewałam się.

– Ty również nie jesteś taką dziewczyną, jakiej się spodziewałem – odparował i zostawił adres salonu siostry obok telefonu, po czym wyruszył załatwiać swoje sprawy.

ROZDZIAŁ PIĄTY

Janice Herveaux Phillips (mężatka od dwóch lat, matka od roku, jak szybko się dowiedziałam) wyglądała i zachowywała się dokładnie tak, jak moim zdaniem powinna wyglądać i zachowywać się siostra Alcide'a. Wysoka, ładna, prostolinijna, pewna siebie. Sprawnie prowadziła swoją firmę.

Rzadko wchodziłam do salonów piękności. Moja babcia zawsze robiła sobie trwałą w domu, a ja nigdy nie farbowałam ani nie kręciłam włosów, jedynie raz na jakiś czas podcinałam końcówki. Kiedy zwierzyłam się z tego Janice, która zauważyła, że rozglądam się wokół z ciekawością dzikuski, jej wielki uśmiech rozszerzył się jeszcze bardziej.

– W takim razie potrzebujesz wszystkich naszych usług – powiedziała z satysfakcją w głosie.

– Nie, nie, nie – zaprotestowałam zaniepokojona. – Alcide...

– Zadzwonił do mnie z komórki i wyjaśnił, że mam z ciebie zrobić boginię – dokończyła za mnie. – I szczerze ci powiem, kochanie, że każdy, kto pomoże mu zapomnieć o tej Debbie, jest moim najlepszym przyjacielem.

Nie mogłam się nie uśmiechnąć.

– Ale zapłacę – nalegałam.

– Nie, twoje pieniądze nie są tu mile widziane – odparła. – Nawet jeśli zerwiesz z Alcide'em jutro, ozłocę cię za to, że będziesz mu towarzyszyła dziś wieczorem.

– Bo dziś wieczorem...? – zaczęłam.

Miałam złe przeczucie, że nie do końca wiem, co mnie czeka.

– Usłyszałam przypadkowo, że dziś wieczorem ta suka zamierza ogłosić swoje zaręczyny w klubie, w którym bywali razem – wypaliła Janice.

No cóż, drobny szczegół.

– Wychodzi za mąż za... mężczyznę, z którym zaczęła się spotykać po zerwaniu z Alcide'em?

(Ledwie się powstrzymałam przed użyciem określenia „zmiennokształtny").

– Szybka decyzja, co? Co on ma takiego, czego nie ma mój brat?

– Nie potrafię sobie niczego takiego wyobrazić – wyrecytowałam z absolutną szczerością, za co otrzymałam uśmieszek od Janice.

Och, jej brat na pewno ma jakieś wady – może siada do kolacji w bieliźnie albo publicznie dłubie w nosie.

– Cóż, jeśli odkryjesz przyczyny, powiadom mnie. A teraz zabierzmy się do pracy.

Oceniła mnie profesjonalnym okiem.

– Corinne zrobi ci pedikiur i manikiur, a Jarvis zajmie się twoimi włosami. Na pewno masz ich dużo... – dodała, ściszając.

– Moje własne, zupełnie naturalne – przyznałam.

– Nie farbujesz?

– Nie.

– Jesteś szczęściarą – oceniła, kręcąc głową.

To była opinia mniejszości.

Janice zajmowała się obecnie inną klientką, której srebrzyste włosy i złota biżuteria sugerowały kogoś ważnego. Podczas gdy dama o lodowatym spojrzeniu przypatrywała mi się obojętnie, Janice szybko wydała jakieś polecenia swoim pracownikom, po czym wróciła do pani bogaczki.

Jeszcze nigdy w życiu nikt mnie tak nie rozpieszczał. I wszystko było dla mnie nowe. Corinne (manikiur i pedikiur), która była tak tłuściutka i wyglądała tak smakowicie, że przywiodła mi na myśl jedną z kiełbasek, które jadłam dziś rano, pomalowała mi paznokcie u rąk i nóg lakierem w odcieniu krzykliwej czerwieni, żeby pasowały do sukienki, którą zamierzałam włożyć. Jedyny mężczyzna w salonie, Jarvis, miał palce lekkie i szybkie jak motyle. Chudziutki jak przecinek, o włosach w nienaturalnym platynowym kolorze, zabawiał mnie potokiem wesołej paplaniny, równocześnie myjąc i układając mi włosy. Później zaprowadził mnie pod suszarkę. Siedziałam tuż obok majętnej damy i poświęcono mi tyle samo uwagi co jej. Dostałam do poczytania czasopismo „People", a Corinne przyniosła mi colę. Było mi przyjemnie, że ktoś o mnie dba i pomaga mi się odprężyć.

Zaczęłam powoli umierać z gorąca pod suszarką, gdy wreszcie zabrzęczał minutnik. Jarvis pomógł mi wstać, a później wskazał ponownie swój fotel. Po konsultacji z Janice zdjął z wieszaka na ścianie nagrzaną lokówkę i podkręcił mi włosy, pozostawiając je rozpuszczone w postaci luźnych pukli opadających na plecy. Prezentowałam się zjawiskowo. A zjawiskowy wygląd uszczęśliwi każdego. Innymi słowy, nie czułam się tak dobrze od dnia, w którym ostatni raz widziałam Billa.

Janice podchodziła, żeby ze mną pogawędzić, ilekroć tylko mogła się oderwać od zajęć. Przyłapałam się w pewnej chwili na myśli, że zaczynam się uważać za dziewczynę Alcide'a, która ma realną szansę zostać szwagierką Janice. Tego rodzaju dowody akceptacji otrzymuję naprawdę nieczęsto.

Żałowałam, że nie potrafię jej się jakoś odwdzięczyć za życzliwość, gdy nagle pojawiła się ku temu sposobność. W lustrze Jarvisa widziałam fotel Janice i plecy zajmującej go bogatej klientki. Pozostawiona samej sobie, podczas gdy Jarvis poszedł po butelkę odżywki, którą jego zdaniem koniecznie powinnam przetestować, obserwowałam w lustrze, jak Janice zdejmuje kolczyki i kładzie je na małym porcelanowym talerzyku. Może nigdy bym nie zauważyła tego, co zdarzyło się później, gdybym nie wyczytała w myślach bogaczki wyraźnej chciwości, z jaką zareagowała na widok kolczyków. Janice odeszła po kolejny ręcznik, a ja patrzyłam na srebrzystowłosą klientkę, która chwyciła kolczyki i zręcznie wsunęła je do kieszeni żakietu, korzystając z tego, że Janice odwróciła się do niej tyłem.

Zanim moja fryzura była skończona, wiedziałam już, co zrobię. Właśnie czekałam, żeby pożegnać się z Jarvisem, który musiał odejść do telefonu; z obrazów, jakie „wydobyłam" z jego umysłu, dowiedziałam się, że rozmawia z matką. Zsunęłam się więc z winylowego fotela i podeszłam do bogaczki, która wypisywała czek dla Janice.

– Przepraszam panią – odezwałam się do niej z olśniewającym uśmiechem. W oczach Janice dostrzegłam lekki przestrach, a elegantka popatrzyła na mnie z góry. Ta klientka zostawiała w salonie dużo pieniędzy i Janice nie chciałaby jej stracić. – Ma pani plamkę od żelu do włosów na żakiecie. Jeśli zechciałaby pani zdjąć go na sekundę, zetrę ją.

Nie mogła odmówić. Dotknęłam jej barków i delikatnie pociągnęłam żakiet w zielono-czerwoną kratkę, a kobieta mechanicznie wysunęła się z niego. Zaniosłam żakiet za zasłonkę oddzielającą część sali, w której myto włosy, i wytarłam idealnie czysty fragment, ot tak, dla zachowania pozorów prawdopodobieństwa (wspaniałe określenie z mojego kalendarza ze Słowami Dnia). Oczywiście, wyjęłam również z kieszeni kolczyki i włożyłam do własnej.

– Jak nowy! Nie ma nawet śladu!

Uśmiechnęłam się promiennie i pomogłam jej włożyć żakiet.

– Dzięki, Sookie – oznajmiła Janice równie pogodnym tonem.

Podejrzewała, że coś jest nie w porządku.

– Proszę bardzo!

Nadal się uśmiechałam.

– Tak, dziękuję – mruknęła pani szykowna, nieco skonsternowana. – No cóż, Janice, zobaczymy się w przyszłym tygodniu.

Drogę do drzwi pokonała, głośno stukając obcasami, i ani razu się nie obejrzała. Kiedy zniknęła nam z oczu, sięgnęłam do kieszeni i wyciągnęłam rękę w stronę Janice. Gdy Janice wysunęła dłoń, położyłam na niej kolczyki.

– Boże wszechmogący – jęknęła. Nagle wyglądała o pięć lat starzej. – Zapomniałam, że nic obok niej nie wolno zostawiać.

– Robi to częściej?

– Tak. Dlatego mój salon kosmetyczny jest jej piątym w ciągu ostatnich dziesięciu lat. W innych przez jakiś czas pobłażano jej kleptomanii, ale w końcu zawsze zabierała o jedną rzecz za dużo. Jest bogata, wykształcona i kulturalna... Nie wiem dlaczego robi coś takiego.

Obie wzruszyłyśmy ramionami, podsumowując w ten sposób temat dziwactw zamożnej elity, których nie potrafiłyśmy pojąć. To był moment doskonałego porozumienia.

– Mam nadzieję, że nie zrezygnuje z usług twojego salonu. Starałam się być taktowna – wyjaśniłam.

– I naprawdę doceniam twój gest. Szczególnie że te kolczyki są dla mnie cenniejsze niż klientka i nie chciałabym ich stracić. Dał mi je mąż. Gdy jednak dłużej je noszę, zaczynają mnie uwierać i wtedy niemal bezwiednie je zdejmuję.

Pomyślałam, że wystarczy tych podziękowań. Włożyłam płaszcz.

– Lepiej już pójdę – powiedziałam. – Naprawdę się cieszę, że tak się dla mnie napracowaliście.

– Podziękuj mojemu bratu – odparła Janice. Wielki uśmiech powrócił na jej usta. – Zresztą odpłaciłaś mi się stukrotnie.

Zamachała kolczykami.

Kiedy wyszłam z tego sympatycznego miejsca, jeszcze przez chwilę się uśmiechałam, ale niezbyt długo. Temperatura spadła, a niebo ciemniało z każdą minutą. Szybkim krokiem wróciłam do apartamentowca. Po jeździe chłodną, skrzypiącą windą z radością użyłam otrzymanego od Alcide'a klucza i weszłam do ciepłego mieszkania. Zapaliłam lampę i włączyłam telewizor, żeby nie czuć się samotna, po czym skuliłam się na kanapie i pomyślałam o przyjemnie spędzonym popołudniu. Kiedy trochę odtajałam, uświadomiłam sobie, że Alcide chyba wyłączył termostat. Chociaż temperatura w mieszkaniu była z pewnością znacznie wyższa niż na dworze, w pokoju panował chłód.

Z zadumy wyrwał mnie zgrzyt klucza w zamku. Chwilę później wszedł Alcide z plikiem dokumentów. Wyglądał na zmęczonego, ale gdy zobaczył, że czekam, wyraźnie się odprężył.

– Dzwoniła Janice i mówiła, że ją odwiedziłaś – oznajmił, po czym dodał cieplejszym tonem: – Prosiła, żebym jeszcze raz ci podziękować.

Wzruszyłam ramionami.

– Ja jestem wdzięczna za fryzurę i manikiur – zapewniłam go. – Nigdy wcześniej nikt mi go nie robił.

– Nigdy nie byłaś w salonie piękności?!

– Moja babcia chodziła co jakiś czas. A ja raz poszłam do fryzjera podciąć sobie końcówki.

Wydawał się tak zszokowany, jakbym właśnie wyznała, że nigdy nie widziałam toalety ze spłuczką.

Chcąc pokryć zakłopotanie, zamachałam przed nim świeżo polakierowanymi paznokciami. Nie chciałam zbyt długich i miałam najkrótsze, na jakie Corinne mogła się zgodzić ze spokojnym sumieniem. Tak mi powiedziała.

– Paznokcie u nóg są w tym samym kolorze – dodałam.

– Pokaż – poprosił.

Rozwiązałam tenisówki, zdjęłam skarpetki i pokazałam stopy.

– Ładne, prawda? – spytałam.

Patrzył na mnie z rozbawieniem.

– Piękne – odparł cicho.

Zerknęłam na zegar na telewizorze.

– Chyba lepiej zacznę się szykować – powiedziałam, usiłując wymyślić sposób wzięcia kąpieli bez uszkodzenia fryzury i lakieru na paznokciach. Przypomniały mi się nowiny Janice na temat Debbie. – Naprawdę masz ochotę wystroić się dziś wieczorem, prawda?

– Jasne – odparł dzielnie.

– Co do mnie, zamierzam zrobić wszystko, by osiągnąć swój cel.

Moje słowa go zainteresowały.

– To znaczy...?

– Poczekaj, a zobaczysz.

Miałam przed sobą miłego faceta, który miał miłą siostrę. W dodatku ten sympatyczny facet wyświadczał mi wielką przysługę. No dobra, trochę go do tego przymuszono. Ale i tak, niezależnie od okoliczności, był dla mnie niezwykle uprzejmy.

***

Wyszłam z sypialni godzinę później. Alcide stał w kuchni i nalewał sobie colę. Gdy spojrzał na mnie, cola przez chwilę przelewała się przez brzeg szklanki.

To był prawdziwy komplement.

Wycierając papierowym ręcznikiem kontuar, Alcide ciągle posyłał mi spojrzenia. Odwróciłam się powoli.

Byłam cała w czerwieni... w krzykliwej czerwieni, w ognistej czerwieni. Wiedziałam, że przez większą część wieczoru będę marznąć, ponieważ w tej sukience, chociaż miała długie, oddzielnie nasuwane rękawy, ramiona pozostawały obnażone. Na plecach zapinała się na zamek, a poniżej bioder rozszerzała. Babcia nigdy by mnie w niej nie wypuściła z domu, prędzej rzuciłaby się na drzwi i zatarasowała je własnym ciałem. Ja tę sukienkę uwielbiam. Kupiłam ją w ostatnim dniu wyprzedaży w sklepie „Ciuszki Tary" i podejrzewałam, że tak naprawdę przyjaciółka odłożyła ją dla mnie. Działając pod wpływem potężnego, niemądrego impulsu, kupiłam również buty i szminkę, które pasowały do tej sukni. A teraz, dzięki Janice, pasowały do niej również moje paznokcie! Na ramiona narzuciłam chustę z frędzlami z szaro-czarnego jedwabiu i miałam też obszytą koralikami maleńką torebkę w kolorze butów.

– Odwróć się jeszcze raz – zasugerował Alcide lekko zachrypniętym głosem.

Miał na sobie klasyczny czarny garnitur, białą koszulę i pasujący do jego oczu zielony krawat we wzorki. Jednakże najwyraźniej nijak nie potrafił ujarzmić włosów. Może to nie ja, tylko on powinien pójść do salonu kosmetycznego Janice? Prezentował się ładnie, po męsku, choć może określenie „pociągający" pasowało tu bardziej niż „przystojny".

Powoli obróciłam się wokół własnej osi, a gdy wreszcie znieruchomiałam, nie mogłam się powstrzymać od pytającego uniesienia brwi.

– Wyglądasz apetycznie – ocenił szczerze.

Wypuściłam powietrze, jak zwykle nie zdając sobie sprawy, że wstrzymuję oddech.

– Dzięki – odparłam, próbując nie uśmiechać się do niego szeroko i idiotycznie.

Z powodu krótkiej sukienki i wysokich obcasów ciężko mi było wsiąść do wozu, ale Alcide jakoś przemyślnie mnie podsadził i udało się.

Naszym celem podróży okazał się lokalik na rogu Capitol i Roach. Z zewnątrz restauracja „Mayflower Cafe" nie wyglądała szczególnie imponująco, w środku jednak było tak ciekawie, jak zapowiedział Alcide. Niektórzy goście zajmujący stoliki rozproszone na czarno-białej kaflowej podłodze byli ubrani równie elegancko jak my. Inni mieli na sobie flanelowe koszule i dżinsy. Niektórzy przynieśli własne wino i mocniejsze trunki. Cieszyłam się, że oboje nie przepadamy za alkoholem. Alcide zamówił piwo. Ja poprosiłam o mrożoną herbatę. Jedzenie nie było wymyślne, ale naprawdę dobre. Sala restauracyjna miała wydłużony, interesujący kształt. Wielu ludzi znało Alcide'a, więc podchodzili do naszego stolika i witali się, a mój towarzysz im mnie przedstawiał. Jedni pracowali dla rządu, inni działali w handlu nieruchomościami lub prowadzili firmy, tak jak Alcide, a jeszcze inni robili wrażenie przyjaciół jego ojca.

Kilkoro z nich bynajmniej nie należało do osób praworządnych. Chociaż całe życie mieszkam w malutkim Bon Temps, potrafię rozpoznać bandziora, gdy czytam mu w myślach. Nie twierdzę oczywiście, że tacy ludzie myślą o sprzątnięciu kogoś, przekupieniu senatora lub o czymś w tym stylu. Ci byli raczej po prostu zachłanni – pragnęli pieniędzy lub mnie, a jeden pragnął Alcide'a (Alcide'owi, jak ustaliłam, był zupełnie obojętny). Jednakże większość tych mężczyzn, może nawet wszyscy, najbardziej pragnęła władzy.

Zdaje mi się, że wśród mieszkańców stolicy stanu, nawet stanu tak dotkniętego ubóstwem jak Missisipi, owa żądza władzy to sprawa nieunikniona.

Niemal wszystkie kobiety, które towarzyszyły najbardziej zachłannym mężczyznom, były niezwykle zadbane i bardzo kosztownie ubrane. Akurat dziś wieczorem pasowałam do tego światka i nie miałam się czego wstydzić. Jedna z nich pomyślała, że wyglądam jak droga kurewka, ale uznałam to za komplement, przynajmniej w tej konkretnej chwili. Dobrze, że uważała mnie chociaż za drogą... Jedna kobieta, bankierka, znała Debbie, eskdziewczynę Alcide'a, więc obejrzała mnie sobie od stóp do głów, sądziła bowiem, że Debbie zechce szczegółowego opisu.

Naturalnie, żadna z tych osób nic nie wiedziała o moich właściwościach. Cudownie było siedzieć wśród ludzi, którzy nie mieli pojęcia o mojej przeszłości, wychowaniu, zawodzie ani darze. Postanowiłam się cieszyć tą anonimowością i panowałam nad sobą, starając się nie odzywać niepytana, nie ubrudzić jedzeniem mojej pięknej sukienki i, ogólnie rzecz biorąc, uważać na maniery, zarówno przy stole, jak i w rozmowie. Chociaż znajdowałam przyjemność w tej kolacji, na pewno nie chciałam przynieść wstydu mężczyźnie, w którego życie wtargnęłam na tak krótko.

Alcide złapał rachunek, zanim zdołałam go dosięgnąć, i rzucił mi gniewne spojrzenie, kiedy otworzyłam usta, by zaprotestować. W końcu poddałam się i skinęłam głową. Po tej milczącej potyczce, z radością odkryłam, że Alcide daje hojne napiwki. Tym gestem zyskał u mnie sporo punktów. Prawdę mówiąc, do tej pory zdobył ich już naprawdę wiele. Odkryłam, że stale usiłuję doszukać się w nim wad. Kiedy wróciliśmy do auta – tym razem Alcide jeszcze bardziej mi pomógł przy wsiadaniu i byłam przekonana, że podsadza mnie bardzo chętnie – oboje milczeliśmy, zadumani.

– Nie mówiłaś zbyt dużo podczas kolacji – zauważył. – Nie bawiłaś się dobrze?

– Och, jasne, że świetnie się bawiłam! Po prostu uważałam, że okazja nie jest odpowiednia do wyrażania własnych opinii.

– A co sądzisz o Jake'u O'Malleyu?

O'Malley, mężczyzna po sześćdziesiątce, miał gęste brwi w kolorze stali. Stał i rozmawiał z Alcide'em dobre pięć minut, przez cały czas obrzucając moje cycki szybkimi spojrzeniami z ukosa.

– Sądzę, że planuje zapieprzyć ci sześć zleceń od niedzieli.

Miałam szczęście, że nie zdążyliśmy zjechać z krawężnika.

Alcide włączył górne światło i bacznie mi się przyjrzał. Minę miał ponurą.

– O czym ty mówisz? – spytał.

– Zamierza zaproponować niższe stawki od twoich i w ten sposób podebrać ci następne zlecenie. Przekupił już jedną babkę w twoim biurze... Thomasinę jakąś... Ma go powiadomić, jaką cenę chcesz zaoferować. A potem...

– Co takiego?!

Cieszyłam się, że Alcide nie zapomniał włączyć nawiewu. Gdy wilkołaki się wściekają, ich gniew można wręcz wyczuć w powietrzu. Miałam szczerą nadzieję, że nie będę musiała opowiadać Alcide'owi o swoich zdolnościach. Miło spędzałam czas, gdy nikt o nich nie wiedział.

– Jesteś... czym? – spytał, aby się upewnić, że zrozumiał.

– Telepatką – odparłam cicho.

Zapadło długie milczenie, w trakcie którego Alcide intensywnie myślał.

– Wszystko dobrze słyszałaś? – spytał w końcu.

– Jasne. Pani O'Malley chciałaby cię przelecieć – oznajmiłam mu z szerokim uśmiechem. Przypomniałam sobie, żeby nie poprawiać nerwowo włosów, bo zniszczę fryzurę.

– To dobrze?

– No, raczej – odrzekłam. – Lepiej, gdy ktoś pożąda ciebie, a nie twoich pieniędzy.

Pani O'Malley była przynajmniej dwadzieścia lat młodsza od męża, a poza tym była najbardziej zadbaną osobą, jaką kiedykolwiek widziałam. Nawet brwi pewnie czesała sobie sto razy dziennie.

Potrząsnął głową. Nie potrafiłam zbyt dobrze czytać w jego myślach.

– Co ze mną? Wiesz, o czym myślę?

No tak, oto jest pytanie!

– Myśli zmiennokształtnych niełatwo odczytać – wyjaśniłam. – Nie potrafię czytać w nich jak w książce, raczej interpretuję ogólny nastrój, coś w tym rodzaju. Może gdybyś wysłał bezpośrednio do mnie jakąś myśl, wyłapałabym ją. Chcesz spróbować? Wyślij myśl w moją stronę.

„Półmiski, których używam w mieszkaniu, mają na brzegu wymalowane żółte róże".

– Nie nazwałabym ich różami – odparłam z powątpiewaniem. – To są raczej cynie, jeśli chcesz znać moje zdanie. – Wyczułam jego niechęć i rezerwę. Westchnęłam. Skąd ja znam takie reakcje? Znów to samo. Zrobiło mi się smutno, bo już polubiłam Alcide'a. – Ale nie mogę ot tak, po prostu czytać ci w myślach – zapewniłam go szybko. – Nie jest to do końca możliwe w przypadku wilkołaków i zmiennokształtnych.

(W umysłach niektórych istot nadnaturalnych czytałam wprawdzie jak w otwartej księdze, nie widziałam jednak w tej chwili potrzeby mówienia mu o tym).

– Dzięki Bogu – odparł.

– Ach tak? – odparowałam filuternie, próbując poprawić nam obojgu nastrój. – Boisz się, że czegoś się dowiem?

Alcide wyszczerzył zęby w uśmiechu, po czym zgasił górne światło i wreszcie wyjechaliśmy z parkingu.

– Nieważne – stwierdził roztargnionym tonem – zupełnie nieważne. Czyli że... dziś wieczorem zamierzasz czytać gościom lokalu w myślach, ponieważ chcesz odkryć miejsce pobytu swojego wampira?

– Zgadza się. Nie potrafię czytać w myślach wampirom, u których raczej trudno mówić o falach mózgowych. Tak to sobie tłumaczę, ponieważ nie mam pojęcia, w jaki sposób otrzymuję słowa lub obrazy. Nie wiem też, czy istnieje naukowe wyjaśnienie moich umiejętności.

Nie kłamałam. Umysły nieumarłych naprawdę były dla mnie niedostępne, czasem tylko docierał do mnie jakiś niewiele znaczący przebłysk, ale uznałam, że to się nie liczy i nikt nie musi o tym wiedzieć. Gdyby wampiry podejrzewały, że potrafię odczytać choćby najdrobniejszy procent ich myśli, nawet Bill nie zdołałby mnie przed nimi ocalić. O ile zechciałby w ogóle wstawić się za mną w takim przypadku.

Ilekroć zapomniałam na chwilę, że status łączącego nas związku zupełnie się zmienił, ponowne przypomnienie bolało równie mocno.

– Jaki zatem masz plan?

– Skupię się na ludziach, którzy umawiają się z tutejszymi wampirami albo im służą. Bez wątpienia Billa porwał jakiś człowiek lub kilku. Widzisz, porwano go za dnia. Tak przynajmniej twierdzi Eric.

– Powinienem spytać cię o to wszystko wcześniej – powiedział. – Na wypadek gdybym coś usłyszał... to znaczy, w zwykły sposób. Może powinienem znać wszystkie okoliczności...

Kiedy przejeżdżaliśmy obok miejsca, które Alcide nazwał starym dworcem kolejowym, szybko streściłam mu najważniejsze kwestie. Zauważyłam nazwę ulicy – Amite – a później zatrzymaliśmy się przy markizie nad chodnikiem. Byliśmy na skraju centrum Jackson. Bezpośrednio pod markizą było jasno – światło było olśniewające i zimne. Ta część chodnika wydała mi się dziwnie złowieszcza, szczególnie że reszta ulicy kryła się w mroku. Poczułam niepokój i dreszcz na plecach.

Nie miałam najmniejszej ochoty zatrzymywać się tutaj.

Powiedziałam sobie, że reaguję irracjonalnie. Miałam przed sobą jedynie zwyczajny kawałek betonu. Nigdzie wokół siebie nie dostrzegałam żadnych bestii. Od godziny

111

siedemnastej, czyli odkąd swoje podwoje zamknęły tutejsze firmy, po centrum Jackson z pewnością nie kręciło się zbyt wiele osób. Byłam pewna, że w miastach stanu Missisipi tej zimnej grudniowej nocy większość chodników jest równie pusta.

A jednak coś złego wisiało w powietrzu, coś czujnego i zdecydowanie złośliwego. Nie widziałam oczu, które nas obserwowały, byłam jednak przekonana, że ktoś się nam przygląda. Kiedy Alcide wyskoczył z wozu i obszedł go, żeby pomóc mi wysiąść, zauważyłam, że zostawił kluczyk w stacyjce. Usiadłam bokiem na siedzeniu, spuściłam nogi na zewnątrz, a ręce wsparłam na ramionach wilkołaka. Długa jedwabna chusta przylgnęła do mojego ciała i ciągnęła się za mną; frędzle drżały w porywach lodowatego wiatru. Poczułam, że Alcide mnie unosi, i odepchnęłam się od siedzenia, a chwilę później znalazłam się na chodniku.

A wtedy pikap niespodziewanie odjechał.

Popatrzyłam z ukosa na swojego towarzysza, chcąc sprawdzić, czy zniknięcie pojazdu go zaskoczyło, i odkryłam, że wcale się nie zdziwił.

– Samochody zaparkowane przed lokalem przyciągałyby nadmierną uwagę ludzi – wyjaśnił głosem ściszonym ze względu na pustkę i ciszę zimno oświetlonego obszaru.

– Mogą tu wchodzić? Zwykli ludzie? – spytałam, kiwając głową ku pojedynczym stalowym drzwiom.

Wyglądały tak mało zachęcająco, jak tylko mogły wyglądać. Nigdzie na nich ani na budynku nie zauważyłam nazwy lokalu. Nie było tu też żadnych bożonarodzeniowych ozdób.

(Wampiry oczywiście nie obchodzą świąt, oprócz Halloween. Halloween to dawne święto Samhain, którego otoczkę wampiry uwielbiają i dlatego jest chętnie obchodzone we wszystkich wampirzych społecznościach na całym świecie).

– Jasne, jeśli tylko zechcą uiścić opłatę za wstęp w wysokości dwudziestu dolarów. Od tutejszych drinków nie ma jednak gorszych w okolicznych pięciu stanach. W dodatku kelnerzy są potwornie nieuprzejmi. I strasznie powoli obsługują gości.

Starałam się zapanować nad uśmiechem. Miejsce rzeczywiście nie nastrajało optymistycznie.

– A gdyby wytrzymali te niedogodności?

– Lokal nie oferuje programu rozrywkowego, nikt nie będzie też z nimi rozmawiał, a jeżeli posiedzą zbyt długo, znajdą się w końcu na chodniku we własnym aucie i nie będą pamiętali jak tu dotarli.

Złapał klamkę i otworzył drzwi. Strach, który czułam w powietrzu, na Alcide'a najwyraźniej nie miał wpływu.

Weszliśmy do ledwie metrowego korytarzyka, który kończył się kolejnymi drzwiami. Wiedziałam, że znów ktoś nas obserwuje, chociaż nigdzie nie widziałam kamery ani wizjera.

– Jak się nazywa ten lokal? – spytałam szeptem.

– Wampiry, do których należy, mówią o nim „U Josephine" – odparł, równie cicho. – Ale wilkołaki wolą nazwę „Klub Martwych".

Już miałam się roześmiać, ale nie zdążyłam, bo w tym momencie otworzyły się drzwi wewnętrzne.

Portier był goblinem.

Nigdy wcześniej nie spotkałam takiego osobnika, a jednak określenie „goblin" natychmiast pojawiło się w mojej głowie, jak gdybym miała na wewnętrznej stronie gałki ocznej wydrukowany nadnaturalny słownik. Nasz portier był bardzo niski i wyglądał na zrzędliwego. Miał gruzłowatą twarz i wielkie ręce. Jego oczy błyskały złowróżbnie i złośliwie. Obrzucił nas piorunującym spojrzeniem. Może uważał klientów za zupełnie zbędnych mu do szczęścia.

Po co przeciętny człowiek miałby wchodzić do „Josephine", napotykając takie efekty jak nawiedzony chodnik, znikające auto i goblina przy drzwiach? No cóż, niektórzy ludzie wręcz proszą się o kłopoty, albo i o śmierć.

– Pan Herveaux – odezwał się goblin powoli, z głębokim warkotem. – Miło pana widzieć z powrotem. Pana towarzyszka to...?

– Panna Stackhouse – odrzekł Alcide. – Sookie, to pan Hob.

Goblin przez chwilę oceniał mnie pałającymi oczyma. Wydawał się nieco zmartwiony, że nie potrafi odgadnąć, kim jestem, w końcu jednak odsunął się i nas przepuścił.

W „Josephine" nie było zbytniego tłoku. Cóż, dla niektórych gości pora była jeszcze zapewne dość wczesna. Po opowieściach Alcide'a i niesamowitej fasadzie klubu duża sala niemal mnie rozczarowała – za bardzo przypominała inne tego typu knajpki. Wielki barek w kształcie kwadratu znajdował się pośrodku sali; część kontuaru była ruchoma, dzięki czemu personel bez problemu wchodził za kontuar i zza niego wychodził. Zastanawiałam się, czy właściciel oglądał powtórkę serialu komediowego *Zdrówko*. Kieliszki i kufle wisiały na hakach, wokół stały sztuczne rośliny, grała cicha muzyka, światło było przyćmione.

Wokół kontuaru rozstawiono połyskujące stołki barowe. Na lewo od baru znajdował się mały parkiet do tańca, a dalej maleńka scena dla zespołu lub stanowisko didżeja. Pozostałą część sali zajmowały zwykłe niewielkie stoliki, z których zajęta była mniej więcej połowa.

Nagle dostrzegłam na ścianie spis niejasnych reguł, zrozumiałych prawdopodobnie dla stałych bywalców, ale nie dla przypadkowego turysty.

„Nie przemieniać się na terenie lokalu" – głosiła jedna stanowczo. (Czyli że wilkołaki i inni zmiennokształtni podczas pobytu w barze nie mogą się przemienić ze zwierzęcia w istotę ludzką; no cóż, potrafiłam to pojąć). „Zakazuje się gryzienia wszelkiego typu" – mówiła druga. „Nie podajemy żywych przekąsek" – przeczytałam trzecią. Ohyda!

Wampiry rozproszyły się po całym barze, niektóre siedziały we własnym gronie, innym towarzyszyły istoty ludzkie. Z południowo-wschodniego narożnika, gdzie ze względu na liczbę uczestników zsunięto kilka stolików, docierały do mnie hałaśliwe odgłosy imprezy zmiennokształtnych. W tej grupce wiodła prymat wysoka młoda kobieta o lśniących, krótkich czarnych włosach, wysportowanej sylwetce i pociągłej twarzy. Zwracała się często do swojego sąsiada, krępego mężczyzny w jej wieku; dawałam im po jakieś dwadzieścia osiem lat. Mężczyzna miał okrągłe oczy, płaski nos i najdelikatniejsze włosy, jakie kiedykolwiek widziałam – prawie przypominały włoski niemowlęcia, a kolor miały tak jasny, że wydawały się niemal białe. Zadałam sobie pytanie, czy to jest właśnie owo przyjęcie zaręczynowe i czy Alcide wiedział, że będzie się tutaj odbywało. W każdym razie jawnie skupił uwagę na grupie.

Rzecz jasna, natychmiast sprawdziłam, jak są ubrane inne kobiety w barze. Wampirzyce i towarzyszące wampirom kobiety włożyły równie eleganckie sukienki jak moja. Zmiennokształtne nosiły się znacznie swobodniej. Czarnowłosa, którą uznałam za Debbie, miała na sobie jedwabną złotą bluzkę, opięte spodnie z brązowej skóry i wysokie kozaki. Roześmiała się właśnie z jakiegoś stwierdzenia blondyna i poczułam, że ramię Alcide'a pod moimi palcami sztywnieje. Tak, to na pewno była jego dawna dziewczyna, Debbie. Łatwo zapomniała o swoim byłym.

Fałszywa suka – zdecydowałam w czasie, jaki zajęłoby pstryknięcie palcami. Natychmiast postanowiłam się zachowywać stosownie do okoliczności. Goblin Hob zaprowadził nas do pustego stolika, z którego dobrze było widać wesołą imprezkę, i odsunął dla mnie krzesło. Skinęłam mu grzecznie głową, po czym zdjęłam chustę, złożyłam ją i rzuciłam na puste krzesło. Alcide zajął miejsce po mojej prawej stronie, tyłem do narożnika, w którym hałaśliwie i wesoło bawili się zmiennokształtni.

Chudziutki wampir podszedł do nas, żeby przyjąć zamówienie. Alcide pochylił ku mnie głowę i spytał, czego się napiję.

– Koktajl na szampanie – powiedziałam, nie mając pojęcia o jego smaku. W „Merlotcie" nigdy nie zadałam sobie trudu przygotowania go, ale teraz, gdy byłam w innym barze, pomyślałam, że czemu by nie spróbować.

Dla siebie wilkołak zamówił heinekena. Debbie co chwila rzucała w naszą stronę znaczące spojrzenia, więc przysunęłam się do Alcide'a i przygładziłam jego czarne kręcone włosy. Wyglądał na zaskoczonego, na szczęście zmiennokształtna nie mogła tego zobaczyć.

– Sookie? – spytał raczej niepewnie.

Uśmiechnęłam się do niego, ale nie typowym dla siebie nerwowym uśmieszkiem, ponieważ tym razem wcale nie byłam zdenerwowana. Dzięki Billowi znacznie wzrosło moje przekonanie o własnej atrakcyjności.

– Hej, jesteśmy na randce, pamiętasz? Więc tak właśnie się zachowuję – wyjaśniłam. Chudziutki wampir akurat w tym momencie przyniósł nasze drinki. Stuknęłam kieliszkiem o butelkę Alcide'a. – Za nasze wspólne przedsięwzięcie – wygłosiłam toast.

Oczy wilkołaka rozbłysły. Wypiliśmy po łyku.

Od razu wiedziałam, że uwielbiam koktajle na szampanie.

– Opowiedz mi więcej o swojej rodzinie – poprosiłam, ponieważ lubiłam słuchać jego głosu.

Żeby zacząć się wsłuchiwać w myśli istot ludzkich, i tak musiałam poczekać, aż zjawi się ich więcej.

Alcide opowiadał, jak biedny był jego ojciec, gdy otwierał firmę geodezyjną, i ile minęło czasu, nim zaczęło mu się dobrze powodzić. Potem chciał mi opowiedzieć o matce, ale nie zdążył, gdyż, kołysząc biodrami, podeszła do nas Debbie.

– Witaj, Alcide – wymruczała. Ponieważ nie widział, jak podchodziła, na twarzy zadrgały mu wszystkie mięśnie. –

Kim jest twoja nowa przyjaciółka? Wynająłeś ją sobie na dzisiejszy wieczór?

– Och, na dłużej – odparowałam głośno i wyraźnie, po czym uśmiechnęłam się do Debbie, równie sztucznym uśmiechem jak jej.

– Doprawdy?

Uniosła brwi tak wysoko, że omal nie wystrzeliły w sufit.

– Sookie to moja dobra przyjaciółka – powiedział Alcide beznamiętnie.

– Ach tak? – Debbie wątpiła w jego słowa. – Nie tak dawno powiedziałeś mi, że nigdy nie będziesz miał innej „przyjaciółki", jeśli nie będziesz mógł mieć... No cóż.

Uśmiechnęła się z wyższością.

Położyłam dłoń na ogromnej ręce Alcide'a i posłałam kobiecie wiele mówiące spojrzenie.

– Powiedz mi – ciągnęła, krzywiąc sceptycznie usta – jak ci się podoba znamię Alcide'a?

Kto mógłby przewidzieć, że zechce tak otwarcie odegrać straszną zdzirę? Większość kobiet w towarzystwie obcych stara się jednak panować nad sobą.

„Jest na prawym pośladku. Ma kształt króliczka".

No proszę, jak miło. Alcide przypomniał sobie moje słowa i naszą wcześniejszą próbę, toteż wypowiedział to zdanie w myślach wprost do mnie.

– Uwielbiam króliczki – oznajmiłam.

Nie przestając się uśmiechać, przesunęłam ręką po plecach Alcide'a i lekko musnęłam okolice lędźwi nad prawym pośladkiem.

Przez sekundę widziałam na twarzy Debbie jawną furię. Była tak bardzo pochłonięta jedną myślą, że jej umysł

118

stał się dla mnie znacznie bardziej czytelny, niż działo się to w przypadku większości zmiennokształtnych. Myślała teraz o swoim narzeczonym, który wprawdzie zmieniał się w sowę i nie był w opinii Debbie tak dobry w łóżku jak Alcide, dysponował jednak dużą gotówką i pragnął mieć dzieci, a Alcide nie. W dodatku Debbie czuła się silniejsza od sowy, więc mogła rządzić swoim nowym facetem.

Nie była demonem (wówczas jej narzeczony miałby z nią naprawdę ciężkie, krótkie, życie), ale nie była też szczególnie sympatyczna.

Pewnie jakoś przełknęłaby widok Alcide'a z przyjaciółką, jednak odkrycie, że widziałam znamię wilkołaka, szczerze ją rozsierdziło. I popełniła wielki błąd.

Utkwiła we mnie wzrok i patrzyła. Jej spojrzenie mogłoby sparaliżować nawet lwa.

– Widać po tobie, że byłaś dziś w salonie Janice – zauważyła, oceniając od niechcenia moje loki i paznokcie. Jej proste czarne włosy przycięto w asymetryczne kępki kędziorków różnej długości, przez co wyglądała trochę jak przygotowany na wystawę rasowy pies, na przykład afgan. Pociągła twarz zwiększała podobieństwo. – Nikt, kto wychodzi od Janice, nie pasuje do naszego stulecia.

Alcide otworzył usta, ale z powodu wściekłości miał tak napięte mięśnie, że nie zdołał wydobyć głosu. Położyłam mu rękę na ramieniu.

– A co ty myślisz o moich włosach? – spytałam łagodnie, potrząsając lekko głową, dzięki czemu loki przemieściły się po moich barkach. Wzięłam dłoń Alcide'a i przyłożyłam ją delikatnie do pukla, który opadł mi na pierś.

Hej, byłam w tym całkiem dobra! Sookie – seksowny kociak.

Wilkołak wstrzymał oddech. Przesunął palcami po moich włosach, muskając kłykciami obojczyk.

– Myślę, że są piękne – odrzekł szczerze nieco chropawym głosem.

Uśmiechnęłam się do niego.

– A ja sądzę, że Alcide ci za to płaci – oznajmiła Debbie, popełniając kolejny nieodwracalny błąd.

To była straszliwa zniewaga, i to dla nas obojga. Naprawdę musiałam nad sobą panować, by nie zerwać się z miejsca i nadal zachowywać się jak dama. Przez chwilę dzielnie i z determinacją walczyłam ze swoją bardziej pierwotną, bardziej prawdziwą naturą... Siedzieliśmy bez ruchu i wpatrywaliśmy się w milczeniu w Debbie, aż pobladła.

– Okej, nie powinnam tego powiedzieć – stwierdziła nerwowo. – Po prostu zapomnijcie o tym.

Ponieważ była istotą zmiennokształtną, bez problemu pokonałaby mnie w uczciwej potyczce. Oczywiście, gdyby doszło do potyczki, na pewno nie walczyłabym uczciwie.

Pochyliłam się ku niej i dotknęłam czerwonym paznokciem jej skórzanych spodni.

– Masz na sobie kuzynkę Elsie*? – spytałam.

Alcide nieoczekiwanie wybuchnął śmiechem. Uśmiechnęłam się do niego. Kątem oka dostrzegłam, że Debbie ostentacyjnie odmaszerowała w stronę swojego towarzystwa, które zamilkło na czas naszej wymiany zdań.

---

* Elsie – popularne na południu USA imię dla krowy (przyp. tłum.).

Przypomniałam sobie, żeby nie chodzić do końca wieczoru do damskiej toalety.

***

Kiedy powtarzaliśmy zamówienie, w lokalu było już pełno. Przyszyli przyjaciele Alcide'a, również wilkołaki. Była ich duża grupa i pomyślałam, że pewnie lubią chodzić stadami. W przypadku zmiennokształtnych to pewnie zależy od tego, w jakie zwierzę najczęściej się przemieniają. Chociaż mają wybór, jak powiedział mi Sam, zmiennokształtni najczęściej za każdym razem wybierają to samo zwierzę – stworzenie, do którego czują szczególną sympatię. A później nazywają to zwierzę po swojemu: piesołakiem, nietoperzołakiem, tygrysołakiem. Ale nigdy wilkołakiem, ponieważ ten termin został zarezerwowany dla wilków. Prawdziwe wilkołaki pogardzały taką swobodą form, zresztą w ogóle nie miały najlepszego zdania o zmiennokształtnych. Uważały się za śmietankę towarzystwa ich świata.

Zmiennokształtni, ze swej strony, jak wyjaśnił mi Alcide, myśleli o wilkołakach jako o oprychach świata nadnaturalnych.

– Wielu z nas pracuje w budownictwie – powiedział, usiłując mnie przekonać. – Mnóstwo wilkołaków jest mechanikami, murarzami, hydraulikami albo kucharzami.

– Użyteczne zawody – zauważyłam.

– Tak – zgodził się. – Ale to praca fizyczna. Więc, chociaż współdziałamy, do pewnego stopnia jesteśmy ofiarami dyskryminacji klasowej.

Do lokalu wkroczyła mała grupa wilkołaków w strojach motocyklistów. Nosiły takie same skórzane kamizelki z emblematem w postaci wilczego łba na plecach, jak mężczyzna, który zaatakował mnie „U Merlotte'a". Zastanawiałam się, czy zaczęły już szukać swojego kamrata. Zadałam też sobie pytanie, czy teraz dokładniej wiedzą, kogo chcą dopaść i co by zrobiły, gdyby odkryły, kim jestem. Cztery z nich zamówiły kilka dzbanów z piwem, a później zaczęły o czymś rozmawiać bardzo skrycie – głowy blisko siebie, krzesła przysunięte do stolika.

Didżej – który okazał się wampirem – włączył muzykę odpowiednio głośno; było dobrze słychać piosenkę, ale nie przeszkadzała w rozmowie.

– Zatańczmy – zasugerował Alcide.

Nie spodziewałam się takiej propozycji, uznałam jednak, że w tańcu znajdę się bliżej wampirów i ludzi, więc się zgodziłam. Alcide przytrzymał krzesło, gdy wstawałam, a później wziął mnie za rękę i razem ruszyliśmy na maleńki parkiet. Wampir zmienił muzykę z utworu heavymetalowego na *Good Enough* Sarah McLachlan – piosenkę spokojną, a zarazem rytmiczną.

Nie potrafię śpiewać, ale tańczę nieźle; odkryłam, że Alcide również posiadł tę umiejętność.

W tańcu dobre jest to, że nie trzeba rozmawiać, jeśli nie ma się ochoty. Gorzej natomiast, że stale jest się blisko ciała partnera. Miałam już przykrą świadomość – że się tak wyrażę – zwierzęcego magnetyzmu Alcide'a. Teraz, będąc tak blisko niego, kołysząc się wraz z nim w tym samym rytmie, podążając za każdym jego ruchem, wpadłam w swoisty trans. Gdy utwór się skończył, pozostaliśmy na parkiecie. Spuściłam wzrok i wpatrywałam się w podłogę. Po rozpoczęciu następnego utworu, szybszego kawałka – chociaż nie mam pojęcia co to było – znowu tańczyliśmy. Wykonywaliśmy równoczesne kroczki, czasem się obracałam lub on mnie przechylał.

– Na razie nic z niego nie wyciągnęliśmy – powiedział nagle do swojego wampirzego towarzysza krępy, muskularny mężczyzna siedzący na stołku barowym za nami. – A Harvey dziś dzwonił. Mówił, że przeszukali dom i niczego nie znaleźli.

– To miejsce publiczne – wytknął mu ostro wampir.

Był osobnikiem bardzo niskim. Może został wampirem, gdy ludzie osiągali niższy wzrost?

Wiedziałam, że rozmawiają o Billu, ponieważ człowiek pomyślał o nim, gdy powiedział: „Na razie nic z niego nie wyciągnęliśmy". Myśli tego człowieka były dla mnie wyjątkowo klarowne, docierały do mnie nie tylko doskonale słyszalne, lecz także w postaci wyraźnych wizerunków.

Kiedy Alcide chciał zabrać mnie z parkietu, dalej od rozmawiających, twardo odmówiłam. Podniosłam wzrok i dałam znać oczyma, o kogo mi chodzi. Na jego twarzy pojawiło się zrozumienie, choć nie wyglądał na zadowolonego.

Nie polecam nikomu próby czytania w czyichś myślach podczas tańca. Musiałam się mocno skupiać na obu czynnościach i niczego nie dać po sobie poznać, choć w pewnej chwili serce gwałtownie mi załomotało, przez moment bowiem widziałam w wyobraźni Billa. Na szczęście, w tym momencie Alcide przeprosił mnie i poszedł do toalety, posadziwszy mnie wcześniej na stołku przy barze tuż obok wampira. Udawałam, że rozglądam się po sali, popatrywałam to na tancerzy, to na didżeja – patrzyłam wszędzie, byle nie na człowieka zajmującego miejsce po lewej stronie wampira. Jednocześnie nadal wsłuchiwałam się w myśli tego właśnie mężczyzny.

Myślał o tym, co robił w trakcie minionego dnia. Przypominał sobie, że starał się nie pozwolić komuś zasnąć, komuś, kto naprawdę potrzebował snu – wampirowi. Billowi!

Zmuszanie wampira do czujności podczas dnia należało do najgorszych tortur. Było też trudne do osiągnięcia, ponieważ sen po wschodzie słońca był dla wampira przymusem i koniecznością. I przypominał śmierć.

Jakoś nigdy przedtem nie przyszło mi do głowy – pewnie dlatego że jestem Amerykanką – że wampiry, które porwały Billa, mogą zastosować przemoc, by skłonić go do mówienia. Teraz uprzytomniłam sobie, że jeśli pragną wydobyć z niego informacje, nie będą rzecz jasna czekać, aż Bill zacznie się zwierzać. Ależ byłam tępa... głupia, głupia, głupia... Mimo wiedzy, że mnie zdradził, mimo świadomości, że planował opuścić mnie dla wampirzej kochanki, miałam dla niego ogromne współczucie i czułam prawdziwy ból.

Zaabsorbowana własnym smutkiem nie zdawałam sobie sprawy, że za chwilę będę miała prawdziwe kłopoty. Aż nagle ktoś złapał mnie za ramię.

Zrobił to jeden z członków gangu wilkołaków, duży ciemnowłosy osobnik, potężny i strasznie cuchnący. Trzymał mnie przez chwilę, pozostawiając tłuste ślady palców na pięknym rękawie czerwonej sukienki. Usiłowałam mu się wyrwać.

– Chodź do naszego stolika, poznamy się lepiej, słodka dziewczynko – oznajmił, szczerząc zęby w uśmiechu.

W jednym uchu miał dwa kolczyki. Zastanowiłam się, co robi z nimi podczas pełni księżyca, prawie natychmiast jednak zrozumiałam, że mam do rozwiązania poważniejsze problemy. Osobnik patrzył na mnie w sposób jednoznaczny. Mało który mężczyzna tak spogląda na kobietę, no, chyba że stoi ona na rogu ulicy, ubrana jedynie w króciutkie szorty i biustonosz. Innymi słowy, wziął mnie za prostytutkę.

– Nie, dziękuję – odparłam grzecznie.

Podejrzewałam, że, niestety, na tym się nie skończy, ale równie dobrze mogłam zaryzykować. Wydało mi się, że dzięki pracy w „U Merlotta" mam spore doświadczenie w kontaktach z bezczelnymi facetami, tyle że tam zawsze mogłam liczyć na wsparcie. Sam nikomu nie pozwalał obłapiać lub obrażać swoich kelnerek.

– Ależ chodź, kochanie. Na pewno chcesz nas poznać – upierał się.

Po raz pierwszy w życiu żałowałam, że nie ma ze mną Bubby.

Najwyraźniej za bardzo się przyzwyczaiłam, że ludzi, którzy mnie niepokoją, czeka marny koniec. A może za bardzo się przyzwyczaiłam do tego, że inne osoby rozwiązują za mnie moje kłopoty.

Pomyślałam, żeby przestraszyć wilkołaka poprzez wykorzystanie jego myśli. Poszłoby mi łatwo, bo – jak na wilkołaka – miał umysł, który był dla mnie wyjątkowo czytelny.

Ale, po pierwsze, jego myśli były nudne, banalne i przewidywalne (pożądanie i agresja), a po drugie, jeśli ta banda otrzymała zadanie odszukania przyjaciółki wampira Billa, która jest barmanką i telepatką, to, mając przed sobą telepatkę, mogliby sobie coś skojarzyć...

– Nie, nie chcę z wami usiąść – odparłam stanowczo. – Zostaw mnie w spokoju. – Zsunęłam się ze stołka, żeby nie znaleźć się w pułapce.

– Nie towarzyszy ci żaden mężczyzna, kochanie. A my jesteśmy prawdziwymi facetami. – Wolną ręką poklepał się po przyrodzeniu. Och, jaki czarujący gest! Na pewno mnie podnieci. – Zadowolimy cię – dorzucił.

– Nie zdołałbyś mnie zadowolić nawet gdybyś był Świętym Mikołajem – odparowałam i z całą siłą nadepnęłam mu na podbicie stopy. Gdyby nie miał na nogach buciorów motocyklisty, może poczułby ból, ale ponieważ je nosił, o mało nie złamałam obcasa. Przeklinałam w myślach sztuczne paznokcie, ponieważ z ich powodu trudno mi było zacisnąć dłoń w pięść. Zamierzałam bowiem uderzyć go wolną ręką w nos; cios w nos naprawdę okropnie boli i wilkołak na pewno by mnie puścił.

Kiedy mój obcas trafił w jego podbicie, napastnik na mnie warknął. Naprawdę warknął! Wcale jednak nie rozluźnił chwytu. A drugą ręką objął moje ramię i wbił palce w ciało.

Wcześniej usiłowałam zachować spokój, mając nadzieję, że uda mi się pozbyć wilkołaka bez podnoszenia wrzawy, teraz jednak nie byłam już tego taka pewna.

– Puść mnie! – krzyknęłam, równocześnie podejmując heroiczną próbę rąbnięcia go kolanem w jądra. Trafiłam chyba tylko w jego twarde udo, cofnął się jednak i puścił mnie, chociaż w ostatniej chwili przesunął paznokciami po moim ramieniu, raniąc mnie do krwi.

Od razu odkryłam, że odsunął się głównie dlatego, że właśnie w tej samej chwili Alcide złapał go za kark. Do akcji wkroczył też pan Hob, choć jednocześnie pozostali członkowie gangu pośpiesznie podeszli do baru, chcąc zaoferować wsparcie jednemu ze swoich. Hob, goblin, który wpuścił nas do klubu, pełnił więc również funkcję wykidajły. Mimo że z pozoru wyglądał jak bardzo mały mężczyzna, objął rękoma talię motocyklisty i z łatwością uniósł go w powietrze. Motocyklista zaczął wrzeszczeć, a po całym barze rozszedł się smród przypalonego ciała. Szczuplutka barmanka włączyła przemysłowy wentylator, który bardzo pomógł w oczyszczeniu powietrza, ale nie zagłuszył wszystkich dźwięków, toteż przez następne parę minut było słychać krzyki motocyklisty wyprowadzanego wąskim, ciemnym korytarzem, którego wcześniej nie zauważyłam. Prawdopodobnie prowadził do tylnego wyjścia z budynku. Potem rozległo się głośne szczęknięcie, wrzask wilkołaka i kolejne szczęknięcie. Pomyślałam, że najprawdopodobniej goblin otworzył tylne drzwi baru i wyrzucił winowajcę na dwór.

Alcide odwrócił się szybko do przyjaciół motocyklisty, podczas gdy ja stałam za nim i drżałam po przeżytym szoku. Ślady, pozostawione przez paznokcie napastnika na moim ramieniu, krwawiły. Potrzebowałam neosporinu, maści z antybiotykiem, którą babcia smarowała każdą ranę, ponieważ buntowałam się przeciwko innym środkom. Zrozumiałam jednak, że na pierwszą pomoc będę musiała trochę poczekać; wyglądało na to, że czeka nas kolejna potyczka. Rozejrzałam się w poszukiwaniu jakiejś broni i zobaczyłam, że barmanka wyjęła kij do bejsbola i położyła go na barze. Bacznie obserwowała sytuację i panowała nad nią. Chwyciłam kij i stanęłam obok Alcide'a, po czym wzięłam zamach i czekałam na następny ruch członków bandy. Tak jak pouczał mnie mój brat, Jason (który zdobył, niestety, doświadczenie w trakcie licznych bójek w barach), wybrałam jednego przeciwnika, a później wyobraziłam sobie, że macham kijem i uderzam go w kolano – miejsce łatwiej dla mnie dostępne niż jego głowa. Takim ciosem na pewno gnojka powalę.

Wtedy jednak ktoś wszedł pomiędzy mnie, Alcide'a i wilkołaki. Był to niewysoki wampir, ten, który rozmawiał z człowiekiem, którego myśli stały się dla mnie tak bogatym źródłem informacji o Billu.

Mierzył w butach może z metr sześćdziesiąt i był drobnej budowy. W chwili śmierci, jak przypuszczam, liczył sobie dwadzieścia kilka lat. Gładko ogolony, miał bardzo bladą karnację i oczy w kolorze gorzkiej czekolady, które niesamowicie kontrastowały z rudymi włosami.

– Przepraszam, panienko, za ten przykry incydent – odezwał się cicho. Ostry akcent wskazywał na Południowca. Nie słyszałam takiej intonacji, odkąd dwadzieścia lat temu umarła moja prababcia.

– To ja przepraszam, że przy moim udziale zakłócono spokój tego baru – obwieściłam, starając się przybrać najgodniejszą postawę, jaka jest dostępna dla osoby z kijem

128

bejsbolowym w ręku. Wcześniej instynktownie zrzuciłam buty na obcasach, aby ułatwić sobie walkę. Wyprostowałam się z pozycji bojowej i pochyliłam głowę ku małemu wampirowi, uznając jego władzę w tym miejscu.

– Wy, ludzie, powinniście teraz wyjść – oznajmił, obracając się do grupy wilkołaków. – Oczywiście, gdy już przeprosicie tę damę i jej partnera.

Wilkołaki kręciły się niespokojnie, ponieważ żaden nie chciał się wycofać jako pierwszy. Jeden z nich, widocznie młodszy i mniej rozgarnięty od pozostałych, blondyn z gęstą brodą i bandaną, którą nosił na czole w szczególnie głupim stylu, jawnie rwał się do bitki; duma nie pozwalała mu odejść. Niestety dla niego, zasygnalizował mi swój pomysł, zanim jeszcze zrobił ruch, a ja błyskawicznie podałam kij małemu wampirowi, który złapał go tak szybko, że nawet tego nie zauważyłam. Wampir złamał kijem motocykliście nogę.

W barze zapadła cisza, którą przerwał wrzask blondyna. W końcu jego towarzysze podnieśli go i, powtarzając: „Przepraszamy, przepraszamy", wynieśli na zewnątrz.

Wówczas znów zabrzmiała muzyka, mały wampir oddał kij barmance, Alcide sprawdzał, czy jestem cała, a ja dygotałam.

– Nic mi nie jest – powiedziałam, chyba tylko dlatego, żeby przestać wzbudzać powszechne zainteresowanie.

– Ale ty krwawisz, moja droga – zauważył wampir.

Rzeczywiście. Po moim prawym ramieniu spływały krwawe strumyczki z ran po paznokciach motocyklisty. Znałam zasady etykiety. Wyciągnęłam rękę w stronę wampira, ofiarowując mu swoją krew.

– Dziękuję ci – odparł natychmiast, po czym gwałtownie wysunął język.

Wiedziałam, że dzięki jego ślinie moje ranki zagoją się prędzej i lepiej, toteż stałam cierpliwie i zupełnie nieruchomo, chociaż, prawdę powiedziawszy, czułam się, jak gdyby ktoś – za moją zgodą – publicznie mnie obmacywał. Mimo skrępowania uśmiechnęłam się, chociaż na pewno nie był to serdeczny uśmiech. Alcide trzymał mnie za rękę, co mnie uspokajało.

– Przepraszam, że nie wróciłem prędzej – powiedział.

– Nie mogłeś przewidzieć, co się wydarzy.

A wampir lizał i lizał. Już miałam mu powiedzieć, żeby się odczepił, bo do tej pory na pewno przestałam krwawić, ale w końcu wyprostował się, oblizał wargi i uśmiechnął się do mnie.

– Co za przeżycie! – przemówił. – Mogę się przedstawić? Jestem Russell Edgington.

Russell Edgington, król Missisipi?! Po reakcji motocyklistów właściwie należało się tego spodziewać.

– Miło mi pana poznać – odparłam uprzejmie, zastanawiając się nad ukłonem. Zrezygnowałam jednak, ponieważ nie podał swojego tytułu. – Nazywam się Sookie Stackhouse, a to jest mój przyjaciel Alcide Herveaux.

– Od lat znam rodzinę Herveaux – odrzekł król Missisipi. – Dobrze cię widzieć, Alcide. Jak się miewa twój ojciec?

Poczułam się tak, jakbyśmy rozmawiali w niedzielne słoneczne przedpołudnie przed pierwszym kościołem prezbiteriańskim, a nie w wampirzym barze o północy.

– Świetnie, dziękuję – powiedział Alcide nieco chłodno. – Przepraszamy za kłopoty.

– Nie wasza wina – odparł łaskawie wampir. – Mężczyzna czasem musi zostawić damę samą, a damy nie odpowiadają za kiepskie maniery głupców. – W tym momencie Edgington naprawdę mi się ukłonił. Nie miałam pojęcia, jak na to odpowiedzieć, najbezpieczniejszy wydał mi się jednak jeszcze niższy ukłon. – Jesteś jak róża kwitnąca w zaniedbanym ogrodzie, moja droga.

Taak. Gówno prawda.

– Dziękuję panu, panie Edgington – odparłam, spuszczając wzrok, żeby nie zauważył mojego sceptycyzmu. Może powinnam go nazwać „Wasza Wysokość"? – Alcide – zwróciłam się do mojego towarzysza – obawiam się, że muszę się pożegnać.

Starałam się mówić cichym i drżącym głosem. I całkiem dobrze mi szło.

– Oczywiście, kochanie – odparł od razu. – Podam ci okrycie i torebkę. – Ruszył natychmiast do naszego stolika, niech go Bóg błogosławi.

– Panno Stackhouse – powiedział Russell Edgington – chcielibyśmy widzieć tu panią ponownie jutro w nocy. – Człowiek, jego towarzysz, który stał obok niego, położył mu ręce na ramionach. Mały wampir uniósł rękę i poklepał przyjaciela po dłoni. – Nie chcemy, żeby spłoszyły panią kiepskie maniery jednego osobnika.

– Dzięki, wspomnę o tym Alcide'owi – powiedziałam, starając się nie okazywać entuzjazmu.

Miałam nadzieję, że robię wrażenie zależnej od Alcide'a, a równocześnie nie chciałam się wydać tchórzliwa. Tchórzliwa osoba nie przetrwa długo w towarzystwie wampirów. Russell Edgington był przekonany, że zachowuje się jak

131

staroświecki dżentelmen z Południa, ja zaś nie zamierzałam wyprowadzać go błędu.

Alcide wrócił. Miał ponurą minę.

– Obawiam się, że coś się stało z twoim... okryciem – powiedział, a ja uprzytomniłam sobie, że jest wściekły.

– Debbie, jak sądzę.

W mojej pięknej jedwabnej chuście była duża dziura. Wypalona. Spróbowałam zachować obojętny wyraz twarzy, ale nie bardzo mi się udawało.

Oczy zaszkliły mi się łzami, ponieważ wcześniej wstrząsnął mną już wypadek z motocyklistą.

Edgington oczywiście natychmiast okazał współczucie.

– Lepiej chusta niż ja – powiedziałam, próbując wzruszyć ramionami. Zmusiłam się nawet do uśmiechu. Dobrze, że chociaż moja mała torebka wyglądała na nietkniętą, ale i tak nie miałam w niej niczego poza pudrem, szminką i kwotą wystarczającą na ewentualne zapłacenie rachunku za kolację.

Ku mojemu ogromnemu zażenowaniu Alcide zdjął swój płaszcz i przytrzymał przede mną, sugerując, żebym go włożyła. Zaczęłam protestować, ale po minie wilkołaka wiedziałam, że nie będzie tolerować odmowy.

– Dobranoc, panno Stackhouse – powiedział wampir. – Herveaux, widzimy się jutro w nocy? Pewnie interesy zmuszą cię do pozostania w Jackson?

– Tak, rzeczywiście – odparł Alcide pozytywnie zaskoczony. – Miło było porozmawiać z tobą, Russellu.

***

Kiedy wyszliśmy, pikap stał przed klubem. Ulica wydawała mi się mniej groźna niż zaraz po przyjeździe. Przemknęło mi przez głowę pytanie, w jaki sposób właściciele klubu osiągają te efekty, byłam jednak zbyt przygnębiona, by zagadnąć o to mojego kawalera.

– Nie trzeba mi było oddawać swojego płaszcza, pewnie zamarzasz teraz – odezwałam się, gdy przejechaliśmy parę przecznic.

– Mam na sobie więcej niż ty – odparował.

Nawet bez płaszcza nie drżał tak jak ja. Otuliłam się szczelniej, ciesząc się dotykiem jedwabnej podszewki, a także ciepłem i zapachem okrycia.

– Nie powinienem cię zostawiać samej w klubie z tymi draniami.

– Każdy musi czasem pójść do toalety – powiedziałam łagodnie.

– Należało kogoś poprosić, żeby z tobą posiedział.

– Jestem dorosła. Nie trzeba mnie ciągle pilnować. Podobne incydenty przytrafiają mi się w moim barze niemal codziennie. – Usłyszałam w swoim głosie znużenie i, owszem, tak było. Barmanki nie zawsze są, niestety, świadkami najlepszej strony mężczyzn. I to nawet w takim lokalu jak „U Merlotte'a", gdzie właściciel bardzo dba o swój personel, a niemal całą klientelę stanowią miejscowi znajomi.

– Więc nie powinnaś tam pracować.

Zabrzmiało to bardzo kategorycznie.

– Okej, ożeń się ze mną i zabierz mnie stamtąd – docięłam mu z udawaną powagą, za co otrzymałam przerażone spojrzenie.

Wyszczerzyłam zęby.

– Muszę zarabiać na życie, Alcide. I zazwyczaj lubię moją pracę.

Wyglądał na nieprzekonanego i zatroskanego. Nadeszła pora na zmianę tematu.

– Mają Billa – powiedziałam.

– Wiesz to na pewno?

– Tak.

– Ale po co im on? Cóż to za informacje, które Edgington tak strasznie pragnie z niego wydobyć, że jest skłonny zaryzykować wojnę?

– Nie mogę ci tego powiedzieć.

– Ale wiesz?

Potwierdzenie z mojej strony oznaczałoby, że mu ufam. Gdyby niektóre osoby sądziły, że wiem tyle co Bill, znalazłabym się w takim samym niebezpieczeństwie jak mój wampir. A ja załamałabym się na pewno znacznie szybciej niż on.

– Tak – odparłam jednak. – Wiem.

ROZDZIAŁ SZÓSTY

W windzie milczeliśmy. Kiedy Alcide otworzył kluczem drzwi mieszkania, oparłam się o ścianę. Byłam w okropnym stanie: zmęczona, rozdarta, wstrząśnięta awanturą z motocyklistą i zaszokowana aktem wandalizmu ze strony Debbie. Miałam ochotę przepraszać, choć nie wiedziałam za co.

– Dobranoc – rzuciłam przy drzwiach prowadzących do mojego pokoju. – Ach... proszę. Dzięki.

Zdjęłam płaszcz i oddałam wilkołakowi. Powiesił okrycie na jednym ze stołków barowych przy kuchennym kontuarze.

– Pomóc ci rozpiąć zamek błyskawiczny? – spytał.

– Byłoby świetnie, gdybyś chociaż zaczął.

Odwróciłam się do niego plecami.

Przed naszym wyjściem na kolację, gdy się ubrałam, Alcide zasunął ostatnie kilka centymetrów zamka mojej sukienki. Teraz też było mi przyjemnie, że o tym pomyślał.

Poczułam jego duże palce na plecach i usłyszałam odgłos rozsuwanego zamka. A po chwili zdarzyło się coś, czego się nie spodziewałam. Znów poczułam jego dotyk.

Alcide przesuwał palcami w dół po moich plecach, a ja drżałam na całym ciele.

Nie wiedziałam co robić. Nie wiedziałam, co chcę zrobić.

Zapanowałam nad sobą i odwróciłam się do niego przodem. Na jego twarzy widniała równie niepewna mina jak na mojej.

– Najgorszy możliwy moment – powiedziałam. – Ciebie rzuciła dziewczyna, ja szukam mojego chłopaka... Zgoda, nie był mi wierny, a jednak...

– Nieodpowiedni moment – zgodził się, po czym położył mi ręce na ramionach.

Później pochylił się i pocałował mnie. Nie minęło nawet pół sekundy, a objęłam go w pasie, on natomiast wsunął język w moje usta. Całował delikatnie. Zapragnęłam przesunąć palcami po jego włosach i sprawdzić, jak szeroka jest jego klatka piersiowa i czy pośladki naprawdę ma tak jędrne i krągłe, jak wyglądały w spodniach... O cholera! Odsunęłam się powoli.

– Naprawdę kiepski – podkreśliłam.

Zarumieniłam się, uświadamiając sobie, że moja sukienka jest w połowie rozpięta i Alcide bez trudności może dostrzec biustonosz i moje piersi. Hm, dobrze chociaż, że miałam na sobie ładny biustonosz.

– O Boże – powiedział, napawając oczy widokiem. Zmusił się do zamknięcia zielonych oczu. – Nieodpowiedni moment – powtórzył. – Mam jednak nadzieję, że dość szybko trafi nam się lepszy.

Uśmiechnęłam się.

– Kto wie? – odparłam i wycofałam się do swojej sypialni, dopóki jeszcze miałam siłę się oddalić.

Po zamknięciu drzwi zdjęłam i rozwiesiłam czerwoną sukienkę. Ucieszyłam się, że wciąż wygląda dobrze i nie jest poplamiona. Jedynie rękawy wyglądały okropnie, były na nich bowiem tłuste ślady po palcach i trochę krwi. Westchnęłam.

Żeby skorzystać z łazienki, musiałam się jakoś do niej przemknąć. Nie chciałam, by pomyślał, że go prowokuję, a szlafroczek miałam naprawdę króciutki, z różowego nylonu. Dlatego, gdy usłyszałam, że Alcide szuka czegoś w kuchni, pędem pomknęłam do łazienki. Spędziłam w niej trochę czasu i kiedy wreszcie wyszłam, w mieszkaniu nie paliły się żadne światła poza jednym, w mojej sypialni. Zamknęłam żaluzje, choć poczułam się głupio, że to robię, ponieważ w kwartale ulic nie dostrzegałam żadnego innego pięciopiętrowego budynku. Włożyłam różową koszulkę nocną i wpełzłam do łóżka, zamierzając dla ochłonięcia przeczytać rozdział przywiezionego romansu. W tym rozdziale bohaterka powieści w końcu idzie do łóżka z bohaterem, więc nie wydawał się odpowiedni, ale podczas czytania przestałam przynajmniej myśleć o spalonej po kontakcie z goblinem skórze motocyklisty i nieprzyjemnej pociągłej twarzy Debbie. Zapomniałam też o torturach, którym być może poddawano Billa.

Czytając scenę miłosną (a właściwie erotyczną), znowu podryfowałam w myślach ku ciepłym wargom Alcide'a.

Włożyłam zakładkę w książkę i zgasiłam lampę przy łóżku. Umościłam się wygodnie i przykryłam po sam nos. Wreszcie było mi ciepło i poczułam się bezpieczna.

Nagle ktoś zastukał w moje okno!

Krzyknęłam, a potem domyśliłam się, kto to, więc pośpiesznie włożyłam szlafrok, zawiązałam pasek i otworzyłam żaluzje.

I rzeczywiście. Tuż za oknem unosił się Eric. Włączyłam ponownie lampę i przez chwilę zmagałam się z oknem, usiłując je otworzyć.

– Czego, do cholery, chcesz? – pytałam akurat Erica, gdy do pokoju wbiegł Alcide. Ledwie na niego zerknęłam przez ramię. – Lepiej zostaw mnie w spokoju i pozwól mi się przespać – upomniałam wampira, nie dbając o to, że może gadam jak stara zołza. – Lepiej przestań się zjawiać w środku nocy, oczekując, że cię wpuszczę!

– Sookie, wpuść mnie – powiedział Eric.

– Nie! No cóż, właściwie jestem w mieszkaniu Alcide'a. Alcide, co powinnam zrobić?

Odwróciłam się i tak naprawdę spojrzałam na niego po raz pierwszy, odkąd wszedł. Strasznie się starałam nie rozdziawiać ust, ale... Wilkołak sypiał w długich spodniach od piżamy i w niczym więcej. O rany! Gdyby był bez koszuli trzydzieści minut wcześniej, być może tamten moment uznałabym za idealny.

– Czego chcesz, Ericu? – spytał Alcide dużo spokojniej niż ja.

– Musimy pogadać – odparł zniecierpliwiony wampir.

– Jeśli wpuszczę go teraz – spytał mnie Alcide – mogę później cofnąć zaproszenie?

– Jasne. – Popatrzyłam na Erica, szczerząc zęby w uśmiechu. – W każdej chwili masz prawo je unieważnić.

– Okej. Możesz wejść, Ericu.

Alcide zdjął z okna siatkę i Eric wsunął nogi, a potem resztę ciała.

Zamknęłam za nim okno. Znowu zrobiło mi się zimno. Wilkołak miał gęsią skórkę na piersiach, a jego sutki... Och... Niechętnie odwróciłam się do Erica.

Eric obrzucił każde z nas ostrym spojrzeniem. Jego błękitne oczy błyszczały w świetle lampy niczym szafiry.

– Czego się dowiedziałaś, Sookie?

– Mają go tutejsze wampiry.

Eric otworzył szerzej oczy, i to była jego jedyna reakcja. Wyglądało na to, że intensywnie się nad czymś zastanawia.

– Nie jest to trochę niebezpieczne, gdy przybywasz bez uprzedzenia na terytorium Edgingtona? – spytał Alcide.

Znowu opierał się o ścianę. Obaj z Erikiem byli dużymi mężczyznami i w pokoju zrobiło się tłoczno. Jak gdyby ich pewność siebie zabierała cały tlen.

– Och, tak – przyznał wampir. – Bardzo niebezpieczne.

Uśmiechnął się szeroko.

Zastanawiałam się, czy w ogóle by zauważyli, gdybym teraz wróciła do łóżka. Ziewnęłam. Obaj obrócili głowy i nagle dwie pary oczu skupiły się na mnie.

– Chcesz coś jeszcze wiedzieć, Ericu? – spytałam.

– A wiesz coś jeszcze?

– Tak, torturowali go.

– Czyli że go nie wypuszczą.

Oczywiście, że nie. Nikt nie uwolni wampira, którego uprzednio torturował. Przez resztę życia oglądałby się przez ramię. Nie przemyślałam tego wcześniej, teraz jednak uderzyła mnie logika stwierdzenia Erica.

– Zamierzacie zaatakować?

Nie chciałabym być nawet w pobliżu Jackson, kiedy do tego dojdzie.

– Pomyślę – odparł Eric. – Wrócicie do baru jutro w nocy?

– Tak, Russell zaprosił nas osobiście.

– Sookie przyciągnęła jego uwagę dziś wieczorem – powiedział Alcide.

– To świetnie! – ucieszył się wampir. – Jutro w nocy usiądź blisko ludzi z jego otoczenia i poczytaj im w myślach, Sookie.

– O rany, Ericu, mnie samej nigdy nie przyszłoby coś takiego do głowy – powiedziałam z szyderczym zachwytem. – Kurde, cieszę się, że mnie obudziłeś, żeby mi o tym powiedzieć.

– Nie ma sprawy – odburknął Eric. – Mogę cię budzić częściej, Sookie, powiedz tylko, kiedy.

Westchnęłam.

– Odejdź, Ericu. Jeszcze raz dobranoc, Alcide.

Wilkołak wyprostował się i czekał, aż wampir wyjdzie przez okno. A Eric czekał, aż Alcide opuści moją sypialnię.

– Cofam moje zaproszenie – oznajmił nagle Alcide i w tej samej chwili Eric pośpiesznie podszedł do okna, otworzył je i zaczął wychodzić, przez cały czas patrząc na wilkołaka z gniewną miną. Kiedy znalazł się na zewnątrz, odzyskał zimną krew i uśmiechnął się do nas. Machając rękoma, opadał coraz niżej.

Alcide zatrzasnął okno i ponownie zamknął żaluzje.

– Nie, jest wielu mężczyzn, którym wcale się nie podobam – powiedziałam mu.

Tym razem bez trudu odczytałam jego myśli.

Popatrzył na mnie osobliwie.

– Naprawdę?

– Naprawdę.

– Skoro tak mówisz...

– Większość mężczyzn... zwyczajnych mężczyzn uważa, że jestem stuknięta.

– I to dobrze?

– Tak, świetnie! Strasznie się denerwują, że to ja ich obsługuję.

Zaczął się śmiać i tak mnie zaskoczył tą reakcją, że nie wiedziałam co powiedzieć.

Wyszedł z pokoju, wciąż rechocząc.

No cóż, to było dziwne. Zgasiłam lampę, zdjęłam szlafrok i rzuciłam go w nogi łóżka. Po raz kolejny umościłam się na prześcieradle i naciągnęłam kołdrę i koc aż po samą brodę. Na dworze było zimno i ponuro, ale tutaj w końcu ciepło. Bezpieczna i sama. Naprawdę, naprawdę sama.

**

Gdy wstałam następnego ranka, Alcide'a już nie było w mieszkaniu. Budowlańcy i specjaliści od pomiarów, rzecz jasna, zaczynają pracę wcześnie, a ja przyzwyczaiłam się spać do późna z powodu pracy w barze i związku z wampirem. Czas z Billem mogłam spędzać jedynie nocami.

Na dzbanku z kawą dostrzegłam karteczkę. Trochę bolała mnie głowa, ponieważ nie jestem przyzwyczajona do alkoholu, a wypiłam ubiegłej nocy dwa drinki. Poza bólem głowy nie miałam innych objawów kaca, na pewno jednak nie czułam się tak rześka jak zwykle. Mrużąc oczy, popatrzyłam na niewielkie literki.

Załatwiam sprawy. Czuj się, jak u siebie w domu.
Wrócę po południu.

Przez minutę byłam rozczarowana, może nawet przygnębiona. Potem wzięłam się w garść. Ja i Alcide nie umawialiśmy się przecież na romantyczny weekend. Właściwie nawet nie znaliśmy się za dobrze. Poza tym, moje towarzystwo zostało mu przez kogoś narzucone.

Wzruszyłam ramionami i nalałam sobie filiżankę kawy. Zrobiłam grzankę i włączyłam wiadomości, a po obejrzeniu jednego głównego wydania informacji na CNN postanowiłam wziąć prysznic. Nie śpieszyłam się. Co innego miałam do roboty?

Zagrażał mi raczej nieznany dotąd stan – nuda.

W domu zawsze było coś do zrobienia, chociaż nie wszystkie czynności sprawiały mi przyjemność. Jeśli masz dom, zawsze coś w nim wymaga twojej uwagi. Poza tym, w Bon Temps mogłam pójść do biblioteki, sklepu spożywczego albo innego. Odkąd związałam się z Billem, załatwiałam też dla niego sprawunki lub inne formalności, na przykład w urzędach i firmach, które były otwarte jedynie za dnia.

Kiedy pomyślałam o Billu, akurat wyrywałam sobie z brwi niepożądane włoski. Opierałam się o umywalkę, żeby dokładniej widzieć twarz w lustrze łazienkowym. Pod wpływem wspomnień odłożyłam pincetę i usiadłam na brzegu wanny. Moje uczucia do Billa były bezładne

142

i sprzeczne, nic też nie wskazywało na to, że ta sytuacja wkrótce ulegnie zmianie. Ponieważ jednak wiedziałam, że Bill cierpi, a ja nie mam pojęcia jak go znaleźć, było mi naprawdę niewesoło. Nigdy oczywiście nie przypuszczałam, że nasz romans potoczy się jak w bajce. Przecież każde z nas należało do innego świata, było istotą innego gatunku. No i mój wampir był ode mnie znacznie starszy. Ale ten ogrom bólu, który czułam teraz, gdy Billa nie było – och, nigdy sobie tego nie wyobrażałam.

Włożyłam dżinsy i sweter. Posłałam łóżko. Zrobiłam makijaż w łazience i starannie powiesiłam ręcznik. Posprzątałabym w pokoju Alcide'a, sądziłam jednak, że przekładanie jego rzeczy to zbytnia zuchwałość. Przeczytałam więc kilka rozdziałów książki, a potem stwierdziłam, że po prostu nie wysiedzę w mieszkaniu ani chwili dłużej.

Zostawiłam Alcide'owi karteczkę, na której napisałam, że poszłam na spacer, po czym zjechałam windą z jakimś ubranym na sportowo mężczyzną, który taszczył torbę z kijami do golfa. Powstrzymałam się od pytania: „Jedzie pan pograć?", poprzestając na stwierdzeniu, że na dworze jest ładnie. Dzień był pogodny i słoneczny, temperatura sięgała prawdopodobnie około dziesięciu stopni Celsjusza. Ulice prezentowały się wesoło, dzięki licznym bożonarodzeniowym dekoracjom, które błyszczały w słońcu. Wiele osób robiło zakupy.

Zastanowiłam się, czy Bill będzie w domu na święta. I czy będzie mógł pójść ze mną do kościoła na pasterkę. O ile zechce pójść. Pomyślałam o nowej wiertarce „Skil", którą zaplanowałam jako prezent dla Jasona. Już parę miesięcy temu uiściłam przedpłatę w markecie Sears w Monroe, a narzędzie odebrałam jakiś tydzień temu. Kupiłam też zabawki dla dzieci Arlene i sweter dla niej. Uprzytomniłam sobie, że nie mam więcej bliskich osób, które mogłabym obdarować, i uznałam, że to żałosne. Postanowiłam, że w tym roku kupię Samowi jakąś płytę kompaktową. Ucieszyłam się na tę myśl. Uwielbiam dawać prezenty. I to byłaby moja pierwsza Gwiazdka z chłopakiem...

O cholera, w ten sposób wróciłam do punktu wyjścia, niczym wiadomości na telewizyjnym kanale informacyjnym.

– Sookie! – zawołał ktoś.

Wyrwana z ciągu ponurych rozważań, rozejrzałam się i zobaczyłam, że po drugiej stronie ulicy Janice macha do mnie z drzwi swojego salonu. Podświadomie poszłam w znanym sobie kierunku.

Również pomachałam do Janice.

– Chodź do mnie! – zachęcała.

Dotarłam do rogu i przeszłam na światłach. W salonie panował spory ruch. Było tyle klientek, że Jarvis i Corinne naprawdę się uwijali.

– Dziś wieczorem odbywają się przyjęcia przedświąteczne – wyjaśniła Janice, podkręcając długie do ramion czarne włosy młodej elegantce. – Zwykle w soboty po południu nie otwieramy.

Na palcach klientki dostrzegłam imponujący zestaw pierścionków z brylantami. Kobieta nieprzerwanie przerzucała egzemplarz „Southern Living", podczas gdy Janice układała jej włosy.

– Dobrze brzmi? – zapytała, zwracają się do Janice. – Klopsiki imbirowe? – Jaskrawo pomalowanym paznokciem wycelowała w przepis.

– Trochę orientalne? – spytała Janice.

– Eee... no trochę. – Przeczytała przepis uważnie. – Nikt inny ich nie poda – mruknęła. – Można je nadziać na wykałaczki.

– Sookie, co robisz dzisiaj? – spytała siostra Alcide'a, gdy była pewna, że jej klientka rozmyśla o mielonej wołowinie.

– Tak sobie chodzę – odparłam i wzruszyłam ramionami. – Twój brat załatwia jakieś sprawy. Zostawił mi informację.

– Zostawił ci karteczkę, na której napisał, co będzie robił?! Dziewczyno, powinnaś być dumna. Ten mężczyzna od liceum nie wziął do ręki długopisu. – Posłała mi spojrzenie z ukosa i wyszczerzyła zęby w uśmiechu. – Miło spędziliście czas ubiegłej nocy?

Zastanowiłam się nad jej pytaniem.

– Ach, było okej – powiedziałam z wahaniem. W każdym razie, tańczyło się przyjemnie.

Janice wybuchnęła śmiechem.

– Skoro tak długo zastanawiasz się nad odpowiedzią, wieczór na pewno był doskonały.

– No cóż, nie był – przyznałam. – W barze doszło do awantury, jednego mężczyznę trzeba było wyrzucić. No i była tam Debbie.

– Huczne przyjęcie zaręczynowe?

– Przy jej stoliku siedział spory tłumek – przyznałam. – Niestety, w pewnej chwili podeszła do nas i zadała mnóstwo pytań. – Uśmiechnęłam się z rozrzewnieniem. – Na pewno się nie ucieszyła, widząc Alcide'a z inną!

Janice znowu się roześmiała.

– Kto się zaręczył? – spytała jej klientka. Najwyraźniej zrezygnowała z przepisu.

– Och, Debbie Pelt. Kiedyś chodziła z moim bratem – odrzekła Janice.

– Znam ją – odparła czarnowłosa zadowolonym tonem. – I kiedyś spotykała się z twoim bratem, Alcide'em? A teraz wychodzi za innego?

– Za Charlesa Clausena – powiedziała Janice, kiwając głową. – Zna go pani?

– Jasne, że tak. Chodziliśmy razem do liceum. Żeni się z Debbie Pelt? No cóż, lepiej, że to on niż twój brat – zauważyła bezceremonialnie klientka.

– Też tak pomyślałam – zgodziła się z nią Janice. – A wie pani coś, czego ja nie wiem?

– Ta Debbie jest zamieszana w jakieś dziwne sprawy – odpowiedziała kobieta, unosząc brwi dla podkreślenia swoich słów.

– W jakie? – spytałam.

Czekając na odpowiedź, wstrzymałam oddech. Czy możliwe, że ta kobieta słyszała o zmiennokształtnych i wilkołakach? Spojrzałam na Janice i zobaczyłam w jej oczach tę samą obawę.

Czyli że wiedziała o przypadłości swojego brata. I o jego świecie.

Wiedziała też, że ja o tym wiem.

– Mówią, że chodzi o satanizm – odpowiedziała czarnowłosa. – Czary.

Obie zagapiłyśmy się na jej odbicie w lustrze. Zaskoczyła nas tak, jak się tego spodziewała. Pokiwała głową z triumfem. Satanizm i czary nie są synonimami, ale nie zamierzałam się sprzeczać z tą kobietą. Pora nie była odpowiednia, miejsce również.

– Tak, drogie panie, tak właśnie słyszałam. Podczas każdej pełni księżyca wraz z przyjaciółmi wychodzi do lasu i coś tam robią. Chyba nikt nie wie co – dodała.

Janice i ja jednocześnie wypuściłyśmy powietrze z płuc.

– O mój Boże – jęknęłam.

– Dobrze zatem, że mój brat już się z nią nie spotyka. Nie uznajemy czegoś takiego – stwierdziła twardo Janice.

– Oczywiście, że nie – zgodziłam się.

Nie spojrzałyśmy sobie w oczy.

Po tej krótkiej rozmowie zamierzałam odejść, ale Janice spytała mnie, co włożę wieczorem.

– Mam sukienkę w kolorze... hm... szampana – odrzekłam. – Połyskujący beż.

– W takim razie czerwone paznokcie nie będą do niej pasowały – zauważyła Janice. – Corinne!

Mimo moich protestów, gdy opuszczałam salon, miałam paznokcie u rąk i nóg pomalowane lakierem w złotawym odcieniu mosiądząu, a Jarvis ponownie ułożył mi włosy. Usiłowałam zapłacić Janice, ale pozwoliła mi jedynie dać napiwki pracownikom.

– Nikt jeszcze nigdy mnie tak nie rozpieszczał – przyznałam się.

– A czym się zajmujesz?

Poprzedniego dnia ten temat jakoś nie wypłynął.

– Jestem barmanką.

– To również odmiana po Debbie – stwierdziła Janice. Wyglądała na zamyśloną.

– Ach tak? A czym się zajmuje Debbie?

147

– Jest asystentką do spraw prawnych.

Bez wątpienia była wykształcona. Mnie się nigdy nie udało pójść do college'u. Nawet nie chodziło o kwestie finansowe, pewnie jakoś bym sobie poradziła, chociaż byłoby ciężko. Niestety, z powodu „upośledzenia" ledwie zdołałam ukończyć liceum. Wierzcie mi, że nastoletniej telepatce naprawdę nie jest łatwo. Wówczas zaledwie w niewielkim stopniu panowałam nad swoim przekleństwem. Każdy mój dzień wypełniały dramaty i były to dramaty innych dzieci. Nie potrafiłam się skoncentrować na słowach nauczyciela, nie umiałam też zdać egzaminu w sali pełnej szepczących umysłów... Dobrze wykonywałam jedynie prace zadane do domu.

Janice najwyraźniej nie zmartwiła się informacją, że jestem barmanką, choć taki zawód nie robi dobrego wrażenia na członkach rodziny mężczyzny, z którym się spotykasz.

Musiałam sobie przypomnieć jeszcze raz, że umowa z Alcide'em jest tymczasowa, że nigdy nie prosił o taki układ i że gdy wreszcie ustalę miejsce pobytu Billa (tak, Sookie, pamiętaj o swoim chłopaku Billu!), nie zobaczę więcej Alcide'a. Och, może wpadnie do mnie do „Merlotte'a", jeśli poczuje chęć zjechania z autostrady międzystanowej w drodze ze Shreveport do Jackson, ale to wszystko.

Janice jednak miała autentyczną nadzieję, że wejdę do jej rodziny. Bardzo sympatycznie z jej strony. Ogromnie ją polubiłam. Niemal zaczęłam żałować, że nie zaskarbiłam sobie prawdziwych uczuć Alcide'a, istniałaby bowiem prawdziwa szansa, że Janice zostanie moją szwagierką.

Podobno w snuciu marzeń nie ma nic złego, nie jest to jednak cała prawda.

ROZDZIAŁ SIÓDMY

Gdy wróciłam, Alcide na mnie czekał. Stos świątecznie owiniętych paczek na kuchennym kontuarze wyjaśniał, jak wilkołak spędził przynajmniej część poranka – Alcide kupował prezenty gwiazdkowe.

Sądząc po nieśmiałym spojrzeniu (nie umiał udawać), zrobił coś związanego ze mną i nie był pewien, czy mi się to spodoba. O cokolwiek chodziło, chyba nie był jeszcze gotów mi tego wyjawić, ale spróbowałam zachować się uprzejmie i nie szukać odpowiedzi w jego myślach. Kiedy przemierzłam krótki korytarz utworzony przy ścianie sypialni i kuchennym kontuarze, poczułam bardzo nieprzyjemny zapach. Może trzeba było wyrzucić śmieci? Ale jakie śmieci, które ewentualnie wrzuciliśmy do kubła w trakcie naszego krótkiego pobytu, mogły tak, co prawda niezbyt mocno, lecz nieprzyjemnie śmierdzieć? Zanim się zastanowiłam, zaraz o tym zapomniałam. Za bardzo się cieszyłam z pogawędki z Janice i ponownego widoku Alcide'a, żeby myśleć o śmieciach.

– Ładnie wyglądasz – zauważył.

– Zatrzymałam się u Janice. – Martwiłam się, czy nie uzna, że nadużywam hojności jego siostry. – Janice potrafi namówić człowieka do zmian, o których nawet nie myślał – tłumaczyłam się.

– Jest dobra – odparł po prostu. – Wie o mojej przypadłości od czasu szkoły średniej i nigdy nic nikomu nie powiedziała.

– Wiem.

– Skąd...? Och, no tak. – Pokręcił głową. – Wyglądasz na zupełnie normalną osobę, więc ciągle zapominam, że masz tyle dodatkowych danych do dyspozycji.

Nikt nigdy nie powiedział tego w ten sposób.

– Kiedy weszłaś, poczułaś jakiś dziwny zapach przy... – zaczął, w tym momencie jednak zabrzęczał dzwonek do drzwi.

Alcide poszedł otworzyć, a ja tymczasem zdjęłam płaszcz.

Usłyszałam, że mówi coś zadowolonym tonem, toteż odwróciłam się do drzwi z uśmiechem. Młodego mężczyzny, który wszedł, nie zaskoczył mój widok. Alcide przedstawił mi go jako męża Janice, Della Phillipsa. Uścisnęłam mu rękę, spodziewając się człowieka równie miłego jak Janice.

Musnął moją dłoń, a potem mnie zignorował.

– Zastanawiałem się, czy możesz wpaść dziś po południu i pomóc mi zawiesić lampki na choince przed domem – odezwał się do Alcide'a, i tylko do niego.

– Gdzie jest Tommy? – spytał wilkołak. Wyglądał na zawiedzionego. – Nie przyprowadziłeś go do mnie?

Tommy był synkiem Janice.

Dell popatrzył na mnie i pokręcił głową.

– Mieszka u ciebie kobieta, więc uznałem, że nie byłoby właściwe zabieranie Tommy'ego tutaj. Został z matką.

Wyjaśnienie było tak nieoczekiwane, że potrafiłam tylko stać w milczeniu. Nastawienie Della zaskoczyło również Alcide'a.

– Dell – powiedział w końcu – nie bądź niegrzeczny w stosunku do mojej przyjaciółki.

– Skoro zatrzymała się w twoim mieszkaniu, jest chyba kimś więcej niż tylko przyjaciółką – zauważył rzeczowo Dell. – Wybacz, panienko, ale tak się po prostu nie postępuje.

– Nie sądźcie, abyście nie byli sądzeni – odparowałam, mając nadzieję, że w moim głosie nie słychać wściekłości, która mnie ogarnęła, chociaż ucisk w żołądku sugerował mi, że jest, niestety, inaczej.

Człowiek nie powinien cytować Biblii, kiedy nie posiada się ze złości. Weszłam do gościnnej sypialni i zatrzasnęłam za sobą drzwi.

Kiedy (wnosząc z odgłosów) Dell Phillips wyszedł, Alcide zastukał do drzwi.

– Chcesz pograć w scrabble? – spytał.

Zamrugałam.

– Jasne.

– Gdy kupowałem podarki dla Tommy'ego, wziąłem też grę.

Położył ją już na ławie przed kanapą, lecz nie będąc pewnym mojej reakcji, nie rozpakował jej.

– Naleję nam coli – zaproponowałam.

Nie po raz pierwszy zauważyłam, że w mieszkaniu panuje chłód, chociaż oczywiście było w nim dużo cieplej niż na dworze. Żałowałam, że nie wzięłam z domu swetra, i zastanowiłam się, czy Alcide obrazi się na mnie, jeśli poproszę o podkręcenie ogrzewania. Potem przypomniałam sobie, jak ciepłą miał skórę, i pomyślałam, że pewnie należy do osób, które nigdy nie marzną. A może to cecha wszystkich wilkołaków? Wciągnęłam przez głowę bluzę, którą miałam na sobie wczoraj, uważając, by nie zniszczyć fryzury.

Alcide ułożył się na podłodze z jednej strony ławy, a ja usadowiłam się po drugiej. Minęło sporo czasu, odkąd któreś z nas grało w scrabble, więc zanim zaczęliśmy, przez kilka minut czytaliśmy zasady.

Alcide ukończył politechnikę luizjańską. Ja wprawdzie nigdy nie chodziłam do college'u, lecz dużo czytam, więc nasze poziomy specjalnie się nie różniły. Alcide okazał się lepszym strategiem. Ja chyba myślałam trochę szybciej.

Zarobiłam dużo punktów długim, trudnym słowem i Alcide pokazał mi język. Roześmiałam się, a on powiedział:

– Nie czytaj mi w myślach, to byłoby oszustwo.

– Oczywiście, że nie zrobiłabym czegoś takiego – powiedziałam, udając skromnisię, a on popatrzył na mnie spode łba.

W efekcie przegrałam, choć tylko o dwanaście punktów. Po drugiej turze gry, podczas której miło się przekomarzaliśmy, Alcide wstał i zaniósł nasze szklanki do kuchni. Odstawił je i zaczął przeszukiwać szafki, ja natomiast włożyłam planszę i litery do pudełka, na które nałożyłam przykrywkę.

– Gdzie mam ją włożyć? – spytałam.

– Och, do szafy przy drzwiach. Jest tam parę półek.

Wetknęłam pudełko pod pachę i podeszłam do szafy. Zapach, który poczułam wcześniej, wydawał się silniejszy.

– Wiesz, Alcide – zawołałam, mając nadzieję, że nie jestem nietaktowna – pachnie tu czymś zepsutym... Właśnie tutaj.

– Ja też to zauważyłem. Dlatego przeszukuję szafki. Może leży tu gdzieś zdechła mysz?

Zanim odpowiedziałam, przekręciłam gałkę u drzwi.

I odkryłam źródło smrodu.

– O nie – jęknęłam. – Och, nie, nie, nie!

– Nie mów mi, że wszedł tam szczur i zdechł – odezwał się Alcide.

– Nie szczur – wyjaśniłam. – Wilkołak.

W szafie znajdowała się wnęka przeznaczona na płaszcze. Teraz tę przestrzeń wypełniało ciało smagłego mężczyzny z Klubu Martwych, tego, który złapał mnie za ramię. Mężczyzna nie żył. I to od wielu godzin.

Nie byłam w stanie oderwać od niego wzroku.

Poczułam się lepiej dopiero wtedy, gdy Alcide stanął za moimi plecami. Zerknął ponad moją głową, równocześnie kładąc mi ręce na ramionach.

– Nie ma krwi – powiedziałam drżącym głosem.

– Jego szyja.

Alcide był tak wstrząśnięty jak ja.

Głowa mężczyzny, choć wciąż połączona z tułowiem, spoczywała na jego ramieniu. Ohyda, ohyda, ohyda! Przełknęłam z trudem ślinę.

– Powinniśmy wezwać policję – oświadczyłam, choć raczej bez przekonania.

Zauważyłam, w jaki sposób ciało wepchnięto do szafy. Martwy mężczyzna stał. Wyobraziłam sobie, że trupa wciśnięto, a potem morderca na siłę zamknął drzwi. Zwłoki najwyraźniej stężały w pozycji pionowej.

– Ale jeśli to zgłosimy... – powiedział Alcide, po czym odjęło mu mowę. Zrobił głęboki wdech. – Policja nigdy nam nie uwierzy, że tego nie zrobiliśmy. Przesłuchają jego przyjaciół, którzy powiedzą, że był w Klubie Martwych ubiegłej nocy. Sprawdzą tam i odkryją, że ci się naprzykrzał i został za to wyrzucony. Nikt nie da wiary, że nie maczaliśmy palców w zabójstwie.

– Z drugiej strony – powiedziałam powoli – sądzisz, że jego kumple wspomną w ogóle o Klubie Martwych?

Alcide rozważył tę kwestię. Rozmyślając, przesuwał kciukiem po ustach.

– Może masz rację – odparł. – A skoro nie będą mogli wspomnieć o Klubie Martwych, jak mieliby opisać, hm... scysję? Wiesz, co zrobią? Zostawią nas samych z tym kłopotem.

Miał rację. Dałam się przekonać – żadnej policji!

– Czyli że musimy jakoś się go pozbyć – powiedziałam, przechodząc do konkretów.

– Jak to zrobimy?

Alcide był mężczyzną praktycznym. Przyzwyczajony do rozwiązywania problemów, zaczął od najważniejszego.

– Musimy wywieźć ciało gdzieś za miasto. Ale najpierw trzeba je będzie zanieść do garażu – oznajmił po zastanowieniu. – Musimy je czymś owinąć.

– Zasłonka prysznicowa – podsunęłam, kiwając głową w stronę łazienki, z której korzystałam. – Eee, możemy

154

zamknąć szafę i przejść do innego pomieszczenia, zanim nie opracujemy planu?

– Jasne – powiedział Alcide.

Chyba równie mocno jak ja zapragnął odwrócić wzrok od makabrycznego widoku w szafie.

Stanęliśmy więc pośrodku salonu i zaczęliśmy obmyślać plan. Najpierw całkowicie wyłączyłam ogrzewanie w mieszkaniu i otworzyłam okna. Nie odkryliśmy wcześniej zwłok tylko dlatego, że Alcide lubił chłód, a drzwi szafy były dość szczelne. Teraz musieliśmy pozbyć się niezbyt silnego, lecz wszechobecnego zapachu.

– Jesteśmy na piątym piętrze i nie sądzę, żebym zdołał znieść go na dół – jęknął Alcide. – Przynajmniej część dystansu trzeba będzie pokonać windą. To najbardziej niebezpieczny etap.

Ciągle dyskutowaliśmy i dopracowywaliśmy szczegóły, aż uznaliśmy, że nasz plan da się zrealizować. Alcide dwukrotnie mnie spytał, czy nic mi nie jest, i za każdym razem go uspokajałam. W końcu zaświtała mi myśl, że mój towarzysz obawia się mojego ewentualnego ataku histerii lub omdlenia.

– Nigdy nie mogłam sobie pozwolić na słabość – wyjaśniłam. – Mam silny charakter.

Jeśli Alcide przypuszczał albo chciał, żebym poprosiła o sole trzeźwiące, lub błagała go, by uratował mnie małą przed wielkim złym wilkiem, miał przed sobą niewłaściwą kobietę.

Może postanowiłam nie tracić głowy, ale musiałam przyznać, że tak naprawdę wcale nie byłam opanowana. W rzeczywistości byłam tak roztrzęsiona, że kiedy poszłam po zasłonkę prysznicową, musiałam bardzo się starać, żeby nie zedrzeć jej z przezroczystych, plastikowych kółek.

Powoli i spokojnie – nakazałam sobie ostro. Wdech, wydech, zdjąć zasłonkę, rozłożyć ją na podłodze korytarza. Była niebiesko-zielona, z wzorkiem w postaci żółtych ryb, które pływały w równych rzędach.

Alcide zjechał na podziemny parking, żeby podstawić wóz jak najbliżej drzwi prowadzących na schody. Zapobiegliwie przyniósł ze sobą parę rękawic ochronnych. Nakładając je, zrobił głęboki wdech, co może stanowiło błąd, zważywszy na bliskość zwłok. Potem zacisnął usta, jawnie zdeterminowany. Zdecydowanym ruchem chwycił trupa za barki i szarpnął.

Efekt był szokujący. Sztywny trup motocyklisty po prostu wypadł z szafy. Alcide w ostatniej chwili odskoczył w prawo, by uniknąć zderzenia z ciałem wilkołaka, które upadło na kuchenną ladę, a potem przechyliło się na bok, wprost na zasłonkę prysznicową.

– No, no, no – mruknęłam drżącym głosem, patrząc w dół. – Świetnie poszło.

Zwłoki leżały prawie dokładnie tak, jak tego chcieliśmy. Alcide i ja popatrzyliśmy na siebie, kiwnęliśmy głowami i uklękliśmy przy przeciwległych końcach zasłonki.

Równocześnie ujęliśmy brzeg plastikowej zasłonki i zarzuciliśmy na ciało, potem to samo zrobiliśmy po drugiej stronie. Kiedy twarz mężczyzny została zakryta, oboje się odprężyliśmy. Alcide przyniósł z garażu rolkę mocnej taśmy klejącej (prawdziwi faceci zawsze wożą taśmę izolacyjną w autach), którą ściśle okleiliśmy owinięte w zasłonkę zwłoki.

Na szczęście, chociaż masywny, wilkołak nie był zbyt wysoki.

Wstaliśmy i przez chwilę odpoczywaliśmy. Alcide odezwał się pierwszy.

– Wygląda jak duże zielone burrito – zauważył.

Zakryłam usta ręką, starając się zdławić napad chichotu. Alcide popatrzył na mnie nad owiniętymi zwłokami. W jego oczach dostrzegłam przestrach, po chwili jednak i on się roześmiał. Gdy się uspokoiliśmy, spytałam:

– Jesteś gotowy na etap numer dwa?

Skinął głową, więc włożyłam płaszcz i przeszłam szybko obok trupa i Alcide'a. Poszłam do windy, zamknąwszy uprzednio za sobą drzwi mieszkania, na wypadek gdyby ktoś przechodził korytarzem.

Ledwo wcisnęłam przycisk, zza rogu wyszedł jakiś mężczyzna i stanął obok mnie przed drzwiami windy. Być może był krewnym starej pani Osburgh albo jednym z senatorów, który wrócił do Jackson. Z kimkolwiek miałam do czynienia, był osobnikiem po sześćdziesiątce, dobrze ubranym i na tyle kulturalnym, że poczuł przymus nawiązania rozmowy.

– Dziś jest naprawdę chłodno, nieprawdaż?

– Tak, chociaż nie tak zimno jak wczoraj.

Popatrzyłam na zamknięte drzwi windy, pragnąc, by się otworzyły i żeby mężczyzna odjechał.

– Czy pani się właśnie wprowadziła?

Nigdy wcześniej nie zirytowała mnie tak uprzejma osoba.

– Odwiedzam tu kogoś – odparłam tonem dość kategorycznym, którym pragnęłam dać natrętowi do zrozumienia, że wolałabym nie kontynuować rozmowy.

– Och – powiedział wesoło. – A kogo?

Szczęśliwym trafem właśnie w tym momencie nadjechała winda i drzwi otworzyły się z trzaskiem, co ocaliło tego przesadnie sympatycznego mężczyznę przed moją gniewną reakcją. Starszy pan zachęcił mnie szerokim gestem, abym wsiadła przed nim, ja jednak zrobiłam krok w tył, zawołałam: „O rety, zapomniałam kluczy!" i odeszłam szybkim krokiem, nie oglądając się za siebie. Podeszłam do drzwi apartamentu obok mieszkania Alcide'a, tego, które w opinii wilkołaka stało puste. Zastukałam. Usłyszałam, że drzwi windy zamykają się za mną, i westchnęłam z ulgą.

Kiedy unznałam, że pan Rozmowny powinien już dotrzeć do swojego samochodu i wyjechać z garażu – o ile nie gawędził do tej pory ze strażnikiem – ponownie przywołałam windę. Z powodu soboty trudno było przewidzieć rozkład dnia mieszkańców apartamentowca. Alcide twierdził, że wiele tutejszych mieszkań kupiono jako inwestycję, toteż ich właściciele podnajmowali je politykom, z których większość zapewne wyjechała już na przerwę świąteczną. Któryś z całorocznych lokatorów mógłby jednak wyjść lub wrócić o dowolnej porze, ponieważ nie był to zwykły weekend, lecz weekend w połowie grudnia, i do Bożego Narodzenia pozostały niecałe dwa tygodnie. Na szczęście, gdy skrzypiące ustrojstwo wróciło na piąte piętro, jego wnętrze było puste.

Popędziłam z powrotem pod mieszkanie Alcide'a, zastukałam dwukrotnie, a potem biegiem wróciłam do windy i otworzyłam drzwi. Z apartamentu wyłoniły się najpierw zawinięte nogi zwłok, a później Alcide. Poruszał się najszybciej, jak potrafi iść człowiek, który niesie na ramieniu ciężkie, sztywne ciało.

To był nasz najtrudniejszy moment. Pakunek Alcide'a wyglądał jednoznacznie – jak trup owinięty w zasłonkę prysznicową – i nie przypominał niczego innego. Plastik osłabiał nieco zapach, ale nadal był on wyraźnie wyczuwalny. Bezpiecznie zjechaliśmy jedno piętro, potem następne. Na trzecim wysiadły nam nerwy. Zatrzymaliśmy windę. Ku naszej wielkiej uldze ani przed drzwiami, ani w korytarzu nie było nikogo. Pognałam do drzwi prowadzących na klatkę schodową, otworzyłam je i przytrzymałam przed Alcide'em. Potem wyprzedziłam go, zbiegłam po stopniach i przez szybę w drzwiach zajrzałam do garażu.

– Czekaj! – syknęłam, podnosząc rękę.

Kobieta w średnim wieku i nastolatka wyładowywały paczki z bagażnika toyoty, a jednocześnie ostro się kłóciły. Dziewczyna została zaproszona na całonocną imprezę. „Nie" – mówiła jej matka.

Córka nalegała, twierdziła, że musi pójść, bo będą tam wszystkie jej przyjaciółki. „Nie" – mówiła jej matka.

Dziewczyna dodała, że matki wszystkich przyjaciółek pozwoliły im iść. „Nie" – mówiła jej matka.

– Proszę, nie wybierzcie schodów – szepnęłam.

Zaciekły spór toczył się, dopóki obie nie wsiadły do windy. Wyraźnie usłyszałam, że dziewczyna przestała na chwilę wylewać żale i jęknęła: „Oj, coś tu strasznie śmierdzi!". Potem drzwi się zamknęły.

– Co się dzieje? – wyszeptał Alcide.

– Nic. Poczekajmy, czy nic się nie zdarzy.

159

Nie się zdarzyło, więc wyszłam na parking i podeszłam do samochodu Alcide'a, rozglądając się niespokojnie, żeby sprawdzić, czy na pewno jestem sama. Znajdowaliśmy się z dala od wjazdu na parking, toteż strażnik, nawet gdyby wyszedł ze szklanej budki na szczycie zjazdu, nie mógł nas widzieć.

Otworzyłam tylną klapę auta. Na szczęście, platforma towarowa pojazdu była kryta plandeką. Jeszcze raz dokładnie rozejrzałam się po parkingu, a potem pośpiesznie wróciłam do drzwi na schody i zastukałam. Sekundę później pociągnęłam drzwi i otworzyłam je.

Alcide wybiegł i popędził szybciej, niż sądziłam, że potrafi, ze względu na ładunek. Pchaliśmy ciało z całych sił, aż wreszcie wsunęło się całe na platformę samochodu. Z ogromnym uczuciem ulgi zatrzasnęliśmy tylną klapę i zamknęliśmy ją na klucz.

– Etap drugi zakończony – oznajmił Alcide głosem dość słabym jak na tak wielkiego faceta.

Przejazd ulicami miasta ze zwłokami w aucie jest doświadczeniem przerażającym, które można przypłacić paranoją.

– Przestrzegaj wszystkich przepisów kodeksu drogowego – pouczyłam Alcide'a. Nie spodobało mi się, że mówię takim nerwowym tonem.

– Okej, okej – odwarknął, równie spięty.

– Sądzisz, że ludzie z tego jimmy'ego patrzą na nas?

– Nie.

Uznałam, że najlepiej zrobię, jeśli zamilknę, więc zamilkłam. Wybraliśmy autostradę międzystanową I-20, tę samą, którą dotarliśmy z Bon Temps do Jackson. Jechaliśmy tak długo, aż miasto pozostało za nami i otoczyły nas pola uprawne.

– Wygląda dobrze – powiedział Alcide, kiedy pojawił się skręt do Bolton.

– Jasne – przyznałam.

Nie sądziłam, żebym wytrzymała dłuższą jazdę z trupem. Tereny pomiędzy Jackson i Vicksburgiem są raczej nizinne i płaskie, przeważnie składają się na nie pola uprawne poprzecinane zalewami, i obszar, który mijaliśmy, był właśnie taki. Opuściliśmy międzystanową i skierowaliśmy się na północ, w stronę lasu. Po kilku kilometrach Alcide skręcił w prawo, na nierówną brukowaną drogę. Drzewa rosły tu po obu stronach dość gęsto. Z posępnego, zimowego nieba nie padało zbyt dużo światła. Dygotałam w kabinie auta.

– Już niedaleko – pocieszył mnie Alcide.

Niespokojnie pokiwałam głową.

Dostrzegłam wąziutką drogę w lewo i wskazałam ją wilkołakowi. Alcide zahamował i przez chwilę zastanawialiśmy się nad wyborem. W końcu popatrzyliśmy na siebie i pokiwaliśmy głowami. Alcide wjechał tyłem, co mnie zaskoczyło, po chwili jednak uznałam ten pomysł za dobry. Im dalej wjeżdżaliśmy w las, tym bardziej podobał mi się wybór drogi. Po pierwsze, było widać, że niedawno posypano ją żwirem, więc nie powinniśmy zostawić śladów opon. Poza tym istniała możliwość, że ta wąska droga prowadzi do jakiegoś obozu łowieckiego, do którego nieczęsto ktoś zaglądał teraz, gdy skończył się sezon na jelenie.

I rzeczywiście. Gdy przejechaliśmy z chrzęstem jeszcze kilka metrów, zauważyłam przybity do jednego z drzew znak, na którym napisano: „Klub łowiecki Kiley-Odum. Teren prywatny. Zakaz wstępu".

Posuwaliśmy się dalej ścieżką. Alcide cofał powoli i ostrożnie.

– Tutaj – oznajmił, kiedy znaleźliśmy się na tyle daleko od skrętu, że nikt nie mógł nas zobaczyć z drogi. Wilkołak zatrzymał wóz. – Słuchaj, Sookie, nie musisz wysiadać.

– Szybciej załatwimy to razem.

Popatrzył na mnie groźnie, ale zachowałam kamienną twarz, więc po chwili westchnął.

– Okej, kończmy z tym – powiedział.

Było chłodno i wilgotno. Chwila bezruchu i człowiek zamarzłby na kość. Czułam, że temperatura spada, a pogodne niebo poranka staje się czułym wspomnieniem. Bardzo stosowny dzień na porzucenie ciała, nie ma co. Alcide otworzył tył samochodu, oboje włożyliśmy rękawiczki i chwyciliśmy niebiesko-zielony tobołek. Wesołe żółte rybki były w tym mroźnym lesie zupełnie nie na miejscu.

– Trzymaj z całych sił – doradził mi mój towarzysz, po czym policzył do trzech i ostro szarpnęliśmy pakunek. Połowa wysunęła się, koniec, niestety, zawisł niebezpiecznie nad tylną klapą. – Powtarzamy. Gotowa? Raz, dwa, trzy!

Znowu szarpnęłam i ciało wypadło na drogę.

Byłabym znacznie szczęśliwsza, gdybyśmy mogli stamtąd odjechać w tamtym momencie, ale już wcześniej postanowiliśmy, że musimy zabrać ze sobą zasłonkę prysznicową. Kto wie, jakie odciski palców można znaleźć na taśmie klejącej lub na samej zasłonce? Na pewno istniały też inne, mikroskopijne dowody, których nawet nie potrafiłam sobie wyobrazić.

Nie na darmo oglądam programy na Discovery Channel. Alcide miał scyzoryk, więc uczyniłam mu ten zaszczyt i pozwoliłam na wykonanie rozcięcia. Przytrzymałam otwarty worek na śmieci, a on wepchnął do niego odciętą zasłonkę. Nie chciałam patrzeć, ale oczywiście nie wytrzymałam i zerknęłam.

Ciało wcale nie wyglądało lepiej.

A jednak poradziliśmy sobie szybciej niż sądziłam. Odwróciłam się i ruszyłam do samochodu, gdy uprzytomniłam sobie, że Alcide wciąż stoi. Zadarłam głowę i odniosłam wrażenie, że wdycha zapach lasu.

– Dziś wieczorem księżyc będzie w pełni – jęknął.

Drżał na całym ciele. Kiedy spojrzał na mnie, w oczach miał coś obcego. Nie mogłabym powiedzieć, że zmieniły kolor lub kształt, po prostu wydawało mi się, że wypatruje z nich jakaś inna osoba.

Poczułam się bardzo samotna wśród drzew, z towarzyszem, który zupełnie niespodziewanie nabrał całkiem nowego wymiaru. Walczyłam ze sprzecznymi impulsami – chciałam równocześnie zacząć krzyczeć, rozpłakać się i uciec. Mimo to uśmiechnęłam się radośnie i cierpliwie czekałam. Minęło sporo czasu.

– Wróćmy do wozu – powiedział w końcu Alcide.

Ucieszyłam się i natychmiast wdrapałam na siedzenie.

– Jak twoim zdaniem zginął? – spytałam, kiedy uznałam, że Alcide wrócił do normalnego stanu.

– Sądzę, że ktoś skręcił mu kark – odparł. – Nie potrafię zrozumieć, jak ten ktoś dostał się do mieszkania. Wiem, że ubiegłej nocy zamknąłem drzwi na klucz. Jestem tego pewien. A dziś rano ponownie je zamknąłem.

Przez chwilę szukałam w myślach odpowiedzi, nie wpadłam jednak na żadne wytłumaczenie. Potem zaczęłam się zastanawiać, jaka jest właściwie przyczyna śmierci człowieka, któremu skręcono kark. Ostatecznie zdecydowałam, że nie muszę tego wiedzieć.

W drodze do apartamentowca zatrzymaliśmy się przy Wal-Marcie. Ze względu na jeden z ostatnich weekendów przed świętami Bożego Narodzenia, w markecie roiło się od kupujących.

Nie mam nic dla Billa, pomyślałam znowu.

Chwilę później poczułam ostry ból w piersi, uprzytomniłam sobie bowiem, że może nigdy nie kupię Billowi świątecznego prezentu – ani teraz, ani w przyszłości.

Potrzebowaliśmy pianki do czyszczenia dywanów, odświeżaczy powietrza i nowej zasłonki prysznicowej. Porzuciłam próżne rozważania o własnych nieszczęściach i nieco żwawiej ruszyłam naprzód. Alcide pozwolił mi wybrać zasłonkę, czym naprawdę sprawił mi przyjemność. Zapłacił gotówką, żeby w sklepie nie został ślad po naszej wizycie.

Kiedy ponownie wgramoliłam się do pikapu, obejrzałam paznokcie. Były czyste i lakier się trzymał. Potem pomyślałam o tym, jaka jestem bezduszna, że martwię się o takie drobiazgi. Na litość boską, przecież właśnie pozbyliśmy się zwłok. Przez kilka minut siedziałam nieruchomo, okropnie z siebie niezadowolona.

Powiedziałam o tym Alcide'owi, który teraz – kiedy wróciliśmy do cywilizacji bez naszego milczącego pasażera – stał się wyraźnie przystępniejszy.

– No cóż, nie zabiliśmy go – powiedział. – Ach... A może to zrobiłaś?

164

Lekko zaskoczona tą uwagą, spojrzałam w jego zielone oczy.

– Nie, oczywiście, że nie. A ty?

– Nie – zapewnił mnie.

Z jego miny wywnioskowałam, że czekał, aż o to spytam. Przedtem jakoś takie pytanie nie przyszło mi do głowy.

Chociaż ani przez chwilę nie podejrzewałam Alcide'a, to jednak ktoś bez wątpienia zamordował wilkołaka. Po raz pierwszy spróbowałam zgadnąć, kto mógłby wepchnąć ciało do szafy. Do tej pory nie miałam czasu na rozmyślania, ponieważ najważniejsze było usunięcie zwłok.

– Kto ma klucze? – spytałam.

– Tylko tatko i ja oraz sprzątaczka, która obsługuje większość mieszkań w budynku. Ale ona nie zabiera kluczy ze sobą. Ilekroć przychodzi, otrzymuje je od gospodarza budynku.

Skręciliśmy za ciągiem sklepów i Alcide wyrzucił do śmietnika worek ze starą zasłonką prysznicową.

– Lista jest dość krótka.

– Tak – przyznał. – Rzeczywiście. Ale wiem, że mój tato jest w Jackson. Rozmawiałem z nim przez telefon dziś rano, zaraz po przebudzeniu. Sprzątaczka przychodzi tylko wtedy, jeśli zastanie wiadomość od nas u gospodarza budynku. Wtedy on wręcza jej zapasowy klucz, który ona oddaje mu po skończonej pracy.

– A strażnik w garażu? Pełni dyżur przez całą noc?

– Tak, ponieważ stanowi jedyną ochronę przed ludźmi, którzy chcieliby się wślizgnąć na parking i wsiąść do windy. Zawsze wchodziłaś tą drogą, istnieją jednak również frontowe drzwi do budynku, z których wychodzi się na główną ulicę. Te drzwi są zamknięte na klucz przez cały czas. Nie ma przy nich strażnika i mogą z nich korzystać tylko osoby mające klucz.

– Więc gdyby ktoś przemknął się obok strażnika, mógłby wjechać windą na nasze piętro i nikt by go nie zatrzymał.

– Tak, jasne.

– Tyle że musiałby otworzyć drzwi wytrychem.

– Tak, a później wnieść ciało i wepchnąć je do szafy. Brzmi to mało prawdopodobnie – ocenił Alcide.

– Ale coś takiego najwyraźniej się zdarzyło. A... hm... dawałeś kiedyś klucz Debbie? Może ktoś go sobie od niej pożyczył?

Bardzo się starałam mówić obojętnym tonem. Prawdopodobnie nie udało mi się to zbyt dobrze.

Przez długą chwilę panowała cisza.

– Tak, Debbie miała klucz – odparł w końcu chłodno.

Zagryzłam dolną wargę, by nie zadać następnego pytania.

– Nie, nie dostałem go od niej z powrotem – dodał Alcide.

Nawet nie musiałam pytać.

Chcąc przerywać pełne napięcia milczenie, Alcide zaproponował późny lunch. Co niesamowite, odkryłam, że naprawdę jestem głodna.

Zjedliśmy w „Hal and Mal's" – restauracji blisko centrum. Lokal mieścił się w starym magazynie, toteż stoliki rozmieszczono dość daleko od siebie, dzięki czemu mogliśmy rozmawiać swobodnie, bez obaw, że ktoś coś usłyszy i wezwie policję.

– Nie sądzę – mruknęłam – żeby ktoś mógł wejść do budynku z trupem na plecach. Niezależnie od godziny.

– No wiesz, nam się udało dziś z nim wyjść – zauważył i miał rację. – Wyobrażam sobie, że musiało się to stać pomiędzy, powiedzmy, drugą rano a siódmą. Zasnęliśmy około drugiej, prawda?

– Raczej około trzeciej, biorąc pod uwagę krótką wizytę Erica...

Nasze oczy spotkały się. Eric. Eureka!

– Czemu jednak miałby to zrobić? Jest na ciebie wściekły? – spytał otwarcie Alcide.

– Nie aż tak bardzo – odburknęłam zakłopotana.

– Och, ma ochotę cię przelecieć.

Skinęłam głową, nie patrząc mu w oczy.

– Wiele się wokół ciebie dzieje – mruknął.

– Phi – prychnęłam lekceważąco. – A ty ciągle pragniesz Debbie i nie ma się co czarować.

Popatrzyliśmy sobie prosto w oczy. Tak, lepiej wyjaśnić wszystkie sporne kwestie teraz i raz na zawsze.

– Potrafisz czytać w moich myślach lepiej, niż przypuszczałem – stwierdził Alcide. Na jego twarzy zagościł smutek. – Ale ona nie... Dlaczego ona w ogóle mnie obchodzi? Nie jestem nawet pewien, czy ją lubię. Ciebie za to cholernie lubię.

– Dzięki – powiedziałam, uśmiechając się serdecznie. – Ja ciebie także cholernie lubię.

– Bylibyśmy dla siebie lepsi, niż są dla nas osoby, z którymi się spotykamy – zauważył.

Nie sposób było się z nim nie zgodzić.

– Tak, i byłabym z tobą szczęśliwa.

167

– A ja cieszyłbym się, dzieląc z tobą moje dni.

– Ale raczej do tego nie dojdzie.

– Nie. – Westchnął ciężko. – Chyba nie.

Gdy wychodziliśmy, młoda kelnerka posłała nam wielki uśmiech. Postarała się przy tym, by Alcide zobaczył, jak dobrze wygląda w obcisłych dżinsach.

– Wiesz, co zrobimy? – spytał Alcide. – Z całych sił postaram się zapomnieć o Debbie. A potem stanę na twoim progu, pewnego dnia, kiedy zupełnie nie będziesz się mnie spodziewała. Przyjadę z nadzieją, że zerwałaś ze swoim wampirem.

– A potem będziemy żyli długo i szczęśliwie? – Uśmiechnęłam się.

Skinął głową.

– No cóż, już się na to cieszę – odparłam.

ROZDZIAŁ ÓSMY

Po powrocie do mieszkania Alcide'a czułam się strasznie zmęczona i sądziłam, że nadaję się tylko do łóżka. Był dopiero środek popołudnia, a ja już miałam za sobą jeden z najdłuższych dni w życiu.

Niestety, przed ewentualnym odpoczynkiem musieliśmy wykonać pewne prace w domu. Podczas gdy Alcide wieszał nową zasłonkę prysznicową, ja wyczyściłam pianką dywanik w szafie, a potem otworzyłam jeden z odświeżaczy powietrza i ułożyłam go na półce. Zamknęliśmy wszystkie okna i włączyliśmy ogrzewanie.

W mieszkaniu nie śmierdziało. Równocześnie wydaliśmy westchnienie ulgi.

– Właśnie zrobiliśmy coś naprawdę nielegalnego – stwierdziłam, ciągle zażenowana własnym niemoralnym czynem – a ja tylko się cieszę, że nam się udało.

– Zapomnij o poczuciu winy – powiedział Alcide. – Prędzej czy później dojdzie do sytuacji, z powodu której będziesz się musiała rzeczywiście poczuć winna. Oszczędź swoje emocje na ten moment.

Rada była tak dobra, że postanowiłam z niej skorzystać.

– Zdrzemnę się trochę – powiedziałam – żebym była wieczorem chociaż trochę żwawsza.

W towarzystwie wampirów lepiej być czujnym i uważnym.

– Świetny pomysł – odparł Alcide.

Popatrzył na mnie z uniesionymi brwiami, a ja roześmiałam się i pokręciłam głową. Weszłam do mniejszej sypialni, zamknęłam drzwi, zdjęłam buty i padłam na łóżko z uczuciem radosnego spokoju. Po chwili wysunęłam rękę za bok łóżka, wymacałam frędzle szenilowej narzuty, pociągnęłam za nie i się przykryłam. W cichym mieszkaniu z włączonym systemem ogrzewania, który nieprzerwanie nawiewał do sypialni ciepłe powietrze, zasnęłam już po kilku minutach.

Obudziłam się nagle i od razu byłam całkowicie rozbudzona. Wiedziałam, że ktoś jeszcze jest w mieszkaniu. Może podświadomie usłyszałam pukanie do frontowych drzwi? Albo jakoś wychwyciłam odgłosy z salonu? Wstałam bezszelestnie i ruszyłam do drzwi. Ponieważ sunęłam w skarpetkach po beżowym dywanie, przemieszczałam się bezgłośnie. Drzwi były niedomknięte, przyłożyłam więc ucho do szczeliny.

– Jerry Falcon – powiedział jakiś mężczyzna głębokim, chropawym głosem – przyszedł do mojego mieszkania ubiegłej nocy.

– Nie znam go – odrzekł Alcide. Mówił opanowanym tonem, ale wyraźnie miał się na baczności.

– Twierdzi, że ubiegłej nocy miał przez ciebie kłopoty „U Josephine".

– Przeze mnie miał kłopoty?! Jeśli chodzi o faceta, który rzucił się na moją dziewczynę, sam się wpakował w kłopoty!

– Opowiedz mi, co się stało.

– Poszedłem do toalety, a on w tym czasie przystawiał się do mojej dziewczyny. Kiedy zaprotestowała, zaczął ją szarpać, więc musiała zwrócić uwagę innych osób na sytuację.

– Skrzywdził ją?

– Była wstrząśnięta! A poza tym zranił ją w ramię do krwi.

– Zbrodnia krwi!

Gość wypowiedział te słowa ze śmiertelną powagą.

– Tak.

Zatem ślady po paznokciach na moim ramieniu składały się na „zbrodnię krwi", cokolwiek to określenie znaczyło.

– A potem?

– Wyszedłem z toalety i odciągnąłem go od dziewczyny. Następnie wkroczył pan Hob.

– To wyjaśnia oparzenia.

– Tak. Hob wyrzucił go tylnymi drzwiami. Więcej go nie widziałem. Twierdzisz, że nazywa się Jerry Falcon?

– Tak. Przyszedł do mojego domu natychmiast, gdy reszta chłopaków opuściła bar.

– Edgington interweniował. Chcieli nas zaatakować.

– Był tam Edgington?

W głębokim głosie pobrzmiewał niepokój.

– Och, tak, był ze swoim chłopakiem.

– Jak się w to wplątał?

– Po prostu kazał im wyjść. Ponieważ jest królem, a oni od czasu do czasu dla niego pracują, oczekiwał posłuszeństwa. Ale jeden szczeniak próbował się buntować, więc Edgington złamał mu nogę i kazał pozostałym wynieść go na zewnątrz. Przykro mi, Terence, że doszło do kłopotów w twoim mieście. Ale, wierz mi, nie ma w tym naszej winy.

– Korzystasz w naszym stadzie z przywilejów gościa, Alcide. Szanujemy cię. A ci z nas, którzy pracują dla wampirów, no cóż... Co mogę powiedzieć? Nie są bez skazy. Jednak Jerry jest ich przywódcą, a wczoraj w nocy został ośmieszony na oczach swoich ludzi. Jak długo zamierzasz zostać w naszym mieście?

– Jeszcze tylko jedną noc.

– Noc pełni księżyca.

– Tak, wiem, spróbuję nie zwracać na siebie niczyjej uwagi.

– Jakie masz plany na dzisiejszy wieczór? Będziesz się starał uniknąć przemiany czy pojedziesz ze mną na moje tereny łowieckie?

– Postaram się trzymać z dala od poświaty księżycowej i unikać stresujących sytuacji.

– W takim razie nie zbliżaj się do „Josephine".

– Ale Russell dość kategorycznie oznajmił, że chce nas znowu tam widzieć dziś wieczorem. Miał poczucie winy, że moja przyjaciółka doświadczyła takiej przykrości. Nalegał, żeby wróciła.

– Klub Martwych w noc pełni księżyca, Alcide? Niemądry pomysł.

– Co mam zrobić? Przecież w Missisipi to Russell dyktuje warunki.

– Rozumiem. Strzeż się jednak. A jeśli zobaczysz w lokalu Jerry'ego Falcona, po prostu odejdź. To moje miasto. – Głęboki głos brzmiał autorytatywnie.

– Dobrze, przywódco.

– Świetnie, Alcide. Teraz, kiedy ty i Debbie Pelt zerwaliście, mam nadzieję, że nieprędko zobaczymy cię tu z powrotem. Niech sprawy same się ułożą. Jerry to mściwy sukinsyn. Bez wahania wykorzysta okazję i bez wszczynania zatargu zrobi ci krzywdę.

– To on popełnił zbrodnię krwi.

– Wiem, jednak z racji swoich układów z wampirami stał się ostatnio zbyt pyszałkowaty. Nie zawsze pamięta o tradycji stada. Przyszedł do mnie tylko dlatego, że Edgington nie stanął po jego stronie.

Pomyślałam, że Jerry'ego nie interesuje już tradycja. Jego ciało leżało obecnie w lesie na zachód od miasta.

W trakcie mojej drzemki na dworze zapadł zmrok. Niespodziewanie usłyszałam stukanie w szybę. Oczywiście, aż podskoczyłam, po czym podeszłam do okna, najciszej jak potrafiłam. Otworzyłam żaluzje i położyłam palec na ustach. To był Eric. Miałam nadzieję, że nikt na ulicy nie patrzył w tej chwili w górę. Eric uśmiechnął do mnie i dał mi znak, że mam mu otworzyć. Gwałtownie pokręciłam głową i ponownie położyłam palec na ustach. Zdawałam sobie sprawę z tego, że jeśli wpuszczę teraz Erica, Terence to usłyszy i odkryje moją obecność.

Wiedziałam instynktownie, jak bardzo Terence'owi nie spodoba się odkrycie, że podsłuchiwałam. Wróciłam na palcach do drzwi i słuchałam.

Dwa wilkołaki pożegnały się.

Zerknęłam ku oknu. Eric obserwował mnie z wielkim zainteresowaniem. Podniosłam palec, sygnalizując wampirowi, że musi poczekać jeszcze tylko minutę.

Usłyszałam, że drzwi mieszkania się zamykają, i po chwili Alcide zastukał do moich drzwi. Kiedy go wpuszczałam, miałam nadzieję, że na ustach nie błąka mi się głupi uśmieszek.

– Alcide, słyszałam większą część rozmowy – powiedziałam. – Przepraszam, że podsłuchiwałam, wydawało mi się jednak, że rozmowa dotyczy mnie osobiście. Eee... i Eric jest tutaj.

– No widzę – stwierdził Alcide bez entuzjazmu. – Chyba lepiej go wpuszczę. Wejdź, Ericu – oświadczył, kiedy otworzył okno.

Eric wszedł najpłynniej, jak tylko mógł tak wysoki mężczyzna wejść przez tak małe okno. Był ubrany w garnitur, trzyczęściowy, czyli z kamizelką, oraz krawat. Włosy zaczesał do tyłu i związał w kucyk. Miał również okulary.

– Jesteś w przebraniu? – spytałam.

Niemal nie wierzyłam w to co widzę.

– Tak. – Spuścił wzrok i spojrzał na siebie z dumą. – Nie wyglądam inaczej?

– Tak – przyznałam. – Wyglądasz dokładnie jak Eric, który przynajmniej raz się wystroił.

– Podoba ci się garnitur?

– Jasne – odparłam.

Niewiele wiem o męskich ubraniach, byłam jednak pewna, że tego typu trzyczęściowy garnitur w odcieniu oliwkowobrązowym kosztował więcej, niż ja zarabiam przez dwa tygodnie. Albo przez cztery. Może nie wybrałabym go

174

dla faceta o błękitnych oczach, ale musiałam przyznać, że Eric prezentował się w nim świetnie. Gdybym wydawała wampirzy numer czasopisma „GQ", na pewno zaproponowałabym Ericowi udział w sesji zdjęciowej.

– Kto układał ci włosy? – spytałam, dostrzegłszy, że wampir nie nosi kitki, lecz misterny warkocz.

– Och, zazdrosna?

– Nie, pomyślałam tylko, że twój fryzjer mógłby mnie nauczyć takiego splotu.

Alcide'a znudziły rozmowy o modzie.

– Co miałeś na myśli – spytał wojowniczym tonem – zostawiając trupa w mojej szafie?

Rzadko widziałam Erica, któremu zabrakło słów, tym razem jednak bez wątpienia oniemiał – na całe trzydzieści sekund.

– To nie Bubba był w tej szafie, prawda? – spytał.

Tym razem ja i Alcide zastygliśmy z rozdziawionymi ustami – on, ponieważ nie wiedział, kim, do cholery, jest Bubba, a ja, ponieważ zadałam sobie pytanie, co właściwie stało się z naszym niezbyt mądrym wampirem.

Szybko opowiedziałam wilkołakowi o Bubbie.

– Czyli że te wszystkie doniesienia, jakoby ktoś go widział... – zaczął, kręcąc głową. – Cholera... ci ludzie naprawdę go widzieli!

– Grupa z Memphis chciała go zatrzymać, okazało się to jednak po prostu niemożliwe – wyjaśnił Eric. – Bubba ciągle pragnął udać się do domu, a potem zdarzały się różne incydenty. Dlatego postanowiliśmy go sobie przekazywać.

– A teraz go straciliście – zauważył Alcide niezbyt zmartwiony kłopotem Erica.

– Możliwe, że ludzie, którzy próbowali porwać Sookie w Bon Temps, porwali zamiast niej Bubbę – odparł Eric. Obciągnął kamizelkę i spojrzał w dół z niejaką satysfakcją. – Więc kto był w szafie?

– Motocyklista, który zranił Sookie ubiegłej nocy – wyjaśnił Alcide. – Dość ordynarnie przystawiał się do niej, kiedy byłem w toalecie.

– I zranił ją?

– Tak, zbrodnia krwi – oznajmił Alcide.

– Nie wspomniałaś o tym wczoraj w nocy – zauważył Eric.

Patrząc na mnie, zmarszczył brwi.

– Nie chciałam o tym rozmawiać – jęknęłam. Nie spodobało mi się brzmienie tego zdania. Wypadło rozpaczliwie. – Poza tym, krwi nie było dużo.

– Pokaż mi.

Przewróciłam oczyma, ale cholernie dobrze wiedziałam, że Eric nie ustąpi. Ściągnęłam bluzę z ramienia, razem z ramiączkiem stanika. Na szczęście była tak stara, że gumka przy szyi rozciągnęła się i straciła rozciągliwość, więc bez trudu obnażyłam chore miejsce. Ślady po paznokciach na ramieniu miały obecnie postać półkolistych strupków, obrzmiałych i czerwonych, chociaż pamiętam, że zeszłej nocy starannie je przetarłam. Wiem przecież, że pod paznokciami jest mnóstwo zarazków.

– Widzisz – mruknęłam. – Nic wielkiego. Byłam bardziej wściekła niż przerażona czy zraniona.

Eric przyglądał się małym, brzydkim strupkom do czasu, aż je przykryłam i poprawiłam ubranie. Wtedy przeniósł wzrok na Alcide'a.

– I jego zwłoki były w szafie?

– Tak – przyznał wilkołak. – Nie żył od wielu godzin.

– Jak zginął?

– Nie został pogryziony – powiedział szybko. – Wyglądało na to, że ktoś skręcił mu kark. Nie przyglądaliśmy się dokładniej. Twierdzisz, że nie ty go zabiłeś?

– Nie, chociaż z przyjemnością skręciłbym mu kark.

Wzruszyłam ramionami, nie chcąc rozważać bardziej szczegółowo tej ponurej uwagi.

– No to kto go tam umieścił? – spytałam, wracając do interesującego nas tematu.

– I dlaczego? – spytał Alcide.

– Będę zbyt wścibski, jeśli spytam, gdzie jest teraz?

Ericowi udało się przybrać minę dorosłego, który rozmawia z parą małych chuliganów.

Alcide i ja popatrzyliśmy na siebie.

– Eee, no cóż, on... – zaczęłam.

Eric wciągnął nosem powietrze.

– Tu nie ma ciała. Wezwaliście policję?

– Hm, no nie – odburknęłam cicho. – Właściwie to... my... ach...

– Porzuciliśmy zwłoki za miastem – dokończył Alcide.

Po prostu trudno było określić nasz czyn ładniej.

Po raz drugi zdołaliśmy zaskoczyć Erica.

– No, no, no – zauważył beznamiętnie. – Ależ jesteście przedsiębiorczy.

– Wszystko obmyśliliśmy – oznajmiłam.

Może odrobinę za bardzo się tłumaczyłam.

Wampir się uśmiechnął. Widok nie był przyjemny.

– Taaa, na pewno.

– Przyszedł tu dziś do mnie przywódca mojego stada, Terence – wtrącił Alcide. – Dopiero co wyszedł. Nie wiedział jeszcze, że Jerry zniknął. Powiedział mi za to, że zjawił się u niego ze skargą wczoraj, od razu po wyjściu z baru, i oświadczył mu, że ma do mnie żal. Czyli że widziano go po zajściu w „Josephine".

– Więc może wam się upiecze.

– Tak sądzimy.

– Powinniście go jednak zakopać – ciągnął Eric. – W ten sposób usunęlibyście wszelkie ślady waszego zapachu na zwłokach.

– Nie sądzę, żeby ktoś potrafił wytropić nasz zapach – odparłam. – Naprawdę. Nie wydaje mi się, żeby któreś z nas choć raz ich dotknęło.

Eric popatrzył na Alcide'a, który pokiwał głową.

– Zgadza się – dodał. – A jestem dwoistej natury.

Eric wzruszył ramionami.

– Nie mam pojęcia, kto go zabił i przyniósł do mieszkania, ale bez wątpienia zabójca pragnął zrzucić na ciebie winę za jego śmierć.

– Dlaczego zatem nie zadzwonił na policję z automatu i nie doniósł, że w pięćset cztery znajduje się trup?

– Dobre pytanie, Sookie. Ale nie potrafię na nie w tej chwili odpowiedzieć. – Eric chyba nagle stracił zainteresowanie całą sprawą. – Zjawię się dziś wieczorem w tym klubie. Jeśli będę musiał z tobą porozmawiać, Alcide, powiedz Russellowi, że jestem twoim przyjacielem spoza miasta i zaprosiłeś mnie, żebym poznał Sookie, twoją nową dziewczynę.

– Dobra – odrzekł wilkołak. – Chociaż nie wiem, po co chcesz tam iść. Narażasz się na niebezpieczeństwo. Co się stanie, jeśli rozpozna cię jeden z tutejszych wampirów?

– Nie znam żadnego z tutejszych.

– Ale dlaczego ryzykujesz? – spytałam. – Po co w ogóle tam idziesz?

– Może uda mi się wychwycić coś, czego ty nie usłyszysz albo czego Alcide się nie dowie, ponieważ nie jest wampirem – odparł Eric. Miał rację. – Wybacz nam na minutę, Alcide. Sookie i ja musimy przedyskutować pewne kwestie.

Alcide popatrzył na mnie, pragnąc się upewnić, czy wyrażam zgodę, po czym niechętnie kiwnął głową i wyszedł do salonu.

– Chcesz – spytał obcesowo Eric – abym uleczył rany na twoim ramieniu?

Pomyślałam o brzydkich, skorupiastych półksiężycach i o cieniutkich ramiączkach sukienki, którą planowałam włożyć. O mało mu nie pozwoliłam, ale po namyśle ostatecznie odmówiłam.

– Jak bym to wytłumaczyła, Ericu? Wszyscy w barze widzieli, że ten mężczyzna mnie zaatakował.

– Masz rację. – Zamknął oczy i potrząsnął głową. Miałam wrażenie, że jest na siebie wściekły. – Tak, naturalnie. Nie jesteś wilkołakiem ani nieumarłym. Rany na twoim ciele nie mogą goić się tak szybko.

Wtedy zrobił coś nieoczekiwanego. Wziął moją rękę w obie swoje i przytrzymał ją. Patrzył mi w oczy.

– Przeszukałem całe Jackson. Zajrzałem do magazynów, na cmentarze, do wiejskich domów i we wszystkie inne miejsca, gdzie wyczułem zapach wampirów. Odwiedziłem każdą nieruchomość należącą do Edgingtona lub niektórych spośród jego świty. Nie znalazłem ani śladu po Billu. Bardzo się boję, Sookie. Jest coraz bardziej prawdopodobne, że Bill jednak nie żyje. Że umarł nieodwołalnie.

Poczułam się jak po ciosie obuchem w czoło. Kolana po prostu się pode mną ugięły i gdyby Eric błyskawicznie nie podskoczył do mnie, leżałabym na podłodze jak długa. Usiadł wraz ze mną w fotelu stojącym w rogu pokoju, a ja zwinęłam się na jego kolanach.

– Za bardzo cię zdenerwowałem – tłumaczył się. – Usiłowałem tylko wysnuwać logiczne wnioski, ale postąpiłem...

– Okrutnie.

Z oczu popłynęły mi łzy.

Język Erica wystrzelił i poczułam kropelki wilgoci. Wampir zlizywał moje łzy. Najwyraźniej nieumarli lubią wszystkie płyny ustrojowe, jeśli nie mogą zdobyć krwi. Mnie to nie przeszkadzało. Cieszyłam się, że ktoś mnie tuli i pociesza, nawet jeśli był to Eric. Pogrążyłam się głębiej w swojej niedoli, podczas gdy on rozmyślał.

– Jedynym miejscem, którego nie sprawdziłem, są prywatne tereny Russella Edgingtona. To znaczy, jego rezydencja wraz z zabudowaniami gospodarczymi. Zdziwiłbym się, gdyby okazał się na tyle nierozważny, żeby więzić innego wampira we własnym domu... Tyle że Russell jest królem od stu lat. Może zrobił się zbyt pewny siebie? Pewnie zdołałbym przekroczyć mur i wejść na teren jego posesji, ale pewnie nigdy bym go nie opuścił. Teren patrolują wilkołaki. Bardzo mało prawdopodobne, że uzyskamy dostęp do tak dobrze strzeżonego miejsca, a on raczej nie zaprosi nas do siebie. No, chyba że zaistnieją jakieś niezwykłe okoliczności. – Poczekał, aż dotrą do mnie jego rewelacje. – Sądzę, że musisz mi powiedzieć, co wiesz o planie Billa.

– Aha! Więc dlatego mnie pocieszasz i jesteś miły?! – Wkurzyłam się. – Bo chcesz wyciągnąć ze mnie informacje?

Ożywiona gniewem, skoczyłam na równe nogi.

Eric również się zerwał, starając się patrzeć na mnie z góry.

– Sądzę, że Bill nie żyje – powiedział. – Usiłuję więc ocalić własne życie. I twoje, ty głupia kobieto.

Sadząc po jego tonie, był równie rozzłoszczony jak ja.

– Znajdę go – odcięłam się, wymawiając starannie każde słowo. Nie byłam pewna, jak zamierzam tego dokonać, ale wierzyłam, że może ustalę coś dzięki wieczornemu szpiegowaniu. Daleko mi do Pollyanny, ale zawsze byłam optymistką.

– Nie możesz robić słodkich oczu do Edgingtona, Sookie. Król nie interesuje się kobietami. A jeślibym zaczął sam z nim flirtować, nasunęłyby mu się podejrzenia. Wampiry uprawiające ze sobą seks... to niezwykły przypadek. A Edgington nie dotarłby tak wysoko, gdyby był łatwowierny. Może jego zastępczyni, Betty Joe, zechciałaby mnie, lecz i ona jest wampirzycą, więc obowiązują te same zasady... Nawet nie wiesz, jak niezwykła jest fascynacja Billa Loreną. Powiem ci, że odnosimy się wręcz z dezaprobatą do wampirów, które kochają inne wampiry.

Zignorowałam dwa ostatnie zdania.

– Jak dowiedziałeś się tego wszystkiego?

– Spotkałem się ubiegłej nocy z pewną młodą wampirzycą, której chłopak także bywa na przyjęciach u Edgingtona.

– Och, jest biseksualny?

Eric wzruszył ramionami.

– To wilkołak, więc być może ma dwie natury nie tylko w jednym sensie.

– Myślałam, że wampirzyce nie umawiają się z wilkołakami.

– Ta jest perwersyjna. Młode lubią eksperymenty.

Przewróciłam oczyma.

– Mówisz mi zatem, że powinnam się skoncentrować na zdobyciu zaproszenia do siedziby Edgingtona, ponieważ Billa na pewno nie przetrzymują w żadnym innym miejscu w całym Jackson?

– Może być w innym miejscu w mieście – odparł Eric ostrożnie. – Chociaż nie sądzę. Istnieje tylko niewielkie prawdopodobieństwo. Pamiętaj, Sookie, że przetrzymują go już od kilku dni.

Spojrzałam na niego i dostrzegłam na jego twarzy współczucie.

Ten widok przeraził mnie bardziej niż cokolwiek innego.

ROZDZIAŁ DZIEWIĄTY

Drżałam ze zdenerwowania, jak to często bywa przed niebezpieczną misją. Była to ostatnia noc, kiedy Alcide mógł odwiedzić Klub Martwych – wszak Terence bardzo stanowczo radził mu się trzymać z dala. Potem będę zdana wyłącznie na siebie.

O ile w ogóle wpuszczą mnie do „Josephine" bez asysty mojego wilkołaka.

Kiedy się ubrałam, stwierdziłam, że wolałabym pójść do zwyczajnego baru wampirzego, czyli takiego, do którego przeciętne istoty ludzkie przychodzą pogapić się na nieumarłych.

Do tego typu lokali należała „Fangtasia", bar Erica w Shreveport. Ludzie jeżdżą tam na wieczorne wypady. Większość wkłada stroje w kolorze czarnym, niektórzy popijają sztuczną krew lub przyprawiają sobie tanie sztuczne kły. Patrzą na wampiry w barze i ekscytują się własną śmiałością. Od czasu do czasu któryś z tych turystów może przesadzić. Na przykład zacznie się przystawiać do jednej z wampirzyc albo nie okaże stosownego szacunku barmanowi, takiemu jak Chow. Wówczas być może turysta dowie się, jak duży popełnił błąd.

W Klubie Martwych panowały inne, jasne zasady. Ludzie byli tam „ozdobnikami", dodatkami. A nadnaturalni byli niezbędni.

Poprzedniej nocy byłam przejęta czekającą mnie wyprawą. Teraz czułam jedynie determinację, jak gdybym zażyła silny narkotyk, który stłumił wszystkie moje normalne emocje. Włożyłam pończochy i ładne czarne podwiązki, które dostałam od Arlene na urodziny. Uśmiechnęłam się na myśl o mojej rudowłosej przyjaciółce i jej niewiarygodnej wierze w mężczyzn, mimo czterech rozwodów. Arlene powiedziałaby mi dziś, żebym cieszyła się każdą minutą, każdą sekundą, każdą dostępną dla mnie przyjemnością. Powiedziałaby, że nigdy nie wiadomo, jakiego mężczyznę można spotkać i że może dziś przeżyję magiczną noc. Może włożenie podwiązek zmieni całe moje życie. Tak by mnie pocieszała Arlene.

Nie powiem, że te myśli wywołały u mnie uśmiech, lecz bez wątpienia byłam trochę mniej ponura, gdy wkładałam przez głowę sukienkę. Miała odcień szampana i zużyto na nią niewiele materiału. Miałam też czarne buty na obcasie i kolczyki z gagatami, ale nie potrafiłam podjąć decyzji w sprawie swojego starego płaszcza – wziąć go czy z próżności odmrozić sobie tyłek? Patrząc na to bardzo znoszone niebieskie okrycie, westchnęłam. Wniosłam płaszcz do salonu pod pachą. Alcide był gotów do wyjścia i stał na środku pokoju, czekając na mnie. Zauważyłam, że wygląda na ogromnie zdenerwowanego, kiedy wyciągnął jedno z owiniętych w papier pudełek ze stosu, który wyrósł po jego porannych zakupach. Wilkołak miał na twarzy tę samą zakłopotaną minę, jaką dostrzegłam u niego po powrocie do mieszkania z salonu Janice.

– Chyba byłem ci go dłużny – oznajmił i wręczył mi wielkie pudło.

– Och, Alcide! Masz dla mnie prezent?

Wiem, wiem, stałam jak głupia z pudłem w ręku. Ale musicie zrozumieć, że niezbyt często dostaję prezenty.

– Otwórz – polecił.

Rzuciłam płaszcz na najbliższe krzesło i niezgrabnie rozwinęłam podarek, ponieważ nie przyzwyczaiłam się jeszcze do sztucznych paznokci. Po dłuższej chwili udało mi się otworzyć pudło z białego kartonu i odkryłam, że Alcide odkupił moje zniszczone okrycie. Wyjmowałam długi prostokąt powoli, delektując się każdą sekundą. Prezent był piękny – czarny, aksamitny szal z koralikami na końcach. Nie mogłam się powstrzymać przed myślą, że kosztował pięć razy więcej niż zniszczona wczoraj jedwabna chusta.

Oniemiałam, co prawie nigdy mi się nie zdarza. Ale naprawdę nie dostaję zbyt wielu prezentów i są dla mnie ważne. Owinęłam się aksamitem, rozkoszując się dotykiem szala. Potarłam o niego policzkiem.

– Dziękuję – powiedziałam drżącym głosem.

– Proszę bardzo – odparł. – Boże, Sookie, nie płacz. Chciałem, żebyś była szczęśliwa.

– Naprawdę jestem – zapewniłam go. – Nie zamierzam płakać. – Zdławiłam łzy i poszłam obejrzeć się w lustrze w mojej łazience. – Och, jest piękny! – zawołałam wzruszona.

– Dobrze, że ci się podoba. Pomyślałem, że to najmniej, co mogę dla ciebie zrobić.

Alcide rozłożył szal na moich ramionach w taki sposób, że materiał zakrył czerwone, pokryte strupkami ślady.

– Nic mi nie byłeś winien – stwierdziłam. – To ja mam dług wobec ciebie. – Dostrzegłam, że moja poważna mina krępuje Alcide'a równie mocno jak myśl o moim ewentualnym płaczu. – Chodź. Jedźmy już do Klubu Martwych. Dziś wieczorem dowiemy się wszystkiego i nikt nie zostanie ranny.

Potwierdziło się, niestety, że nie mam daru jasnowidzenia.

***

Alcide miał na sobie inny garnitur, ja inną sukienkę, ale wejście do „U Josephine" wyglądało niemal tak samo jak wczoraj. Bezludny chodnik, nastrój zbliżającego się nieszczęścia. Dziś wieczorem było jeszcze chłodniej, na tyle zimno, że gdy robiłam wydech, widziałam w powietrzu kłąb mgły, poczułam więc kolejny raz wdzięczność za ciepły aksamitny szal. Tym razem Alcide nie pomógł mi wysiąść – wyskoczył z auta, skrył się pod daszkiem i czekał tam na mnie.

– Pełnia księżyca – wyjaśnił zwięźle. – Czeka mnie nerwowa noc.

– Przykro mi – odparłam bezradnie. – Pewnie jest ci strasznie ciężko.

Gdyby nie musiał dotrzymać mi towarzystwa, mógłby poganiać w lasach za jeleniami i królikami.

Po moich przeprosinach wzruszył ramionami.

– Jutro też jest noc – odparł. – Będzie prawie tak samo dobrze.

A jednak był ogromnie spięty.

Dziś nie zrobiło na mnie wrażenia to, że pikap nagle odjechał, bez wątpienia sam, ani trochę nie zadrżałam też, kiedy pan Hob otworzył drzwi. Nie powiem, żeby goblin ucieszył się na nasz widok, z drugiej jednak strony nie miałam pojęcia, co naprawdę sugeruje jego zwykła mina. Jednym słowem, nawet gdyby jego uczucia zmieniały się jak w kalejdoskopie, być może wcale bym tego nie zauważyła.

Tak czy owak wątpiłam, że mógłby zareagować entuzjastycznie na moje ponowne odwiedziny w jego klubie. Ale czy rzeczywiście był jego właścicielem? Nie mieściło mi się w głowie, że pan Hob mógłby nazwać swój klub „U Josephine". Prędzej „Pod Śmierdzącym Martwym Psem" albo „Cholerne Robaki". Ale nie „U Josephine".

– Dziś wieczorem nie będzie kłopotów – oznajmił nam z przekonaniem. Mówił, lekko się zacinając, jak gdyby nie lubił rozmawiać i rzadko to robił.

– To nie była jej wina – wyjaśnił Alcide.

– Niemniej jednak – odparował Hob. I tyle. Prawdopodobnie ten niski, brzydki osobnik sądził, że nie musi nic więcej dodawać, i miał rację. Ostro kiwnął głową w stronę kilku zsuniętych stolików. – Król na was czeka.

Gdy podeszłam do stolika, wszyscy mężczyźni wstali. Russell Edgington i jego szczególny przyjaciel Talbot wybrali miejsca przodem do parkietu. Naprzeciwko nich zauważyłam parę – starszego wampira (hm, to znaczy, został wampirem, kiedy był w dość zaawansowanym wieku) i kobietę, która oczywiście nadal siedziała. Przyjrzałam jej się uważniej i krzyknęłam radośnie.

– Tara!

Moja przyjaciółka z liceum również krzyknęła i zerwała się na równe nogi. Uściskałyśmy się wyjątkowo serdecznie, znacznie bardziej entuzjastycznie niż mamy w zwyczaju na co dzień. Tu jednak, w Klubie Martwych, obie byłyśmy obcymi w obcym kraju.

Tara, która jest dużo wyższa ode mnie, ma ciemne włosy i oczy oraz oliwkową cerę. Miała dziś na sobie złotobrązową sukienkę z długimi rękawami, która migotała przy każdym ruchu, i bardzo wysokie obcasy. W tych butach niemal dorównywała wzrostem swojemu partnerowi.

Ledwie uwolniłam się z objęć i radośnie poklepałam ją po plecach, zdałam sobie sprawę, że w mojej obecnej sytuacji nie mogło mi się przydarzyć chyba nic gorszego niż spotkanie z Tarą. Szybko odczytałam jej myśli i znalazłam potwierdzenie swoich podejrzeń. Tak, Tara właśnie miała mnie spytać, dlaczego nie towarzyszy mi Bill, lecz ktoś inny.

– Chodź ze mną do toalety na sekundkę, droga przyjaciółko! – poprosiłam z pozoru niefrasobliwym tonem, a Tara złapała torebkę, przy okazji posyłając partnerowi piękny uśmiech, jednocześnie przepraszający i wiele obiecujący.

Pomachałam Alcide'owi, przeprosiłam pozostałych mężczyzn i ruszyłyśmy żwawo do toalety, która znajdowała się w korytarzu prowadzącym do tylnych drzwi. W damskiej było pusto. Przywarłam plecami do drzwi, żeby nie przeszkodziły nam w rozmowie inne kobiety. Tara zagapiła się na mnie bez słowa, choć z wyrazu jej twarzy wiedziałam, że ma do mnie mnóstwo pytań.

– Taro, proszę cię, nie wspominaj o Billu ani o Bon Temps.

– Wyjaśnisz mi dlaczego?

– Chodzi o to... – Próbowałam wymyślić sensowną odpowiedź, lecz nie zdołałam. – Widzisz, jeśli coś powiesz, zapłacę za to życiem.

Skrzywiła się i bacznie mi przyjrzała. Któż by zareagował inaczej? Tara jednak wiele w życiu przeszła i dzięki tym przeżyciom była twarda.

– Strasznie się cieszę, że cię tu widzę – powiedziała po prostu. – Czułam się taka samotna w tym towarzystwie. Kim jest twój przyjaciel? I co się dzieje?

Czasami nie pamiętam, że inni ludzie nie potrafią czytać w myślach. A jeszcze częściej umyka mi fakt, że większość osób nie ma pojęcia o istnieniu wilkołaków i zmiennokształtnych.

– To geodeta – odparłam. – Chodź, przedstawię cię.

– Wybaczcie, że tak szybko wyszłyśmy – wytłumaczyłam się mężczyznom, przywołując na twarz pogodny uśmiech. – Zapomniałam o dobrym wychowaniu.

Przedstawiłam Tarę Alcide'owi, który popatrzył na nią ze stosowną dozą zachwytu. Potem Tara przedstawiła mnie.

– Sookie, to jest Franklin Mott.

– Miło mi pana poznać – powiedziałam i wyciągnęłam rękę, zanim uświadomiłam sobie własne faux pas. Wampiry nie podają sobie rąk. – Przepraszam – bąknęłam pośpiesznie i zamiast tego lekko mu pomachałam. – Mieszka pan tutaj w Jackson, panie Mott?

Nie chciałam wprawić Tary w zakłopotanie swoim zachowaniem.

– Proszę, mów mi Franklin – odparł. Miał cudownie aksamitny głos i mówił z lekkim włoskim akcentem. W chwili śmierci miał prawdopodobnie około sześćdziesiątki; jego włosy i wąsy były szpakowate, a twarz pokryta zmarszczkami. Wyglądał na osobnika pełnego wigoru i prezentował się bardzo męsko. – Tak, mieszkam tutaj, chociaż moja firma ma filie nie tylko w Jackson, lecz także w Ruston i w Vicksburgu. Poznałem Tarę na spotkaniu w Ruston.

Stopniowo zapoznaliśmy się i usadowiliśmy, a potem ja i Tara wyjaśniłyśmy mężczyznom, że chodziłyśmy razem do szkoły średniej. W końcu zamówiliśmy napoje. Wszystkie wampiry, ma się rozumieć, wzięły krew syntetyczną, a Talbot, Tara, Alcide i ja poprosiliśmy o drinki. Uznałam, że mam ochotę na kolejny koktajl na szampanie. Kelnerka, zmiennokształtna, poruszała się w dziwny sposób, jak gdyby się przemykała, i nie była zbyt rozmowna. Wokół wyraźnie czuło się, że tej nocy księżyc jest w pełni.

Z tego powodu dziś w barze znajdowało się znacznie mniej istot dwoistej natury. Cieszyłam się, że nie pojawiła się Debbie z narzeczonym, a gang motocyklowy reprezentują jedynie dwa wilkołaki. Więcej było za to wampirów i istot ludzkich. Zastanawiałam się, w jaki sposób wampirom z Jackson udaje się utrzymać istnienie tego lokalu w sekrecie. Wśród ludzi, którzy przybyli z nadnaturalnymi partnerami, na pewno niejeden miał ochotę wygadać się jakiemuś reporterowi lub opowiedzieć o swojej wizycie przyjaciołom. Wypytałam Alcide'a.

– Bar jest zaczarowany – odpowiedział spokojnie. – Nie byłabyś w stanie nikomu wyjaśnić, jak do niego dotrzeć, nawet gdybyś bardzo się starała.

Pomyślałam, że muszę później sprawdzić, czy to prawda. Zastanawiałam się, kto rzucił ten czar... czy jak to się nazywa. Skoro wierzyłam w wampiry, wilkołaki i zmiennokształtnych, dlaczego nie miałabym uwierzyć w istnienie czarodziejek?

Siedziałam wciśnięta między Talbota i Alcide'a, więc dla podtrzymania rozmowy spytałam Talbota o ten sekret. Odniosłam wrażenie, że chętnie ze mną gawędził, a Alcide i Franklin Mott odkryli, że mają wspólnych znajomych, więc nie chciałam się wtrącać.

Talbot zbyt intensywnie skropił się dziś wodą kolońską, ale nie miałam mu tego za złe. Był mężczyzną zakochanym oraz uzależnionym od wampirzego seksu... A nie każdemu udaje się pogodzić te dwie kwestie. Inna sprawa, że ten bezwzględny, inteligentny człowiek zupełnie nie potrafił pojąć, jak to się stało, że jego życie zmieniło się w tak niezwykły sposób. (Wiedziałam mnóstwo o jego życiu, ponieważ należał do osób, którym bez trudu czytam w myślach).

Odpowiadając na moje pytanie, powtórzył opinię Alcide'a o zaklęciu, pod wpływem którego znajduje się „Josephine".

– Droga do baru to jedno, natomiast zdarzenia, do których tu dochodzi, są utrzymywane w sekrecie z innego powodu – oznajmił, jakby nie mógł wybrać pomiędzy krótką odpowiedzią i bardziej szczegółową. Popatrzyłam na jego miłą, ładną twarz i przypomniałam sobie, że ten mężczyzna wie, jakim torturom poddawany jest Bill, i nic go to nie obchodzi. Chciałam, żeby pomyślał ponownie o moim wampirze. Przynajmniej dowiedziałabym się, czy Bill żyje. – No cóż, panno Sookie, nikt nie opowiada o tym, co tu się dzieje, z powodu... strachu i perspektywy straszliwej kary.

Powiedział to z wyczuwalnym zadowoleniem w głosie. Podobało mu się to. Cieszył się, że zdobył serce Russella Edgingtona, osobnika, który umiał zabić bez wahania i którego trzeba się było obawiać.

– Każdy wampir lub wilkołak... a właściwie każde stworzenie nadnaturalne, a wierz mi, że wielu jeszcze nie widziałaś... każdy, kto tu wprowadzi istotę ludzką, pozostaje odpowiedzialny za jej zachowanie. Gdybyś na przykład chciała po wyjściu stąd zadzwonić do redakcji jakiegoś szmatławca, świętym obowiązkiem Alcide'a byłoby wytropić cię i zabić.

– Rozumiem. – I rzeczywiście rozumiałam. – A gdyby Alcide nie potrafił się do tego zmusić? – spytałam jednak.

– Wówczas sam zapłaciłby za to życiem, a do wykonania brudnej roboty zostałby wynajęty jeden z łowców nagród.

Jezu Chryste, Pasterzu Judei!

– Istnieją łowcy nagród?

Alcide powinien mnie o tym poinformować. Nowina była raczej przykra. Mój głos zabrzmiał chyba dość chrypliwie.

– Jasne. W tym rejonie są to wilkołaki, które noszą stroje harleyowców. Szczerze mówiąc, wypytywały dziś o ciebie,

192

ponieważ... – Rysy jego twarzy wyostrzyły się, mina stała się podejrzliwa. – Mężczyzna, który cię napastował... Widziałaś go ponownie ubiegłej nocy? Po opuszczeniu baru?

– Nie – zapewniłam go. W teorii mówiłam prawdę. Nie widziałam go ponownie... ubiegłej nocy. Wiedziałam, co Bóg myśli o tego typu „prawdzie", pomyślałam jednak, że na pewno pragnie, bym ocaliła własne życie. – Alcide i ja pojechaliśmy prosto do jego mieszkania. Trochę mnie te zdarzenia wytrąciły z równowagi.

Spuściłam wzrok jak skromna pensjonarka nienawykła do zaczepek w barach. Jeszcze bardziej oddaliłam się od prawdy. (Chociaż Sam ogranicza do minimum takie incydenty i chociaż większość gości „Merlotta" uważa mnie za wariatkę, której lepiej unikać, od czasu do czasu muszę oczywiście znosić napastliwe zaczepki oraz wymuszone umizgi facetów, zbyt pijanych, by przeszkadzała im moja opinia stukniętej.

– Podobno byłaś bardzo dzielna, gdy zanosiło się na walkę – zauważył Talbot, myśląc równocześnie, że moja odwaga z ubiegłej nocy zupełnie nie pasuje do skromności, jaką prezentuję dziś wieczorem.

Cholera, przesadnie odegrałam swoją rolę.

– „Dzielny" to dobre określenie dla Sookie – wtrąciła się Tara. Z wdzięcznością przyjęłam jej uwagę. – Kiedy tańczyłyśmy razem na scenie, jakiś milion lat temu, ona była tą śmiałą, nie ja! Ja trzęsłam się ze strachu.

Dziękuję ci, Taro.

– Tańczyłyście? – zainteresował się Franklin Mott.

– O tak, wygrałyśmy nawet konkurs młodych talentów – odrzekła Tara. – Tyle że nie zdawałyśmy sobie sprawy... do czasu ukończenia szkoły i zdobycia pewnych życiowych doświadczeń, że nasz taniec był tak naprawdę, hm...

– Dwuznaczny – dokończyłam, nazywając rzecz po imieniu. – Byłyśmy najbardziej niewinnymi dziewczynkami w naszym małym liceum i po prostu podpatrzyłyśmy ten taniec w MTV.

– Minęły lata, zanim pojęłyśmy, dlaczego dyrektor szkoły tak okropnie się pocił – powiedziała Tara z uśmiechem tak łobuzerskim, że aż czarującym. – Właściwie, czekajcie, zaraz powiem didżejowi...

Zerwała się z miejsca i pobiegła do wampira, który rozstawiał sprzęt na niewielkiej scenie. Didżej pochylił się ku niej i słuchał uważnie, a potem skinął głową.

– Och, nie!

Poczułam straszliwe zażenowanie.

– Co? – spytał Alcide.

Był szczerze ubawiony.

– Ona chce, żebyśmy znowu zatańczyły.

Istotnie. Tara przeszła przez tłum i zbliżyła się do mnie, kręcąc biodrami. Promieniała. Znalazłam ze dwadzieścia pięć dobrych wymówek, aby tego nie robić, a jednak chwyciła mnie za ręce i pociągnęła ku sobie. Uznałam zatem, że najlepiej mieć to za sobą. Tara uwielbiała nasze popisy, a poza tym była moją przyjaciółką. Gdy rozległa się piosenka Pat Benatar *Love Is a Battlefield*, goście na parkiecie się rozstąpili.

Niestety, przypomniałam sobie każdy element naszego erotycznego tańca, każdy wyrzut biodra i kołysanie.

W swej niewinności Tara i ja wymyśliłyśmy układ godny pary w łyżwiarstwie figurowym. Często się dotykałyśmy (albo prawie). A może bardziej wyglądało to jak pastisz lesbijskiego numeru wykonywanego w barze ze striptizem? Wprawdzie nigdy nie byłam w barze ze striptizem ani kinie porno, przypuszczam jednak, że nagłe pożądanie, które wyczuwało się wśród klientów „U Josephine" tej nocy, było na podobnym poziomie. Nie pragnęłam być obiektem ich żądzy, niemniej jednak odkryłam, że mam nad nimi niejaką władzę.

Dzięki Billowi odkryłam, że moje ciało pragnie seksu, a teraz byłam pewna, że tańczę w taki sposób, jak gdybym wiele wiedziała o rozkoszach fizycznej miłości. Tara tak samo. W jakimś perwersyjnym sensie przeżywałyśmy właśnie moment w stylu „jestem kobietą, usłysz mój krzyk". I nagle „miłość stała się polem bitwy". Benatar miała rację, nadając piosence taki tytuł.

Obróciłyśmy się bokiem do „publiczności". Na ostatnie kilka taktów Tara chwyciła mnie w talii, a później równocześnie dotknęłyśmy się biodrami i ukłoniłyśmy, przesuwając rękoma tuż nad podłogą. W tym momencie muzyka ucichła. Przez krótką chwilę panowała cisza, po czym rozległy się głośne brawa i gwizdy.

Z głodnych spojrzeń wampirów wywnioskowałam, że myślą o krwi płynącej w naszych żyłach, szczególnie na wewnętrznych stronach ud. Wilkołaki z kolei wyobrażały sobie, jak pyszne muszą być nasze ciała. Tak czy owak, gdy wracałam do stolika, czułam się niemal jak produkt spożywczy. Po drodze i mnie, i Tarę poklepywano i zarzucano komplementami. Otrzymałyśmy też wiele różnych zaproszeń. Omal nie dałam się skusić i nie poszłam zatańczyć z wampirem o ciemnych loczkach, który był mniej więcej mojego wzrostu i wyglądał jak miły króliczek. Jednak tylko się uśmiechnęłam i poszłam dalej.

Franklin Mott był zachwycony.

– Och, miałaś rację – powiedział, kiedy przysuwał Tarze krzesło.

Spostrzegłam, że Alcide siedzi nieruchomo i patrzy na mnie spode łba, toteż Talbot musiał się pochylić i odsunąć dla mnie krzesło. Zrobił to niezdarnie i niedbale, lecz za ten gest Russell pogłaskał go po ramieniu.

– Nie mogę uwierzyć, że nie wydalili was za to ze szkoły, dziewczyny – zauważył Talbot, aby ukryć skrępowanie, a ja pomyślałam, że nie wiedziałam, jaki zaborczy dupek jest z tego Alcide'a.

– Nie miałyśmy pojęcia – zaprotestowała Tara ze śmiechem. – Zielonego. Nie mogłyśmy zrozumieć, o co było całe to zamieszanie.

– Co cię gryzie? – spytałam cicho Alcide'a.

Kiedy jednak wsłuchałam się ostrożnie w jego myśli, ustaliłam źródło jego niezadowolenia. Miał do siebie żal za to, że przyznał mi się wcześniej do swego uczucia do Debbie, uważał bowiem, że w przeciwnym razie mógłby spróbować zaciągnąć mnie do łóżka. Czuł się winny, a jednocześnie był na siebie z tego powodu wściekły, ponieważ dziś była noc pełni księżyca – można by rzec, jego comiesięczny okres niedyspozycji. W jakimś sensie.

– Nie szukasz swojego chłopaka zbyt intensywnie, co? – mruknął lodowatym, nieprzyjemnym, ściszonym głosem.

Miałam wrażenie, że ktoś chlusnął mi w twarz zawartością kubła z zimną wodą. Byłam w szoku i poczułam ból. W oczach stanęły mi łzy.

Wszyscy przy naszym stoliku natychmiast zauważyli, że Alcide powiedział coś, co mnie zasmuciło.

Talbot, Russell i Franklin popatrzyli na wilkołaka twardo. W ich oczach dostrzegałam groźbę. Spojrzenie Talbota było jedynie słabym echem miny kochanka, więc można je było zlekceważyć, lecz Russell był przecież królem, a Franklin bez wątpienia wpływowym wampirem. Alcide od razu przypomniał sobie, gdzie jest i z kim.

– Wybacz mi, Sookie, po prostu poczułem zazdrość – oświadczył na tyle głośno, by pozostali go usłyszeli. – Wasz taniec był naprawdę interesujący.

– Interesujący? – odparowałam, najspokojniej jak potrafiłam. Ja również byłam dość, cholera, wściekła. Pochyliłam się ku Alcide'owi i przeczesałam palcami jego włosy. – Tylko interesujący?

Uśmiechnęliśmy się do siebie niesamowicie sztucznie, ale udało nam się oszukać resztę. Miałam ochotę chwycić garść tych czarnych kudłów i szarpnąć mocno. Może Alcide nie potrafi czytać w moich myślach, tak jak ja w jego, na pewno jednak wyczuł we mnie to pragnienie. Chciał się cofnąć, lecz jakoś nad sobą zapanował.

Ponownie wtrąciła się Tara, niech Bóg da jej zdrowie, pytając Alcide'a, czym się zajmuje, i w ten sposób rozładowała atmosferę. Odsunęłam się wraz z krzesłem nieco od stolika i skoncentrowałam na myślach gości baru.

Alcide miał rację co do jednej kwestii – byłam tu raczej w pracy niż dla własnej przyjemności. Nie wiedziałam jednak, jak miałabym odmówić Tarze tańca, który sprawiał jej tak wielką przyjemność.

Kiedy tłoczący się na małym parkiecie tancerze nieco się rozsunęli, widziałam przez chwilę Erica. Opierał się o ścianę za małą sceną. Patrzył na mnie, a jego oczy płonęły. Istniał więc ktoś, kto nie wkurzał się na mnie i zrozumiał nasz pokaz.

Bardzo ładnie prezentował się w garniturze i okularach. Pomyślałam, że okulary nadają mu nieco mniej przerażający wygląd, po czym skupiłam się ponownie na swoim zadaniu. Mniejsza liczba wilkołaków i istot ludzkich ułatwiała mi słuchanie i pozwalała wyśledzić właściciela konkretnych myśli. Zamknęłam oczy, by lepiej się skoncentrować, i niemal natychmiast złapałam urywek wewnętrznego monologu, który szczerze mną wstrząsnął.

Męczeńska śmierć – pomyślał jakiś osobnik.

Wiedziałam, że to mężczyzna i że znajduje się gdzieś za mną, w pobliżu baru. Zaczęłam się obracać, ale się powstrzymałam. Patrzenie na kogoś nie pomaga w czytaniu jego myśli, a jednak był to impuls, nad którym z trudem zapanowałam. Spuściłam więc tylko wzrok, żeby nie rozproszył mnie widok innych osób.

Ludzie tak naprawdę nie myślą pełnymi zdaniami. Moja praca to raczej objaśnianie ich myśli, tłumaczenie ich.

Kiedy umrę, moje imię będzie sławne – pomyślał mężczyzna. – Już tylko krok. Boże, proszę, spraw, żeby mnie nie bolało. Przynajmniej on jest tutaj ze mną... Mam nadzieję, że dostatecznie zaostrzyłem kołek...

O cholera. Sekundę później zerwałam się z krzesła i ruszyłam do baru.

Posuwałam się pomalutku, starając się ignorować muzykę i odgłos rozmów, by całą sobą słuchać myśli potencjalnego zabójcy. Czułam się, jak gdybym chodziła pod wodą. Przy barze, nad szklanką z krwią syntetyczną siedziała kobieta z szopą natapirowanych włosów. Miała na sobie sukienkę składającą się z obcisłego gorsetu i falbaniastej spódniczki. Jej umięśnione ramiona i szerokie barki wyglądały dość osobliwie w zestawieniu ze strojem. Nigdy jednak bym jej tego nie wytknęła, podobnie jak żadna inna osoba przy zdrowych zmysłach. Kobietą na pewno była Betty Joe Pickard, zastępczyni Russella Edgingtona. Miała też białe rękawiczki i czółenka. Pomyślałam, że do kompletu brakuje jej tylko małego kapelusika z woalką, ale tak czy owak, mogłabym się założyć, że Betty Joe była kiedyś wielką miłośniczką prezydentowej Mamie Eisenhower.

Za tą potężną wampirzycą stali dwaj mężczyźni, również zwróceni twarzami do baru. Jeden był wysoki i wyglądał dziwnie znajomo. Jego szpakowate włosy były długie, lecz schludnie uczesane – jakby zaniedbał fryzurę wykonaną kiedyś przez fryzjera, więc włosy rosły jak chciały. Uczesanie zupełnie nie pasowało do garnituru. Niższy towarzysz tamtego miał z kolei grube czarne włosy, zmierzwione i upstrzone siwizną. Nosił sportową marynarkę, którą prawdopodobnie kupił na wyprzedaży w sklepie JC Penney.

A w specjalnie wszytej kieszeni tej marynarki miał ukryty kołek!

Dość przerażona, zawahałam się. Jeśli powstrzymam napastnika, ujawnię mój ukryty talent i tym samym zdemaskuję swoją tożsamość. Następstwa mojej dekonspiracji zależały od tego, ile Edgington o mnie wie. Do tej pory zdawał sobie najwyraźniej sprawę z tego, że dziewczyna Billa jest barmanką w barze „U Merlotte'a" w Bon Temps, ale nie kojarzył mojego nazwiska. Właśnie dlatego przedstawiłam się tutaj jako Sookie Stackhouse. Tyle że jeśli Russell wie, że dziewczyna Billa jest telepatką, a teraz odkryje, że ja jestem telepatką, kto wie, co się stanie?

Mogłam wyłącznie zgadywać.

Podczas gdy ja się wahałam, czarnowłosy podjął decyzję za mnie. Sięgnął nagle do wewnętrznej kieszeni marynarki, a jego myślami całkowicie zawładnął fanatyzm. Mężczyzna szybko wyciągnął długi zaostrzony jesionowy kołek. A potem wiele rzeczy zdarzyło się naraz.

– KOŁEK! – krzyknęłam i rzuciłam się na ramię fanatyka, chwytając je rozpaczliwie obiema rękami.

Wampiry i towarzyszące im istoty ludzkie kręciły się wokół, wypatrując zagrożenia, a zmiennokształtni i wilkołaki rozsądnie ruszyli pod ściany, robiąc w ten sposób w lokalu miejsce dla wampirów. Wysoki uderzył mnie, jego duże pięści okładały moją głowę i ramiona, a ciemnowłosy z kołkiem ciągle wykręcał rękę, próbując wyrwać ją z mojego uścisku. Równocześnie usiłował mnie odepchnąć.

Mimo zamieszania przypatrzyłam się wyższemu mężczyźnie i rozpoznałam go, a on mnie. To był G. Steve Newlin, dawny przywódca Bractwa Słońca, walczącej z wampirami organizacji, której siedziba w Dallas po mojej wizycie, można by rzec, obróciła się w pył. Newlin właśnie zamierzał rozpowiedzieć, kim jestem. Odkryłam to, lecz przede wszystkim musiałam obserwować poczynania fanatyka z kołkiem. Zatoczyłam się na obcasach, próbując zachować równowagę, a zamachowiec poszedł wreszcie po rozum do głowy i przełożył kołek z unieruchomionej prawej ręki do wolnej lewej.

Steve Newlin uderzył mnie po raz ostatni pięścią w plecy, po czym rzucił się do wyjścia, a ja kątem oka dostrzegłam szereg stworzeń, które ruszyły za nim w pogoń. Wsłuchałam się w liczne odgłosy wycia i kwilenia, a czarnowłosy mężczyzna tymczasem zrobił zamach lewą ręką i zatopił kołek w moim prawym boku na wysokości talii.

Wtedy puściłam jego ramię i spojrzałam w dół, chcąc zobaczyć, co mi zrobił. Ponownie uniosłam głowę i patrzyłam mu w oczy przez długą chwilę, nie wyczytując z nich niczego poza grozą, która odzwierciedlała moje własne uczucia. Potem Betty Joe Pickard wzięła zamach i dwukrotnie uderzyła napastnika pięścią. Bum! Bum! Pierwszym ciosem trafiła go w szyję. Drugi roztrzaskał mu czaszkę. Usłyszałam odgłos pękających kości.

Mężczyzna upadł na podłogę, a ponieważ nasze nogi były splątane, pociągnął mnie za sobą. Wylądowałam płasko na plecach.

Leżałam, patrząc w górę, w sufit baru, na równomiernie obracający się nad moją głową wentylator. Bezsensownie zastanowiłam się, po co komu wentylator w środku zimy. Zobaczyłam jastrzębia przelatującego tuż pod sufitem, tak że ledwie uniknął łopatek wentylatora. Do mojego boku podszedł wilk, polizał mnie po twarzy i zawył, a potem odwrócił się i uciekł. Tara krzyczała. Ja nie. Było mi tak zimno...

Prawą ręką przykryłam miejsce, gdzie w moje ciało wszedł kołek. Nie chciałam go widzieć i byłam przerażona po tym, jak wcześniej spojrzałam. Czułam, że z rany wypływa coraz więcej krwi.

– Zadzwońcie na dziewięćset jedenaście! – krzyczała Tara, klęcząc obok mnie.

Barman i Betty Joe wymienili spojrzenia nad jej głową. Zrozumiałam.

– Taro – odezwałam się głosem podobnym do krakania. – Kochanie, wszyscy zmiennokształtni się przemieniają. Jest pełnia księżyca. Policja nie może tu wejść, a przyjedzie, jeśli ktoś zadzwoni pod dziewięćset jedenaście.

Do Tary chyba nie dotarła informacja o zmiennokształtnych. Nic dziwnego, skoro do tej pory nie wiedziała, że istnieją takie istoty.

– Wampiry nie pozwolą ci umrzeć – oznajmiła Tara z przekonaniem. – Przecież dopiero co uratowałaś jednego z nich!

Nie byłam tego taka pewna. Ponad Tarą zobaczyłam twarz Franklina Motta. Patrzył na mnie i potrafiłam zrozumieć wyraz jego twarzy.

– Taro – szepnęłam – musisz teraz stąd wyjść. To szaleństwo narasta, a jeśli rzeczywiście przyjedzie policja, nie może cię tu być.

Franklin Mott skinął głową.

– Nie zamierzam cię zostawić, dopóki nie udzielą ci pomocy – upierała się moja przyjaciółka zdecydowanym tonem.

Droga, kochana Tara.

Tłumek wokół mnie składał się z wampirów. Jednym z nich był Eric. Nie umiałam rozszyfrować jego miny.

– Wysoki blondyn mi pomoże – powiedziałam do Tary zgrzytliwym głosem.

Wycelowałam palcem w Erica, ale nie patrzyłam na niego, ze strachu, że wyczytam w jego oczach odmowę. Podejrzewałam, że jeśli mi nie pomoże, będę leżała na tej podłodze z wypolerowanego drewna, aż umrę w wampirzym barze w Jackson, stan Missisipi.

Mój brat, Jason, naprawdę się wkurzy.

Tara spotkała kiedyś Erica w Bon Temps, ale poznali się pewnej bardzo stresującej nocy i teraz wyraźnie nie kojarzyła wysokiego blondyna z tamtej nocy z osobnikiem w okularach, garniturze i włosach zaplecionych w warkoczyk.

– Proszę, pomóż Sookie – zwróciła się wprost do niego, kiedy Franklin Mott niemal szarpnął ją do pozycji pionowej.

– Ten młody mężczyzna będzie szczęśliwy, że może pomóc twojej przyjaciółce – powiedział Mott.

Posłał Ericowi ostre spojrzenie, którym ostrzegał, żeby Eric lepiej nie próbował odmawiać.

– Oczywiście. Jestem dobrym przyjacielem Alcide'a – odparł Eric, kłamiąc bez mrugnięcia okiem.

Zajął miejsce Tary przy moim boku. Gdy klęknął, natychmiast wiedziałam, że poczuł zapach mojej krwi. Jego twarz stała się jeszcze bledsza, a kości mocniej widoczne pod skórą. Oczy mu płonęły.

– Nie wiesz jakie to dla mnie trudne – wyszeptał – nie pochylić się i nie polizać.

– Jeśli to zrobisz – przestrzegłam go – wszyscy inni też zechcą. I nie tylko będą lizać, ale zaczną gryźć.

Tuż przy swoich stopach dostrzegłam niemieckiego owczarka, który wpatrywał się we mnie żółtymi ślepiami.

– Tylko to mnie powstrzymuje – przyznał się Eric.

– Kim jesteś? – zapytał Russell Edgington.

Przez chwilę bacznie mierzył Erica wzrokiem. Russell stał u mego boku i pochylał się ku nam. Widziałam ich obu nad głową, ale nijak nie mogłam ich przegonić.

– Przyjacielem Alcide'a – powtórzył Eric. – Zaprosił mnie tutaj, żebym poznał jego nową dziewczynę. Mam na imię Leif.

Edgington patrzył na niego z góry, ponieważ Eric klęczał. Spojrzenie bursztynowych oczu króla niemal wwiercało się w błękitne oczy Erica.

– Alcide raczej nie przyjaźni się z wampirami – wytknął mu Russell.

– Należę do nielicznych – odparował Eric.

– Musimy zabrać stąd tę młodą damę – ciągnął król.

Warkot, który słyszałam kilka metrów od nas, narastał. Nad czymś leżącym tam na podłodze zebrała się gromadka zwierząt.

– Zabierzcie go stąd! – ryknął pan Hob. – Tylnymi drzwiami! Znacie zasady!

Dwa spośród wampirów dźwignęły zwłoki, czyli to, o co kłóciły się wilkołaki ze zmiennokształtnymi, i wyniosły je tylnymi drzwiami. Za nimi podążyły wszystkie zwierzęta. I tyle zostało z czarnowłosego fanatyka i jego marzeń o sławie.

Dziś po południu Alcide i ja pozbyliśmy się trupa. Że też nie wpadliśmy na pomysł podrzucenia go pod klub, w tę boczną uliczkę. Chociaż... zwłoki nie były już świeże.

– ...może naruszył nerkę – mówił Eric.

Na chwilę chyba straciłam przytomność albo przynajmniej kontakt z rzeczywistością.

Pociłam się intensywnie i czułam nieznośny ból. Ogarnął mnie smutek, że przepociłam sukienkę, lecz natychmiast uświadomiłam sobie, że i tak jest zniszczona, skoro na wysokości talii ma zakrwawioną dziurę. Prawda?

– Zabierzemy ją do mojego domu – oznajmił Russell. Gdybym nie była tak poważnie ranna, pewnie bym się roześmiała. – Limuzyna już jedzie. Jestem pewien, że dzięki znajomej twarzy dziewczyna poczuje się lepiej. Nie sądzisz?

Pomyślałam, że Russell prawdopodobnie nie chce mnie podnieść, żeby sobie nie pobrudzić garnituru. A Talbot zapewne daleko by mnie nie zataszczył. Z kolei mały wampir z ciemnymi loczkami wciąż był tutaj i nadal się uśmiechał, byłabym jednak dla niego okropnie dużym ciężarem...

Chyba znowu umknęło mi kilka minut.

– Alcide zmienił się w wilka i pognał za towarzyszem zabójcy – powiedział Eric, choć nie pamiętałam, żebym go pytała.

Zaczęłam mu opowiadać, kim jest ów towarzysz zabójcy, a potem pomyślałam, że lepiej tego nie robić.

– Leif – wymamrotałam, usiłując zapamiętać jego fałszywe imię. – Leif. Chyba widać moje podwiązki. Czy to oznacza...?

– Tak, Sookie?

I znowu straciłam przytomność. Ocknąwszy się, odkryłam, że się przemieszczam, a chwilę później zrozumiałam, że to Eric mnie niesie. Nigdy przedtem nic mnie tak strasznie nie bolało i nie po raz pierwszy zadumałam się nad faktem, że przed poznaniem Billa nigdy nie leżałam w szpitalu, a od naszego spotkania stale jestem sponiewierana albo zdrowieję po ranach i obrażeniach. Ta myśl wydała mi się bardzo znacząca i ważna.

Z baru obok nas wybiegł ryś. Popatrzyłam w jego złote oczy. Cóż to będzie za noc dla Jackson! Miałam nadzieję, że wszyscy dobrzy ludzie postanowili dziś wieczorem pozostać w domach.

I nagle znaleźliśmy się w limuzynie. Położyłam głowę na udzie Erica, a siedzenie naprzeciwko nas zajęli Talbot, Russell i mały wampir z czarnymi loczkami. Kiedy zatrzymaliśmy się na światłach, obok nas przebiegł bizon.

– Na szczęście nikt nie chodzi po centrum Jackson w weekendowe grudniowe noce – zauważył Talbot, a Eric się roześmiał.

Jechaliśmy przez jakiś czas. Eric wygładził mi spódnicę na nogach i odgarnął włosy z twarzy. Podniosłam na niego wzrok i...

– ...wiedziała, co on zamierza zrobić? – spytał Talbot.

– Mówiła mi, że zauważyła, że wyjął kołek – skłamał Eric. – Szła do baru po kolejnego drinka.

– Betty Joe miała szczęście – wycedził Russell, przeciągając głoski w intonacji typowej dla Południowców. – Przypuszczam, że nadal ściga tego, który uciekł.

Wjechaliśmy na podjazd i zatrzymaliśmy się przy bramie. Pojawił się brodaty wampir, zajrzał w okno auta

206

i skrupulatnie nas sobie obejrzał. Wykazywał znacznie większą czujność niż obojętny strażnik z apartamentowca Alcide'a. Usłyszałam odgłos aparatury elektronicznej i brama się otworzyła. Jechaliśmy po podjeździe (usłyszałam skrzypienie żwiru), aż zakręciliśmy przed rezydencją. Była oświetlona jak tort urodzinowy, a kiedy Eric ostrożnie wyjął mnie z limuzyny, odkryłam, że znajdujemy się pod portykiem, który był diabelnie luksusowy. Zadaszenie dla pojazdów miało nawet kolumny. Spodziewałam się, że za chwilę po schodach zejdzie do mnie Vivian Leigh.

Następnej minuty znowu nie pamiętam, potem zaś byliśmy w holu. Ból chyba stopniowo słabł, za to zaczęło mi się kręcić w głowie.

Powrót do domu gospodarza tej posiadłości był najwyraźniej dużym wydarzeniem, w dodatku, gdy mieszkańcy poczuli świeżą krew, przybyli szybko i tłumnie. Poczułam się jak obserwatorka castingu dla modeli pozujących do zdjęcia na okładkę romansu. Nigdy w życiu nie widziałam tak wielu ładnych mężczyzn w jednym miejscu! Wiedziałam jednak, że żaden z nich nie jest dla mnie. Russell był nie tylko wampirzym Hugh Hefnerem, lecz także gejowskim, więc w jego Rezydencji Playboya kobiety nie miały czego szukać.

– „Woda! Woda wszędzie dookoła, ale ani kropli do picia"* – jęknęłam, a Eric głośno się roześmiał.

Oto za co go lubię, pomyślałam wesoło. On naprawdę mnie rozumie.

---

* Cytat z *Rymów o sędziwym marynarzu* Samuela Taylora Coleridge'a (1797) (przyp. tłum.).

– Dobrze, zastrzyk zaczyna już działać – zauważył białowłosy mężczyzna w sportowej koszuli i spodniach z zaprasowanymi zaszewkami. Był człowiekiem i tak bardzo wyglądał na lekarza, że równie dobrze mógłby wytatuować sobie stetoskop na piersi. – Będziesz mnie jeszcze potrzebował?

– Może zostaniesz przez chwilę? – zaproponował Russell. – Jestem przekonany, że Josh dotrzyma ci towarzystwa.

Nie było mi dane zobaczyć, jak wygląda Josh, gdyż właśnie wtedy Eric wniósł mnie po schodach.

– Rhett i Scarlet – mruknęłam.

– Nie rozumiem – wyznał Eric.

– Nie widziałeś *Przeminęło z wiatrem*? – zdumiałam się. Ale w gruncie rzeczy dlaczego wampir-wiking miałby znać kultowy melodramat z amerykańskiego Południa? Dość, że przeczytał *Rymy o sędziwym marynarzu*, które ja przerabiałam w liceum. – Musisz koniecznie obejrzeć na wideo. Słuchaj... Dlaczego zachowuję się głupio? Dlaczego nie jestem przerażona?

– Ten człowiek, lekarz, dał ci duże dawki leków – wyjaśnił Eric, uśmiechając się do mnie. – Teraz niosę cię do sypialni, gdzie zostaniesz uzdrowiona.

– On tu jest – poinformowałam go.

Rzucił mi szybkie, ostrzegawcze spojrzenie.

– Russell? Tak, jest. Obawiam się jednak, że Alcide dokonał znacznie gorszego wyboru, Sookie. Pobiegł za drugim napastnikiem, a powinien zostać z tobą.

– Pieprzyć go – obwieściłam z przekonaniem.

– Na pewno żałuje, szczególnie że widział, jak tańczysz.

208

Nie czułam się na tyle dobrze, by się roześmiać, choć przyszła mi do głowy taka myśl.

– Podanie mi tak silnych leków chyba nie było najlepszym pomysłem – stwierdziłam.

Miałam do ukrycia zbyt wiele sekretów.

– Zgadzam się, cieszę się jednak, że nic cię nie boli.

A potem znaleźliśmy się w sypialni i Eric położył mnie na... O rety! Na łożu z baldachimem. Skorzystał z okazji, by szepnąć mi do ucha: „Bądź ostrożna", a ja spróbowałam wbić sobie te słowa w przyćmiony od leków umysł. Bałam się, że mogę zdradzić komuś nowinę – ponad wszelką wątpliwość wiedziałam, że Bill przebywa gdzieś niedaleko.

ROZDZIAŁ DZIESIĄTY

Zauważyłam, że w sypialni zebrał się prawdziwy tłumek. Eric położył mnie na łóżku, które było tak wysokie, że do zejścia potrzebowałabym chyba taboretu. Ale podobno łóżko było odpowiednie na uzdrowienie – taką uwagę usłyszałam od Russella i zaczęłam się martwić, co tym razem oznacza dla mnie ten termin. Ostatnio, gdy poddawano mnie „leczeniu", kuracji bez wątpienia nie można by nazwać tradycyjną.

– Co się stanie? – spytałam Erica, który stał obok łóżka po mojej lewej, zdrowej, stronie.

Zamiast niego odpowiedział mi jednak wampir, który zajął miejsce po mojej prawej stronie. Miał długą, końską twarz, a jego jasne brwi i rzęsy były niemal niewidoczne na bladej twarzy. Jego klatka piersiowa była bezwłosa. Miał na sobie spodnie, jak podejrzewałam, z winylu. Nawet w zimie zapewne nie przepuszczały, hm, powietrza. Nie chciałabym zdzierać sobie z nóg tych „przyssawek". Najładniejszą cechą tego wampira były śliczne proste włosy w kolorze białej kukurydzy.

– Panno Stackhouse, to jest Ray Don – powiedział Russell.

– Dzień dobry.

Moja babcia zawsze mi powtarzała, że człowieka o dobrych manierach wszędzie wita się serdecznie.

– Miło mi panią poznać – odwzajemnił się równie uprzejmie. On także został dobrze wychowany, chociaż trudno powiedzieć, kiedy to było. – Nie zamierzam cię pytać, jak się miewasz, ponieważ widzę, że masz wielgachną dziurę w boku.

– Jakie to paradoksalne, żeby istotę ludzką przebijać kołkiem, nieprawdaż? – zauważyłam dla podtrzymania rozmowy.

Miałam nadzieję, że zobaczę ponownie lekarza, gdyż bardzo chciałam go spytać, jakie lekarstwo mi podał. Było nieocenione.

Ray Don posłał mi niepewne spojrzenie i zdałam sobie sprawę, że trochę się zagalopowałam. Może powinnam podarować mu kalendarz z trudnymi słowami na każdy dzień. Mnie taki Arlene dawała co roku na Gwiazdkę.

– Powiem ci, co się zdarzy, Sookie – wtrącił się Eric. – Wiesz? Kiedy zaczynamy ssać i nasze kły się wysuwają, uwalnia się trochę środka przeciwkrzepliwego.

– Aha.

– A kiedy jesteśmy gotowi zakończyć posiłek, z okolic kłów wydziela się nieco środka powodującego z kolei krzepnięcie i trochę...

– Czegoś, dzięki czemu tak szybko goją wam się rany?

– Tak, faktycznie.

– Jaka jest rola Raya Dona?

– Ray Don, jak twierdzą towarzysze z jego gniazda, posiada w swoim ciele nadzwyczajny zapas tych wszystkich substancji chemicznych. Na tym polega jego dar.

Ray Don uśmiechnął się do mnie serdecznie. Był z tego dumny.

– Więc Ray zacznie ssać krew ochotnika, a później oczyści twoją ranę i uleczy ją.

Eric pominął w tym streszczeniu fakt, że w pewnym momencie kuracji trzeba będzie wyjąć kołek, a żaden lek na świecie nie stłumi towarzyszącego temu procesowi cholernego bólu. Uświadomiłam to sobie podczas jednego z nielicznych momentów, w których odzyskiwałam przytomność.

– Okej – powiedziałam. – Zaczynajmy!

Ochotnik okazał się wiotkim nastoletnim blondynkiem, który nie był ode mnie ani wyższy, ani – prawdopodobnie – również szerszy w barkach. Miałam wrażenie, że poddaje się eksperymentowi absolutnie dobrowolnie. Zanim Ray Don go ugryzł, całował się z nim głośno, czego mógł mi oszczędzić, ponieważ nie jestem zwolenniczką publicznego okazywania uczuć. (Kiedy mówię „głośno", nie mam na myśli cmoknięcia, lecz ciąg intensywnych odgłosów, takich jak jęki i dźwięki sugerujące głęboką penetrację językiem, sięgającą migdałków). Kiedy skończyli długi pocałunek, obaj wyglądali na zadowolonych. Następnie blondynek przechylił głowę, a Ray Don zatopił kły w jego szyi. Blondynek dyszał, Ray Don ssał, a patrząc na jego winylowe spodnie, nawet ja, przyćmiona od leków, dokładnie wiedziałam, co się dzieje z wampirem.

Eric obserwował wszystko bez widocznej reakcji. Nie-umarli jako grupa społeczna sprawiają wrażenie istot nie-zwykle tolerancyjnych w kwestii preferencji seksualnych. Domyślam się, że po kilkuset latach życia niewiele już człowieka szokuje.

Kiedy Ray Don odsunął się od blondynka i odwrócił przodem do łóżka, miał na ustach krew. Euforia, którą czułam, ulotniła się. Eric natychmiast usiadł na łóżku i unieruchomił moje ramiona. Zbliżała się wielka chwila.

– Popatrz na mnie – poprosił. – Popatrz na mnie, So-okie.

Poczułam, że łóżko się ugina, więc przypuszczałam, że Ray Don klęka obok i pochyla się nad moją raną.

Poczułam jakieś poruszenie w ranie i ból, który przeszył mnie do kości. Wiedziałam, że blednę i za chwilę zacznę krzyczeć w reakcji na wypływ krwi z rany.

– Nie, Sookie! Patrz na mnie! – polecił mi ostro Eric.

Zerknęłam jednak w dół i zobaczyłam, że Ray Don zła-pał już kołek.

Następnie...

Krzyczałam i krzyczałam, aż straciłam siły. Kiedy poczu-łam dotyk ust Raya Dona ssącego ranę, spojrzałam Erico-wi w oczy. Trzymał mnie za ręce, a ja wbijałam paznokcie w jego dłonie, jak gdybyśmy oddawali się zupełnie innej aktywności. Najwyraźniej mu to nie przeszkadzało – tak w każdym razie pomyślałam, kiedy uprzytomniłam sobie, że kaleczę go do krwi.

Rzeczywiście, nic sobie z tego nie robił.

– Puść – doradził mi, więc puściłam jego ręce. – Nie, nie mnie – dodał z uśmiechem. – Mnie możesz trzymać,

jak długo chcesz. Wypuść ból, Sookie. Wypuść. Musisz o nim zapomnieć.

Pierwszy raz w życiu zdałam się na kogoś. Gdy patrzyłam na Erica, wszystko stało się proste i rzeczywiście zapomniałam o cierpieniu i niepewnej przyszłości.

Ocknęłam się. Leżałam w łóżku na plecach, bez swojej niegdyś pięknej sukienki. Ciągle miałam na sobie bieliznę z beżowej koronki, co mnie ucieszyło. Eric był ze mną w łóżku, co z kolei mi się nie spodobało. Najwyraźniej wizyty u mnie weszły mu w krew. Leżał na boku, trzymając mnie w ramionach, a jedną nogę położył na mojej. Jego włosy splątały się z moimi i wyglądały jak wspólne, ponieważ były niemal w tym samym kolorze. Myślałam o tym przez chwilę, dryfując w nierzeczywistym stanie półsnu.

Eric pozostawał obecnie w stanie znieruchomienia. Wampiry często nieruchomieją, gdy nie mają nic do roboty. Sądzę, że w ten sposób regenerują siły i odrywają się na jakiś czas od świata, w którym żyją od tak dawna, rok po roku, szczególnie że jest to świat wojen, głodu, wynalazków, których obsługę muszą opanować, a także ciągłych zmian obyczajów, konwencji i stylów, do których muszą się przystosować. Odchyliłam kołdrę, by sprawdzić bok. Nadal czułam ból, lecz znacznie słabszy. Wokół rany dostrzegłam wielki krąg tkanki bliznowatej. Była gorąca, błyszcząca, czerwona i osobliwie gładka.

– Jest dużo lepiej – oznajmił Eric, zaskakując mnie tak, że zachłysnęłam się powietrzem.

Nie wiedziałam, że wyszedł ze stanu zawieszenia.

Miał na sobie jedwabne bokserki. Chyba to wcześniej podejrzewałam.

– Dziękuję ci, Ericu.

Nie obchodziło mnie, jak słabo zabrzmiał mój głos, ale obowiązek to obowiązek.

– Za co?

Łagodnie pogładził ręką mój brzuch.

– Za to, że nie opuściłeś mnie w barze. Za to, że przyjechałeś tutaj ze mną. Za to, że nie zostawiłeś mnie samej z tymi wszystkimi istotami.

– Jak bardzo wdzięczna jesteś? – wyszeptał, a jego usta zawisły nad moimi.

Patrzył na mnie z uwagą, jego spojrzenie wwiercało się w moje oczy.

– Och, takie pytanie niszczy nastrój – zauważyłam, starając się przemawiać łagodnie. – Nie powinieneś chcieć, żebym uprawiała z tobą seks tylko z powodu wdzięczności.

– Naprawdę mnie nie obchodzi, z jakiego powodu będziesz się ze mną kochać, wystarczy, że to zrobisz – wyjaśnił mi równie łagodnym tonem.

Jego wargi dotknęły moich. Usiłowałam się odsunąć, lecz nieszczególnie mi się udało. Jak wspomniałam, Eric przez setki lat miał możliwość ćwiczenia techniki pocałunku, więc całował naprawdę doskonale. Położyłam mu ręce na ramionach i wstyd się przyznać, ale odwzajemniłam pocałunek. Mimo że byłam obolała na całym ciele i zmęczona, pragnęłam fizycznej bliskości. W ogóle nie myślałam w tym momencie i opuściła mnie silna wola. Eric gładził moje ciało, jak gdyby miał sześć rąk, a ja aż rwałam się do niego. Kiedy jego palec wsunął się pod gumkę moich (skąpych) majteczek i wślizgnął we mnie, krzyknęłam i nie był to odgłos buntu.

Palec zaczął się poruszać w cudownym rytmie. Usta Erica wciągały mój język niemal w gardło. Z radością muskałam palcami jego gładką skórę, wyczuwając mięśnie, które pod nią pracowały.

Wtedy gwałtownie otworzyło się okno i do pomieszczenia wpełzł Bubba.

— Panno Sookie! Panie Ericu! Wytropiłem was!

Był z siebie dumny.

— Eee, no to świetnie, Bubba — mruknął Eric, kończąc pocałunek.

Zacisnęłam rękę na jego nadgarstku i odepchnęłam go. Nie opierał się. Nawet w przybliżeniu nie jestem przecież tak silna jak najsłabsza wampirzyca.

— Bubbo, byłeś tutaj przez cały czas? Tutaj, w Jackson? — spytałam.

Cieszyłam się z jego widoku. Eric na pewno mniej.

— Pan Eric kazał mi się ciebie trzymać — oznajmił bez wahania Bubba. Ulokował się na niskim fotelu gustownie obitym kwiecistym materiałem. Ciemny kosmyk opadał Bubbie na czoło i na każdym palcu wampir miał złoty pierścień. — Zostałaś ciężko ranna w tym klubie, panno Sookie?

— Teraz jest o wiele lepiej — zapewniłam go.

— Przykro mi, że nie wykonałem dobrze mojej pracy, lecz ta mała istota strzegąca drzwi po prostu mnie nie wpuściła. Najwyraźniej nie wiedziała, kim jestem, jeśli potrafisz w to uwierzyć.

Ponieważ zazwyczaj sam Bubba z trudem pamiętał, kim jest, a kiedy przypomniał sobie swoje życie, dostawał prawdziwego szału, wcale mnie nie zaskoczyło, że jakiś goblin niewiele wiedział o amerykańskiej muzyce pop z połowy dwudziestego wieku.

– Ale zobaczyłem, jak pan Eric cię wynosi – ciągnął – więc podążyłem za wami.

– Dziękuję ci, Bubbo. Postąpiłeś naprawdę mądrze.

Uśmiechnął się słabo.

– Panno Sookie, co robisz w łóżku z panem Erikiem, skoro chodzisz z Billem?

– To naprawdę dobre pytanie, Bubbo – odburknęłam.

Starałam się usiąść, lecz nie zdołałam. Cicho jęknęłam z bólu, a Eric przeklął w obcym języku.

– Zamierzam podać jej teraz krew, Bubbo – wyjaśnił. – Powiem ci, co trzeba zrobić.

– Jasne.

– Skoro przedostałeś się przez mur i wszedłeś do domu, nie dając się schwytać, chciałbym, żebyś przeszukał posiadłość. Sądzimy, że Bill przebywa gdzieś na jej terenie. Jest ich więźniem. Nie próbuj go uwolnić, słyszysz? To rozkaz. Jeśli go znajdziesz, wróć tutaj i powiedz nam o tym. Gdy ktoś cię zobaczy, nie uciekaj. Po prostu nic im o nas nie mów. Nic. Nic o mnie, o Sookie ani o Billu. W ogóle nie mów nic poza: „Cześć, na imię mam Bubba".

– Cześć, na imię mam Bubba.

– Zgadza się.

– Cześć, na imię mam Bubba.

– Tak, świetnie. Idź już. Staraj się być cicho i nie rzucać się w oczy.

Bubba uśmiechnął się do nas.

– Tak, panie Ericu. Ale potem musisz mi poszukać czegoś do jedzenia. Jestem straszliwie głodny.

– Dobrze, Bubbo. Idź teraz szukać Billa.

Bubba wgramolił się z powrotem na parapet okna, które mieściło się na drugim piętrze. Zastanowiłam się, jak zamierza zejść na ziemię, ale skoro jakoś wszedł, byłam pewna, że potrafi wrócić tą samą drogą.

– Sookie – powiedział Eric prosto w moje ucho. – Mógłbym teraz długo cię przekonywać, żebyś przyjęła moją krew, i znam wszystkie twoje argumenty przeciwko temu. Ale faktem jest, że zbliża się świt. Nie wiem, czy pozwolą ci zostać tutaj w ciągu dnia. Ja będę musiał znaleźć sobie jakąś kryjówkę, tutaj lub w innym miejscu. Chcę, żebyś była silna i potrafiła się obronić. Albo przynajmniej szybko uciekać...

– Wiem, że Bill jest tutaj – odrzekłam, gdy przemyślałam jego słowa. – I niezależnie od tego, czego o mało nie zrobiliśmy... Dzięki Bogu za Bubbę... Tak czy owak, muszę znaleźć Billa. Najlepsza pora na wywiezienie go stąd to dzień, kiedy wszystkie wampiry śpią. Czy on w ogóle ruszy się podczas dnia?

– Jeśli będzie wiedział, że grozi mu wielkie niebezpieczeństwo, na pewno pójdzie za tobą – powiedział Eric powoli zadumanym głosem. – No i teraz mam jeszcze większą pewność, że musisz napić się mojej krwi, ponieważ potrzebujesz dodatkowych sił. Bill ma być przykryty przez cały czas. Weź koc z tego łóżka. Jest gruby. Jak wywieziesz stąd Billa?

– Musisz mi pomóc – odparłam. – Gdy już, hm, napiję się twojej krwi, zdobądź dla mnie samochód... taki z wielkim bagażnikiem, na przykład lincolna albo cadillaca. Podasz mi kluczyki. A spać musisz gdzie indziej. Wolałbyś na

218

pewno nie przebywać na terenach króla, kiedy jego ludzie obudzą się i odkryją, że ich więzień zniknął.

Ręka Erica leżała spokojnie na moim brzuchu i nadal byliśmy razem owinięci kołdrą, obecnie jednak sytuacja zupełnie się zmieniła.

– Sookie, ale dokąd go zabierzesz?

– W jakieś miejsce pod ziemią... – stwierdziłam niepewnie. – Wiem, może na parking Alcide'a! Lepszy taki podziemny parking, niż gdyby Bill miał pozostać na odkrytym terenie.

Eric usiadł prosto i oparł się o wezgłowie. Jego jedwabne bokserki miały szafirowy kolor. Rozłożył nogi i dostrzegłam wewnętrzną stronę jego ud.

O, rany! Aż musiałam zamknąć oczy.

Eric się roześmiał.

– Siadaj i oprzyj się plecami o moją pierś, Sookie. Będzie ci wygodniej.

Delikatnie pomógł mi się usadowić, a gdy wsparłam się plecami o jego pierś, objął mnie. Odniosłam wrażenie, że opieram się o twardą, chłodną poduszkę. Na moment odsunął prawe ramię i usłyszałam króciutkie zgrzytnięcie, a później przed moimi oczyma pojawił się jego przegub. Z dwóch ranek na skórze płynęła krew.

– Moja krew wyleczy cię zc wszystkiego – oznajmił.

Zawahałam się, lecz szybko wyśmiałam w myślach własne niemądre wahanie. Miałam świadomość, że im więcej krwi Erica jest w moim ciele, tym więcej wampir będzie o mnie wiedział. Zdawałam sobie sprawę, że w ten sposób zyska nade mną swego rodzaju władzę. Ale będę silniejsza przez długi czas, a biorąc pod uwagę zaawansowany wiek

Erica, znacznie silniejsza. Zagoją się wszystkie moje rany i poczuję się wspaniale. Będę bardziej atrakcyjna. Właśnie z tych wszystkich powodów na wampiry polowali osuszacze – działające w zespołach istoty ludzkie, które porywały wampiry, zakuwały je w srebrne łańcuchy i ściągały z nich krew do fiolek. A za fiolki uzyskiwano na czarnym rynku spore sumki. Słyszałam, że w ubiegłym roku osiągnęły cenę nawet dwustu dolarów za jedną. Ponieważ Eric był tak stary, Bóg jeden wie, ile by trzeba zapłacić za jego krew. Chociaż osuszacze mieliby oczywiście problem z udowodnieniem pochodzenia tej krwi. A poza tym ich zawód, nie dość, że piekielnie niebezpieczny, stanowił również działalność przestępczą.

Tak czy owak, Eric dawał mi cudowny prezent.

Dzięki Bogu, że nigdy nie miałam, jak to się mówi, przesadnie delikatnego żołądka. Dotknęłam wargami małych ranek i zaczęłam ssać.

Eric jęknął z rozkoszy, bez wątpienia ciesząc się z naszego bliskiego kontaktu. Zaczął nawet lekko poruszać się za mną, ale nic nie mogłam na to poradzić, gdyż lewą ręką przyciskał mnie mocno do siebie, a nadgarstek prawego ssałam. Przyszło mi do głowy, że to, co robię, jest ohydne, ale ponieważ Eric wyraźnie dobrze się bawił, a ja wraz z każdym łykiem czułam się lepiej, nie miałam argumentów, że postępuję źle. Postanowiłam nie myśleć i nie reagować na ruchy wampira. Przypomniałam sobie moment, kiedy połknęłam krew Billa, ponieważ potrzebowałam dodatkowej siły. Pamiętałam zachowanie Billa tamtego dnia.

Eric przycisnął mnie do siebie jeszcze mocniej, a później, niespodziewanie, z ust wyrwało mu się: „Oooch", po czym się odprężył. Poczułam na plecach wilgoć i po raz ostatni pociągnęłam łyczek krwi. Eric stęknął, wydał głęboki i gardłowy dźwięk, a jego usta same podążyły ku mojej szyi.

– Nie gryź mnie – ostrzegłam go.

Z trudem zachowywałam resztki rozsądku. Powiedziałam sobie, że podnieciło mnie moje wspomnienie o Billu – jego ówczesne zachowanie, gdy go ugryzłam, jego ogromne podniecenie. A Eric... był tylko przypadkowo na jego miejscu. Nie mogę przecież uprawiać seksu z każdym wampirem, tylko dlatego że mi się spodoba. A zwłaszcza nie mogłam tego zrobić z Erikiem. Taka decyzja miałaby straszliwe i liczne konsekwencje. Byłam zbyt wycieńczona, by je sobie wyliczyć. Upomniałam się jeszcze, że jestem osobą dorosłą, a dorośli nie uprawiają seksu z każdym atrakcyjnym i utalentowanym przedstawicielem płci przeciwnej.

Eric przesuwał lekko kłami po moim barku.

Wystrzeliłam z łóżka jak rakieta. Zamierzałam znaleźć łazienkę i otworzyłam gwałtownie pierwsze dostrzeżone drzwi. Za nimi stał niewysoki wampir, ten z loczkami. Jego lewe ramię było obwieszone ubraniami, prawą rękę właśnie uniósł, żeby zastukać.

– Niech no ci się przyjrzę – powiedział z uśmiechem.

I rzeczywiście, przypatrzył mi się. Widocznie lubił i facetów, i babki.

– Chcesz ze mną porozmawiać? – spytałam.

Oparłam się o futrynę, usilnie starając się wyglądać mizernie i słabowicie.

– Cóż, ponieważ rozcięliśmy twoją piękną suknię, Russell pomyślał, że będzie ci potrzebne ubranie. Przypadkowo mam w szafie trochę ciuszków, a skoro jesteśmy tego samego wzrostu...

– Och – jęknęłam cicho. Nigdy nie wymieniałam się ubraniami z mężczyzną. – No cóż, bardzo ci dziękuję. To ogromnie miło z twojej strony.

Mówiłam szczerze.

Okazało się, że przyniósł kilka sweterków (jasnoniebieskich), skarpetki, jedwabny szlafroczek i nawet majtki. O tych ostatnich wolałam nie myśleć zbyt wiele.

– Wyglądasz lepiej – zauważył.

W jego oczach widziałam podziw, lecz jakiś taki bezosobowy. Chyba przeceniłam swoje wdzięki.

– Jestem bardzo słaba – szepnęłam. – Wstałam tylko do łazienki.

Jego brązowe oczy rozbłysły nagle i wiedziałam, że ponad moim ramieniem dostrzegł Erica. Eric podobał mu się zdecydowanie bardziej niż ja i uśmiech wampira z loczkami stał się otwarcie kuszący.

– Leif, chciałbyś dzielić dziś ze mną moją trumnę? – spytał, naprawdę trzepocząc rzęsami.

Nie odważyłam się odwrócić i spojrzeć na Erica. Na plecach nadal miałam wilgotną plamę. Gdy sobie to uświadomiłam, poczułam do siebie prawdziwe obrzydzenie.

Wcześniej dużo myślałam o Alcidzie, a teraz jeszcze więcej o Ericu. Nie mogłabym się poszczycić zasadami moralnymi. Wiedza o zdradzie Billa nie była w tej kwestii wymówką, a przynajmniej nie była dostateczną wymówką. Nie tłumaczyło mnie również prawdopodobnie to, że związek z Billem przyzwyczaił mnie do regularnego uprawiania fantastycznego seksu. A przynajmniej nie było to wystarczające usprawiedliwienie.

Postanowiłam, że od tej pory będę pamiętać o zasadach moralnych i sprawować się lepiej. Sama decyzja poprawiła mi humor.

– Muszę załatwić pewną sprawę dla Sookie – odparł Eric. – Nie jestem pewien, czy wrócę przed wschodem, ale jeśli tak, na pewno cię odszukam.

Eric wyraźnie podjął flirciarski ton wampira z loczkami.

Podczas tej błyskotliwej wymiany zdań włożyłam jedwabny szlafroczek, który był czarno-różowo-biały i cały w kwiatki. Naprawdę niesamowity! Jego właściciel przyjrzał mi się i wyglądał na bardziej zainteresowanego teraz, niż kiedy widział mnie jedynie w bieliźnie.

– Mniam! – rzucił krótko.

– Jeszcze raz dzięki. Mógłbyś mi powiedzieć, gdzie znajduje się najbliższa łazienka?

Wskazał uchylone drzwi w korytarzu.

– Wybaczcie mi – powiedziałam, a po chwili przypomniałam sobie, że powinnam iść powoli i ostrożnie, jak gdybym ciągle odczuwała wielki ból.

Ruszyłam korytarzem. Niedaleko łazienki, za kolejnymi dwiema parami drzwi dostrzegłam szczyt schodów. Świetnie, przynajmniej znałam już drogę do wyjścia. Prawdziwe pocieszenie.

Łazienka wyglądała zwyczajnie i dość staroświecko. Znajdowało się w niej mnóstwo przedmiotów, które zwykle zagracają tego typu pomieszczenia: suszarki do włosów, termolokówki, dezodoranty, szampony, żele do układania włosów. Były też produkty do makijażu. Oraz szczotki, grzebienie i maszynki do golenia.

Chociaż kontuar był czysty i panował na nim porządek, było oczywiste, że z łazienki korzysta wiele osób. Byłam pewna, że prywatny przybytek Russella Edgingtona wygląda zupełnie inaczej. Znalazłam kilka spinek i upięłam włosy na czubku głowy, a później wzięłam najszybszy prysznic w historii. Ponieważ umyłam głowę dziś rano (choć wydawało mi się, że od tego czasu minęły lata) i ponieważ moje włosy bardzo długo schną, zadowoliłam się energicznym wyszorowaniem ciała, korzystając z perfumowanego mydła, które znalazłam w pojemniku zamontowanym na ścianie. W szafie były czyste ręczniki, co mnie ucieszyło.

Po kwadransie wróciłam do sypialni. Wampira z loczkami już nie było, Eric zdążył się ubrać, a Bubba wrócił.

Eric nie wspomniał o kłopotliwym incydencie. Przez chwilę przypatrywał się z zachwytem szlafrokowi.

– Bubba zrobił zwiad w terenie – oznajmił Eric.

Bubba uśmiechał się nieco asymetrycznie. Był z siebie zadowolony.

– Panno Sookie, znalazłem Billa – wtrącił triumfalnie. – Nie jest w dobrym stanie, ale żyje.

Nogi ugięły się pode mną i opadłam na fotel. Miałam naprawdę szczęście, że stał tuż za mną. Moje plecy pozostały sztywne, lecz straciłam umiejętność utrzymania się w pozycji stojącej. Kolejne dziwne uczucie tej nocy pełnej niezwykłych zdarzeń.

Kiedy trochę się uspokoiłam, zauważyłam odruchowo, że mina Erica stanowi zdumiewającą mieszaninę wielu emocji: przyjemności, żalu, gniewu, satysfakcji. Bubba z kolei po prostu się cieszył.

– Gdzie jest?

Nie poznawałam własnego głosu.

– W takim dużym budynku na tyłach, coś jak garaż na cztery auta, ale na górze są mieszkania, a z boku pokój.

Tak, Russell lubił mieć pod ręką swoich pomocników.

– Są tam inne budynki? Może się zdarzyć, że pójdę w złym kierunku?

– Obok basenu, panno Sookie, jest mały domek służący jako przebieralnia. No i wielgachna szopa na narzędzia, chyba takie jest jej przeznaczenie, ale nie łączy się z garażem.

– W jakiej części tego... garażu go trzymają? – spytał Eric.

– W magazynku po prawej stronie – odparł Bubba – Myślę, że garaż był kiedyś stajnią, a w tamtym pomieszczeniu trzymali siodła i inne rzeczy. Nie jest zbyt duże.

– Ile osób jest tam z Billem?

Eric zadawał same dobre pytania. Ja wciąż nie mogłam dojść do siebie po stwierdzeniu Bubby, że Bill na pewno żyje i jest tak blisko nas.

– W tej chwili troje, panie Ericu, dwóch mężczyzn i jedna kobieta. Cała trójka to wampiry. Wampirzyca ma nóż.

Wzdrygnęłam się.

– Nóż – powtórzyłam.

– Tak, panno Sookie, już pocięła pana Billa, i to dość paskudnie.

Nie było czasu na wahanie. Wcześniej szczyciłam się brakiem przesadnej wrażliwości. Czas to udowodnić.

– Tak długo już wytrzymał – zauważyłam.

– Rzeczywiście – zgodził się Eric. – Sookie, pójdę teraz po auto. Postaram się zaparkować je na tyłach, przy samych stajniach.

– Sądzisz, że pozwolą ci wjechać?

– Tak, jeśli pojadę z Bernardem.

– Bernardem?

– Tym niewysokim.

Eric uśmiechnął do mnie i jego uśmiech w tym momencie był również nieco koślawy.

– Chcesz powiedzieć, że... Och, weźmiesz ze sobą niewysokiego, więc pozwolą ci wjechać, bo on tu mieszka?

– Tak, chociaż może będę musiał potem tutaj zostać. Z nim.

– Nie mógłbyś, eee... jakoś się wykpić?

– Może tak, a może nie. Wolałbym nie być tutaj, gdy ludzie króla odkryją, że nie ma ani Billa, ani ciebie.

– Panno Sookie, w dzień pana Billa będą pilnowały wilkołaki.

Równocześnie popatrzyliśmy na Bubbę.

– Te, które cię ścigały? Będą pilnowały Billa, gdy wampiry położą się spać?

– Tyle że dziś w nocy księżyc będzie w pełni – wtrąciłam. – Kiedy wilkołaki staną rano na warcie, będą wykończone. O ile w ogóle się pokażą.

Eric popatrzył na mnie z pewnym zaskoczeniem.

– Masz rację, Sookie. Lepszej okazji nie będzie.

Ustaliliśmy pozostałe szczegóły. Miałam udawać bardzo słabą i zaszyć się w pokoju, czekając na przybycie człowieka Erica ze Shreveport. Eric powiedział, że zadzwoni do niego z komórki natychmiast, gdy opuści tereny króla.

– Może Alcide mógłby ci pomóc jutro rano – zastanowił się.

Muszę przyznać, że kusił mnie pomysł ponownego spotkania z Alcide'em. Był duży, nieustępliwy i kompetentny. Coś mi mówiło, jakaś skryta głęboko we mnie słabość, że pewnie Alcide załatwiłby tę sprawę lepiej niż ja. Ale i tak miałam przez niego ogromne wyrzuty sumienia. Powiedziałam sobie twardo, że nie mogę go dłużej wykorzystywać. Wykonał już swoje zadanie.

Poza tym Alcide robi z tymi ludźmi interesy, więc jeśli Russell dowie się o jego udziale w ucieczce Billa Comptona, wiele straci.

W tym momencie musieliśmy zakończyć dyskusję, ponieważ do świtu pozostały zaledwie dwie godziny. Choć wielu detali nie omówiliśmy, Eric poszedł poszukać wampira z loczkami... to znaczy Bernarda... i fałszywie poprosić go o towarzyszenie mu podczas wyprawy po samochód. Przypuszczałam, że zamierza jakiś wynająć, i chociaż nie miałam pojęcia, gdzie znajdzie otwartą o tej porze wypożyczalnię, zapewnił mnie, że nie będzie z tym żadnego problemu. Postanowiłam, że nie warto przejmować się drobiazgami. Bubba zgodził się przeskoczyć mur rezydencji Russella w tym samym miejscu, przez które tu dotarł, i poszukać tam sobie kryjówki na cały dzień. Eric powiedział, że Bubba ocalił życie tylko dlatego, że była noc z pełnią księżyca. Wierzyłam w to. Wampir strzegący bramy może i doskonale wykonywał swoją robotę, ale przecież nie mógł być wszędzie.

Ja miałam udawać osłabienie aż do świtu, czyli do momentu, gdy wampiry udadzą się na spoczynek, a potem jakoś wydostać Billa z dawnej stajni i zapakować go do bagażnika samochodu, który podstawi Eric. Nikt nie miał powodu zatrzymywać mnie tutaj.

— To jest chyba najgorszy plan, jaki kiedykolwiek słyszałem — ocenił Eric.

— Zgadza się, ale innego nie mamy.

— Dobrze sobie poradzisz, panno Sookie — zapewnił mnie Bubba z przekonaniem.

Potrzebowałam właśnie tego — pokrzepienia i pozytywnego nastawienia.

— Dziękuję ci, Bubbo — powiedziałam, starając się przekazać swoim tonem całą odczuwaną wdzięczność.

Krew Erica ogromnie mnie wzmocniła. Miałam wrażenie, że z oczu strzelają mi iskry, a moje włosy unoszą się wokół głowy w naelektryzowanej aureoli.

— Nie daj się za bardzo ponieść emocjom — doradził mi Eric.

Przypomniał mi, że często tak właśnie dzieje się z ludźmi, którzy połykają kupowaną na czarnym rynku krew wampirzą. Od razu próbują robić różne szalone rzeczy, ponieważ czują się niezwykle silni, niemal niezwyciężeni. I wielu płaci za to straszną cenę, tak jak facet, który rzucił się do walki przeciwko całemu gangowi, albo kobieta, która chciała wskoczyć do nadjeżdżającego pociągu.

Zrobiłam głęboki wdech, usiłując zapamiętać jego ostrzeżenie, bo, prawdę powiedziawszy, miałam ochotę wychylić się przez okno i sprawdzić, czy zdołam wpełznąć po ścianie na dach. No, no, no, krew Erica rzeczywiście działała niesamowicie. Rzadko używam tego słowa, ale naprawdę pasowało. Do tej pory nie zdawałam sobie sprawy, jak wielka jest różnica między krwią Billa i krwią Erica.

Rozległo się stukanie do drzwi. Popatrzyliśmy na nie we troje w taki sposób, jak gdybyśmy potrafili przez nie cokolwiek zobaczyć.

W zdumiewająco krótkim czasie Bubba znalazł się za oknem, Eric usiadł w fotelu, a ja położyłam się do łóżka i usiłowałam wyglądać na chorą i słabą.

– Wejdź – zawołał Eric ściszonym głosem, stosownym dla towarzysza osoby dobrzejącej po odniesieniu strasznej rany.

To był wampir z loczkami... to znaczy Bernard. Miał na sobie dżinsy i ciemnoczerwony sweter. Wyglądał... do schrupania. Zamknęłam oczy i upomniałam się surowo. Krew Erica bez wątpienia dodała mi energii.

– Jak się miewasz? – spytał Bernard, prawie szepcząc. – Dziewczyna wygląda lepiej.

– Ciągle ją boli, ale dzięki hojności twojego króla zdrowieje.

– Chętnie to dla niej zrobił – odparł Bernard uprzejmie. – Jednak będzie najbardziej zadowolony, jeśli dziewczyna odjedzie stąd jutro rano. Król wyraził przekonanie, że do tej pory jej przyjaciel powróci do swojego mieszkania z nocnej wyprawy łowieckiej. Mam nadzieję że nie wyrażam się zbyt obcesowo?

– Nie, świetnie rozumiem niepokój króla – powiedział Eric równie grzecznym tonem.

Najwyraźniej Russell obawiał się, że zechcę u niego zostać przez kilka dni, wykorzystując własny heroiczny wyczyn. Nie nawykł do goszczenia u siebie kobiety i wolał, żebym wróciła do Alcide'a natychmiast, kiedy ten będzie mógł się mną zająć. Nie chciał, żeby nieznajoma chodziła po jego terenach w dzień, kiedy on i cała jego świta pogrążą się w głębokim śnie.

Miał rację, że się tym martwił.

– Zdobędę dla niej samochód i zaparkuję go za domem. Będzie mogła jutro sama odjechać. Załatwisz, żeby bez problemów wypuszczono ją przez frontową bramę? Przypuszczam, że w dzień również jest strzeżona? Wypełnię w ten sposób zobowiązania wobec mojego przyjaciela Alcide'a.

– Brzmi sensownie – przyznał Bernard i obdarzył mnie uśmiechem, choć znacznie słabszym niż te zarezerwowane dla Erica. Nie odwzajemniłam się. Ze znużeniem zamknęłam oczy. – Powiem strażnikom przy bramie, kiedy będziemy wyjeżdżać. Moje auto wystarczy? Jest małe i stare, lecz bez problemu dojedziemy nim... Dokąd chcesz jechać?

– Powiem ci po drodze. Dom jednego z moich przyjaciół jest niedaleko. On zna człowieka, który pożyczy mi samochód na dzień lub dwa.

Ucieszyłam się. Eric znalazł sposób na zdobycie pojazdu bez konieczności przedstawiania dokumentu.

Poczułam jakiś ruch po lewej stronie. Eric pochylił się nade mną. Wiedziałam, że to on, dzięki jego krwi, którą wypiłam. Przeraziła mnie ta wiedza. Właśnie przed takimi zdarzeniami ostrzegał mnie Bill, prosząc, abym nie przyjmowała krwi od żadnego wampira poza nim. Za późno. Co się stało, to się nie odstanie.

Eric pocałował mnie w policzek w niewinny sposób, tak jak całują dziewczynę kumple jej chłopaka.

– Sookie – powiedział bardzo cicho. – Słyszysz mnie? – Ledwie dostrzegalnie skinęłam głową. – To dobrze. Słuchaj, jadę po samochód. Po powrocie położę kluczyki przy twoim łóżku. Rano musisz stąd wyjechać i wrócić do Alcide'a. Rozumiesz?

Lekko kiwnęłam głową.

– Pa – powiedziałam, siląc się na senny głos. – Dziękuję.

– Cała przyjemność po mojej stronie – powiedział i usłyszałam w jego tonie ostrą nutę sugerującą zdenerwowanie.

Z trudem udało mi się zachować kamienne oblicze.

Trudno w to uwierzyć, lecz po ich wyjściu naprawdę zasnęłam. A Bubba najwyraźniej usłuchał rady, przeskoczył mur i poszukał sobie kryjówki. W rezydencji panowała cisza, prawdopodobnie nocne szaleństwa już się skończyły. Przypuszczałam, że większość wilkołaków gdzieś po nich wypoczywa. Kiedy zapadałam w sen, dręczyło mnie pytanie, jak radzą sobie inni zmiennokształtni. Co robią z ubraniami? Taki wieczór jak ubiegły w Klubie Martwych zapewne zdarza się rzadko. Tak, byłam przekonana, że zazwyczaj pełnia księżyca wygląda zupełnie inaczej. Ciekawiło mnie także, co robi Alcide. Może upolował tego sukinsyna, Newlina?

Obudziłam się na odgłos brzęku kluczy.

– Wróciłem – oznajmił Eric.

Przemawiał niemal szeptem i musiałam lekko uchylić powieki, chcąc się upewnić, że faktycznie przyszedł.

– Biały lincoln. Zaparkowałem tuż przy garażu. Nie było miejsca w środku. Szkoda, ależ cóż zrobić. Nie pozwolili mi podejść bliżej, więc nie mogłem potwierdzić rewelacji Bubby. Słyszałaś, co powiedziałem?

Skinęłam głową.

– Powodzenia. – Zawahał się. – Jeśli zdołam się jakoś stąd wyrwać... spotkam się z tobą na parkingu tuż po zmroku. Jeżeli nie będzie cię tam, wracam do Shreveport.

Otworzyłam oczy. W pokoju nadal panowały ciemności. Widziałam jarzącą się skórę Erica. Moja również lekko się jarzyła. Przestraszyłam się. Ledwie przestałam się jarzyć po połknięciu krwi Billa (w sytuacji naprawdę krytycznej), a tu proszę – kolejny kryzys i znów błyszczę niczym lustrzana kula z dyskoteki. Pomyślałam, że życie w pobliżu wampirów to jeden długi, nieprzerwany ciąg nagłych wypadków.

– Porozmawiamy później – powiedział Eric.

– Dzięki za auto – bąknęłam.

Popatrzył na mnie z góry. Wydało mi się, że widzę na jego szyi malinkę. Otworzyłam usta, lecz szybko je zamknęłam. Lepiej zostawić takie komentarze dla siebie.

– Nie lubię mieć uczuć – oznajmił chłodno, po czym wyszedł.

Dla mnie rozpoczynał się najtrudniejszy etap.

ROZDZIAŁ JEDENASTY

Kiedy wymknęłam się z rezydencji króla Missisipi, robiło się jasno. Dziś rano było trochę cieplej niż wczoraj, ale na niebie wisiały ciemne chmury i padał deszcz. Pod pachą niosłam niewielki pakunek, stanowiący cały mój dobytek. Ktoś przywiózł do rezydencji moją torebkę i czarny aksamitny szal, więc owinęłam nim sandałki na wysokim obcasie. W torebce znalazłam klucz do mieszkania Alcide'a, ten, który od niego dostałam, więc ucieszyłam się, że w razie potrzeby znajdę tam schronienie. Pod drugą pachę wcisnęłam schludnie złożony koc, który zabrałam z łóżka. Posłałam je w taki sposób, że na pierwszy rzut oka nie było widać, że zniknął.

Jedyną rzeczą, jakiej Bernard mi nie pożyczył, było okrycie wierzchnie, więc kiedy się wymykałam, zabrałam pikowaną, ciemnoniebieską kurtkę, która wisiała na poręczy. Czułam się z tego powodu bardzo winna. Nigdy przedtem niczego nie ukradłam, a teraz zabrałam koc i czyjąś kurtkę. Moje sumienie stanowczo protestowało.

Kiedy rozważałam, co być może jeszcze będę musiała zrobić, żeby się wydostać z posiadłości, kradzież kurtki i koca wydawały mi się przy tym drobiazgiem. Kazałam więc zamknąć się mojemu durnemu sumieniu.

Przekradłam się przez ogromną kuchnię, otworzyłam tylne drzwi i poślizgnęłam się w balerinkach, które Bernard przyniósł mi wraz z ubraniami. Uznałam jednak, że skarpetki i balerinki są lepsze niż chwiejne obcasy.

Jak do tej pory nie widziałam nikogo. Najwyraźniej wybrałam najlepszy możliwy moment. Większość wampirów przebywała zapewne bezpiecznie w swoich trumnach, łóżkach, pod ziemią albo tam, gdzie, do diabła, spędzały dnie. Z kolei wilkołaki albo jeszcze – niezależnie od powodów – nie wróciły z nocnych łowów, albo gdzieś odsypiały nocne obżarstwo. A jednak denerwowałam się strasznie, gdyż wiedziałam, że szczęście może mnie opuścić w każdej chwili.

Za rezydencją rzeczywiście dostrzegłam niewielki basen, przykryty na zimę ogromną czarną plandeką, której krawędzie sięgające daleko poza jego obwód w kilku miejscach obciążono. W małej przebieralni panowały ciemności. Przeszłam cicho drogą wyłożoną nierównymi kamiennymi płytami, pokonałam wyłom w gęstym żywopłocie i znalazłam się na terenie brukowanym. Dzięki wyostrzonym zmysłom wiedziałam natychmiast, że jestem na dziedzińcu przed dawnymi stajniami. Stała tu wielka budowla obita białym sidingiem, której drugie piętro (tam, gdzie Bubba dostrzegł mieszkania) miało małe okna typowe dla poddaszy. Ponieważ był to chyba najbardziej wymyślny garaż, jaki widziałam w życiu, pojazdy nie stały w pomieszczeniach z drzwiami, lecz w sklepionych przejściach. Pod łukami naliczyłam cztery pojazdy – od limuzyny po dżipa. A po prawej stronie, zamiast piątego miejsca, była ściana, a w niej wejście.

Bill, pomyślałam. Bill.

Serce naprawdę mi teraz waliło. Zobaczyłam zaparkowanego blisko wejścia białego lincolna i ogarnęła mnie ogromna ulga. Przekręciłam kluczyk w drzwiczkach od strony kierowcy. Otworzyły się, a gdy je pociągnęłam, w samochodzie zapaliło się górne światło. Na szczęście nikt chyba nie pilnował tego terenu. Wrzuciłam tobołek z rzeczami na miejsce pasażera, usiadłam na siedzeniu kierowcy i przyciągnęłam drzwi. Znalazłam przycisk i zgasiłam górne światło. Zmarnowałam cenną minutę, patrząc na tablicę rozdzielczą, ponieważ ze zdenerwowania i przerażenia trudno mi się było skupić. W końcu wysiadłam, podeszłam do bagażnika i otworzyłam go. Był naprawdę ogromny, choć niezbyt czysty, podobnie jak wnętrze auta. Przemknęło mi przez myśl, że Eric wyjął z niego większość śmieci i wyrzucił, lecz na dnie bagażnika pozostały jeszcze bibułki papierosowe, małe plastikowe torebki i jakiś biały proszek. Hm... No cóż, w porządku. Nieważne. Zauważyłam włożone na pewno przez Erica dwie butelki krwi i przesunęłam je na bok. Bagażnik był wprawdzie brudny, ale Billowi powinno być w nim wygodnie.

Wzięłam wielki haust powietrza i przycisnęłam do piersi koc. W jego fałdy zawinęłam kołek, którym mnie zraniono. Była to jedyna broń, jaką dysponowałam – wcześniej, mimo makabrycznego wyglądu (był wciąż ubrudzony moją krwią i kawałeczkami tkanki), wyjęłam kołek z kosza na śmieci i przyniosłam tu ze sobą. Wiedziałam doskonale, jak wielkie może poczynić szkody.

Na dworze było obecnie odrobinę jaśniej, ale gdy poczułam na twarzy krople deszczu, miałam pewność, że półmrok potrwa nieco dłużej.

Przekradłam się do garażu. „Skradanie się" niewątpliwie zawsze wygląda podejrzanie, lecz po prostu nie byłam w stanie zmusić się do pewnego kroku. Ze względu na żwir nie mogłam iść bezgłośnie, starałam się jednak stąpać lekko. Przyłożyłam ucho do drzwi i wsłuchałam się w ciszę. Nie dotarł do mnie żaden dźwięk. Wiedziałam przynajmniej, że w środku nie ma żadnej istoty ludzkiej. Przekręciłam powoli gałkę w dół, potem z powrotem i dopiero wtedy pchnęłam drzwi, po czym weszłam do pomieszczenia.

Podłoga pokoju była pokryta mnóstwem plam. I okropnie tu śmierdziało. Ani przez chwilę nie miałam wątpliwości, że Russell nie raz, nie dwa użył już tego pokoju jako sali tortur. Bill siedział na samym środku, przykuty do krzesła o prostym oparciu łańcuchami ze srebra.

Na jego widok poczułam się, jakbym wróciła do domu. Po okresie chaosu uczuciowego i stresów związanych z nieznanym sobie otoczeniem nagle wszystko wróciło na właściwe tory.

Teraz wszystko było jasne. Jest Bill. I ja go uratuję.

A gdy przyjrzałam mu się dokładnie w świetle nagiej żarówki zwisającej z sufitu, wiedziałam, że zrobię wszystko, by go ocalić.

Nie wyobrażałam sobie, że może wyglądać tak źle.

Pod srebrnymi łańcuchami, które oplatały jego ciało, dostrzegłam wyraźne ślady oparzeń. Wiedziałam, że dotyk srebra sprawia wampirowi straszliwy i nieustanny ból, i mój Bill bez wątpienia okrutnie teraz cierpiał. Miał również mniejsze oparzenia w innych miejscach oraz przecięcia zbyt głębokie, by mogły się szybko zagoić. Od dawna się nie posilał i nie pozwalano mu zasnąć. Siedział pochylony i czułam, że odpoczywa, wykorzystując fakt, że kaci na pewien czas odeszli. Jego ciemne włosy były splątane i pokryte krwią.

Z pomieszczenia bez okien wychodziły jeszcze dwie pary drzwi. Te po mojej prawej stronie były otwarte i prowadziły najwyraźniej do sypialni, gdyż dostrzegłam w niej szereg łóżek. Jedno zajmował mężczyzna, najprawdopodobniej spity do nieprzytomności – leżał niedbale rozciągnięty i w pełni ubrany. Zapewne wilkołak, który wrócił z comiesięcznej biby. Chrapał, a wokół ust miał ciemne plamy, których nie chciałabym oglądać z bliska. Reszty pokoju nie widziałam, nie byłam więc pewna, czy przebywa tam więcej osobników – logiczne jednak wydawało się przypuszczenie, że jest ich wielu.

Z kolei drzwi na tyłach sali tortur prowadziły głębiej do budynku garażowego, być może na schody wiodące na górę, do mieszkań. Nie mogłam marnować czasu na sprawdzenie ich. Sytuacja zmuszała do pośpiechu i zdawałam sobie sprawę, że jak najprędzej muszę zabrać stąd Billa. Drżałam z nerwów. Do tej pory miałam ogromne szczęście i wiedziałam, że nie będzie trwało wiecznie.

Zrobiłam dwa kroki w stronę wampira.

Zorientowałam się, kiedy mnie wyczuł i uprzytomnił sobie, kogo ma przed sobą.

Poderwał głowę i popatrzył na mnie błyszczącymi oczyma. Przez jego ubrudzoną twarz przemknął cień nadziei. Uniosłam palec do ust, a potem podeszłam cicho do drzwi sypialni i delikatnie je pchnęłam, aż pozostały jedynie lekko uchylone. Potem stanęłam za Billem i obejrzałam łańcuchy. Na splotach wisiały dwie małe kłódki, podobne do tych od szkolnych szafek.

– Klucz? – szepnęłam mu w ucho.

Zdrowym palcem wycelował w drzwi, którymi weszłam. Na gwoździu obok nich wisiały dwa klucze. Gwóźdź wbito wysoko nad podłogą, w zasięgu wzroku jeńca. Na pewno zrobili to specjalnie. Odłożyłam koc i kołek na podłogę, u stóp Billa, a potem przeszłam po pokrytej plamami podłodze i wyciągnęłam rękę najwyżej, jak mogłam. Niestety, nie zdołałam dosięgnąć kluczy. Mógłby je zdjąć jedynie wampir, który potrafi unosić się w powietrzu. Przypomniałam sobie, że dzięki krwi Erica jestem znacznie silniejsza niż kiedykolwiek.

Na ścianie dostrzegłam półkę, na której leżały interesujące przedmioty, takie jak pogrzebacze i obcęgi. Obcęgi! Stanęłam na palcach i zdjęłam je z półki. Musiałam zapanować nad napływającymi mdłościami, zobaczyłam bowiem, że są pokryte grubą warstwą... och, czegoś paskudnego. Podniosłam je. Okazały się bardzo ciężkie, ale jakoś zdołałam zacisnąć je na kluczach, przesunąć do siebie i zdjąć klucze z gwoździa. Opuściłam obcęgi i wyjęłam klucze z zaostrzonych końców. Westchnęłam z ulgą, najciszej jak potrafiłam. Na razie szło mi gładko.

Niestety, był to ostatni łatwy etap w całym przedsięwzięciu. Czekało mnie obecnie straszliwe zadanie uwolnienia Billa z łańcuchów, które musiałam dodatkowo przytrzymywać, żeby nie brzęczały. Trudno mi było rozwinąć błyszczący splot ogniw, ponieważ część z nich wbijała się głęboko w zesztywniałe z napięcia ciało Billa.

Wtedy zrozumiałam. Mój wampir próbował nie krzyczeć, kiedy odrywałam ogniwa od jego osmalonego ciała. Ścisnęło mnie w żołądku. Przerwałam pracę na kilka drogocennych sekund i bardzo ostrożnie oddychałam. Skoro ja nie mogłam znieść widoku jego straszliwego bólu, jak wielkie męki on sam musiał znosić?

Wzięłam się w garść, nakazałam sobie odwagę i podjęłam przerwane czynności. Moja babcia stale mi powtarzała, że kobietom nie wolno się poddawać, i kolejny raz miała rację.

Srebrny łańcuch miał kilka metrów i ostrożne odwijanie go zabrało więcej czasu, niż mi się to podobało. Nie podobała mi się zresztą każda tracona minuta. Z każdą chwilą niebezpieczeństwo rosło. Z każdą sekundą, z każdym wdechem i wydechem rosły też moje obawy. Bill był bardzo słaby, a dodatkowo wytężał siły, by nie zasnąć teraz, kiedy wzeszło słońce. Dobrze, że dzień był taki mroczny, ale kiedy słońce stanie wysoko, Bill i tak, niezależnie od pogody, będzie miał trudności z poruszaniem się.

W końcu ostatni kawałek łańcucha ześlizgnął się na podłogę.

– Musisz wstać – szepnęłam w ucho wampirowi. – Po prostu musisz. Wiem, że to boli. Ale nie zdołam cię unieść. – Przynajmniej nie sądziłam, żebym dała radę. – Przed budynkiem stoi duży lincoln z otwartym bagażnikiem. Wejdziesz do bagażnika, owinę cię kocem i odjedziemy stąd. Rozumiesz, kochanie?

Ciemnowłosa głowa Billa poruszyła się zaledwie o kilka milimetrów.

Właśnie wtedy nasze szczęście się skończyło.

– Kim, do cholery, jesteś? – usłyszałam kobiecy głos z silnym akcentem.

Ktoś wszedł drzwiami, które znajdowały się za moimi plecami.

Bill wzdrygnął się pod moimi dłońmi. Odwróciłam się gwałtownie, by stawić jej czoła, a równocześnie schyliłam się po kołek. Ledwie zdążyłam go złapać, wampirzyca skoczyła na mnie.

Wmówiłam sobie wcześniej, że wszyscy nieumarli spędzają dzień w trumnach, a tu nagle jedna z nich właśnie usiłowała mnie zabić.

Gdyby nie była tak zszokowana jak ja, byłabym martwa w minutę. Wyrwałam ramię z jej uścisku i obiegłam krzesło z Billem. Kły wampirzycy były wysunięte i warczała na mnie nad głową mojego kochanka. Była blondynką, tak jak ja, ale oczy miała ciemne, a budowę delikatniejszą; ściśle rzecz biorąc, była drobniutką kobietką. Na jej ręce dostrzegłam zaschniętą krew i wiedziałam, że to krew Billa. Na ten widok coś we mnie zapłonęło i poczułam, że tym płomieniem błyszczą moje oczy.

– Pewnie jesteś jego małą ludzką suczką – warknęła. – A wiesz, że on przez cały czas pieprzył się ze mną? W chwili, gdy znów mnie zobaczył, zupełnie by o tobie zapomniał... gdyby nie litość.

No cóż, Lorena nie była osóbką zbyt wytworną i doskonale wiedziała, jakie słowa ugodzą mnie w samo serce. Postanowiłam nie słuchać jej obelg, miałam bowiem świadomość, że próbuje w ten sposób skierować moje myśli gdzie indziej. Oszołomiona, byłabym łatwiejszym celem. Chwyciłam pewniej kołek, by w każdej chwili móc go użyć, i w tym momencie Lorena przeskoczyła krzesło z Billem, chcąc mnie powalić swoim ciałem.

Kiedy na mnie spadała, bezwiednie uniosłam kołek i nakierowałam go pod odpowiednim kątem, toteż wampirzyca nadziała się na niego, a zaostrzony czubek wszedł jej w pierś i przebił ją na wylot. Obie znalazłyśmy się na podłodze – ja nadal zaciskałam w rękach kołek, a ona usiłowała mnie odepchnąć. Nagle popatrzyła w dół, na kawał drewna w swojej piersi. Zdumiała się. Później spojrzała mi w oczy, jej usta otworzyły się szeroko, kły cofnęły.

– Nie – powiedziała.

Jej oczy zmętniały.

Przesunęłam kołek wraz z Loreną w lewo i niezdarnie wstałam z podłogi. Sapałam, a ręce straszliwie mi się trzęsły. Wampirzyca się nie poruszała. To wszystko odbyło się tak szybko i cicho, że wydawało mi się niemal nierealne.

Bill zerknął na kochankę, potem na mnie. Nie potrafiłam odczytać wyrazu jego twarzy.

– No co, cholera? – powiedziałam. – Zabiłam ją.

A chwilę później padłam na kolana obok niej i usiłowałam nie zwymiotować.

Zanim odzyskałam nad sobą panowanie, minęło kilka cennych sekund. Ale miałam przed sobą cel. Nic nie zyskam na śmierci Loreny, jeśli nie zdołam zabrać stąd Billa przed wejściem następnej osoby. Skoro zrobiłam coś tak strasznego, powinnam przynajmniej odnieść ze swego czynu jakąś korzyść.

Inteligentnie byłoby ukryć ciało, które zaczynało powoli wysychać, ważniejsze jednak w tej chwili wydało mi się wyprowadzenie z pomieszczenia Billa. Owinęłam mu kocem ramiona, gdy siedział wycieńczony na poplamionym krześle. Ponieważ zabiłam wampirzycę, bałam się spojrzeć mu w oczy.

– To była Lorena? – spytałam szeptem, gdyż ogarnęły mnie nagłe wątpliwości. – Ona ci to zrobiła?

Znowu ledwie dostrzegalnie skinął głową.

Bim, bam! Po złej czarownicy nie został ślad*.

Przez chwilę poszukiwałam w sobie jakichś emocji, w końcu jednak przyszło mi do głowy tylko jedno pytanie – chciałam spytać Billa, dlaczego osoba imieniem Lorena mówiła z obcym akcentem. Pytanie było głupie, więc o nim zapomniałam.

– Obudź się, Bill. Nie możesz zasnąć, dopóki nie umieszczę cię w samochodzie.

Równocześnie próbowałam nasłuchiwać, czy nie budzą się wilkołaki w sąsiednim pokoju. Jeden z nich zaczął właśnie chrapać za zamkniętymi drzwiami, poczułam też napływ myśli od drugiego, którego nie byłam w stanie zlokalizować. Znieruchomiałam na dłuższą chwilę, aż wyczułam, że ów osobnik znowu zasypia. Zrobiłam bardzo głęboki wdech i szczelnie okryłam kocem głowę Billa. Uniosłam lewą rękę wampira, przewiesiłam ją sobie przez szyję i dźwignęłam. Bill wstał z krzesła i chociaż gwałtownie

---

* Parafraza cytatu z powieści Franka Bauma, *Czarnoksiężnik z Oz* (przyp. tłum.).

syknął z bólu, zdołał, powłócząc nogami, dotrzeć do drzwi. Niemal go niosłam, więc chętnie zatrzymałam się na moment z ręką na gałce. Ostatecznie przekręciłam ją, a wtedy wampir o mało nie upadł, ponieważ dosłownie spał na stojąco.

Do podjęcia dodatkowego wysiłku mogła go zmusić jedynie świadomość, że grozi nam schwytanie.

Otworzyłam drzwi i upewniłam się, czy puszysty żółty koc całkowicie zakrywa jego głowę. Bill jęknął, gdy poczuł ciepło światła słonecznego, choć było słabe i blade; znów o mało nie upadł. Zaczęłam przemawiać do niego cicho, przeklinałam go, wzywałam do zrobienia kroku i powiedziałam mu, że skoro ta suka potrafiła zabronić mu zasnąć, ja również do tego nie dopuszczę. Na koniec dodałam, że jeśli zaraz nie pójdzie do auta, stłukę go na kwaśne jabłko.

Kosztowało mnie to wszystko strasznie dużo energii, lecz w końcu, drżąca ze zmęczenia i zdenerwowania, doprowadziłam wampira do lincolna. Podniosłam klapę bagażnika.

– Bill, tylko usiądź tutaj, na brzeżku – zachęcałam go, szarpiąc go tak długo, aż stanął przodem do mnie, a tyłem do bagażnika.

Gdy usiadł na krawędzi, siły zupełnie go opuściły i po prostu wpadł do środka. Zgiął się wpół, jęknął z bólu tak głośno, że o mało mi nie pękło serce, po czym zamilkł i znieruchomiał. Nie mogłam patrzeć na jego katusze i nie chciałam, żeby tak umarł. Zapragnęłam nim potrząsnąć, krzyknąć na niego i zacząć łomotać w jego pierś.

Ale żadna z tych czynności nie miała sensu.

Zmusiłam się do wepchnięcia jego kończyn do bagażnika i zamknęłam go na klucz. Pozwoliłam sobie na luksus w postaci długiego westchnienia ulgi.

A później przez chwilę stałam w bladym świetle dziennym na pustym dziedzińcu i rozważałam. Czy powinnam pokusić się o próbę ukrycia ciała Loreny? Czy takie zadanie jest warte mojego czasu i zmarnowanej energii?

W ciągu trzydziestu sekund zmieniałam zdanie co najmniej sześć razy. Ostatecznie uznałam, że tak, być może sprawa jest warta wysiłku. Jeśli wilkołaki nie znajdą żadnego ciała w pokoju, może zaczną przypuszczać, że Lorena zabrała gdzieś Billa na małą dodatkową sesję tortur. A Russell i Betty Joe będą wówczas martwi dla świata i nie zdołają udzielić rad ani wydać rozkazów. Nie miałam złudzeń, że Betty Joe nie będzie mi aż tak wdzięczna za uratowanie życia, żeby nie ukarać mnie za porwanie ich więźnia. Mogłabym mieć w takiej sytuacji nadzieję jedynie na w miarę szybką śmierć.

Podjęłam decyzję i wróciłam do tego okropnego, zakrwawionego pomieszczenia. Patrząc na plamy, odniosłam wrażenie, że w powietrzu niemal unosi się atmosfera cierpienia. Zastanowiłam się, ile istot ludzkich, wilkołaków i wampirów więziono w tej sali.

Najciszej jak potrafiłam zebrałam łańcuchy i wepchnęłam je pod bluzkę Loreny, żeby strażnicy sprawdzający pokój pomyśleli, że ogniwa wciąż oplatają ciało Billa. Rozejrzałam się, chcąc zobaczyć, czy muszę jeszcze coś sprzątnąć. W pomieszczeniu było tak dużo krwi, że krew Loreny nie robiła żadnej różnicy.

Czas ją stąd zabrać.

Żeby podczas transportu jej buty na obcasach nie stukały o podłogę, musiałam podnieść ciało i przerzucić je sobie przez plecy. Nigdy wcześniej nikogo tak nie niosłam, więc męczyłam się strasznie. Miałam szczęście, że wampirzyca była mała i lekka. Dobrze też, że przez całe życie uczyłam się panować nad uczuciami, w przeciwnym bowiem razie wiszące na mnie zwłoki, kompletnie bezwładne i powoli się rozpadające, na pewno zrobiłyby na mnie wrażenie. Zacisnęłam zęby, starając się powstrzymać przed histerycznym krzykiem.

Szłam w stronę basenu w strugach deszczu. Bez krwi Erica nigdy by mi się nie udało dźwignąć obciążonych krawędzi przykrywającego basen brezentu... A jednak zdołałam je unieść jedną ręką, po czym stopą wepchnęłam szczątki Loreny do wody. Byłam świadoma, że w każdej chwili ktoś może wyjrzeć przez któreś z okien na tyłach rezydencji, zobaczyć mnie i domyślić się, co robię, sądziłam jednak, że jeśli dostrzeże mnie jakiś mieszkający wśród wampirów człowiek, będzie wolał zachować ten widok dla siebie.

Ogarniało mnie coraz większe zmęczenie. Powlokłam się noga za nogą po wyłożonej kamiennymi płytami drodze, przecisnęłam się przez żywopłot i wróciłam do auta. Oparłam się o maskę i trwałam tak przez minutę, oddychając równomiernie i próbując zebrać siły. Potem zajęłam miejsce za kierowcą i przekręciłam kluczyk w stacyjce. Lincoln był największym samochodem, jaki kiedykolwiek prowadziłam, i jednym z najbardziej luksusowych, w jakich kiedykolwiek siedziałam, tyle że w tym konkretnym momencie mało mnie to interesowało i nie potrafiłam czerpać z tego żadnej przyjemności. Zapięłam pas, wyregulowałam lusterko i siedzenie, a później starannie przyjrzałam się tablicy rozdzielczej. Musiałam na przykład sprawdzić, jak włącza się wycieraczki przedniej szyby. Samochód był nowy i reflektory włączyły się automatycznie, więc miałam przynajmniej o jedno zmartwienie mniej.

Zaczerpnęłam duży haust powietrza. Zaczęłam, powiedzmy, trzeci etap operacji ratowania Billa. Zdumiałam się na myśl, jak wiele rzeczy do tej pory zdarzyło się zupełnie przypadkowo, wiedziałam jednak, że nawet najlepiej skonstruowany plan może się rozsypać przez różne dziwne okoliczności. A nie sposób wszystkiego przewidzieć, to niemożliwe. Może dlatego rzadko cokolwiek planuję do końca.

Zawróciłam i wyjechałam z dziedzińca. Droga obfitowała w łagodne zakręty i wiodła przed frontem głównego budynku. Po raz pierwszy przyjrzałam się fasadzie rezydencji. Była tak piękna, jak ją sobie wyobrażałam – pomalowane na biało deski, olbrzymie kolumny... Renowacja budowli na pewno sporo Russella kosztowała.

Dalej podjazd wiódł przez obszary zadbanej mimo zimy roślinności, aż wreszcie się skończył. Przed sobą miałam mur, a w nim bramę z wartownią i strażnikami. Chociaż było chłodno, pociłam się.

Stanęłam przed samą bramą. Po jednej stronie miałam białą budkę, oszkloną od dołu do wysokości mniej więcej metra. Kraniec budki znajdował się już za murem posiadłości, toteż strażnicy mogli sprawdzać zarówno wjeżdżające pojazdy, jak i te opuszczające teren. Dla dobra dwóch wilkołaków na służbie miałam nadzieję, że jest ogrzewana.

Obaj strażnicy mieli skórzane stroje i wyglądali na osobników strasznie gburowatych. Nie miałam wątpliwości, że mają za sobą ciężką noc. Kiedy zatrzymywałam samochód, musiałam walczyć z prawie obezwładniającą pokusą przyśpieszenia i przejechania przez bramy. Z budki wyszedł jeden z wilkołaków. Niósł karabin, więc dobrze, że zapanowałam nad pragnieniem ucieczki.

– Przypuszczam, że Bernard powiadomił was o moim dzisiejszym wyjeździe? – spytałam, opuściwszy szybę.

Usiłowałam się uśmiechnąć.

– To ciebie przebili kołkiem ubiegłej nocy?

Pytający mówił opryskliwym tonem, jego twarz pokrywał kilkudniowy zarost, a śmierdział jak mokry pies.

– Tak.

– I jak się czujesz?

– Lepiej, dzięki.

– Wracasz na ukrzyżowanie?

Chyba źle usłyszałam!

– Co takiego? – spytałam cicho.

– Doug, zamknij się – fuknął na strażnika jego towarzysz, który stał w drzwiach budki.

Doug rzucił tamtemu gniewne spojrzenie, ale wobec braku reakcji towarzysza, tylko wzruszył ramionami.

– Dobra, możesz jechać.

Brama otwierała się okropnie powoli. Kiedy uznałam, że jest dość szeroko, a wilkołaki się odsunęły, ruszyłam. I nagle uprzytomniłam sobie, że nie mam pojęcia, w którą stronę jechać. Wydawało mi się, że do Jackson powinnam skręcić w lewo. Podświadomość mówiła mi, że ubiegłej nocy, wjeżdżając na podjazd, skręcaliśmy w prawo.

Moja podświadomość okazała się wielką, starą kłamczuchą.

Po pięciu minutach jazdy byłam absolutnie przekonana, że zabłądziłam, a słońce naturalnie mimo tak bardzo zachmurzonego nieba stale pięło się wyżej. Nie mogłam sobie przypomnieć, czy koc dobrze osłania Billa, a nie byłam pewna, w jakim stopniu pokrywa bagażnika blokuje promienie. Wśród priorytetów przemysłu samochodowego nie było przecież bezpiecznego transportu wampirów.

Z drugiej strony powiedziałam sobie, że bagażnik bez wątpienia jest wodoodporny, więc pokrywa prawdopodobnie nie przepuszcza również światła. Niemniej jednak powinnam przede wszystkim poszukać ciemniejszego miejsca, w którym lincoln stałby do wieczora. Chociaż aż się paliłam do dalszej jazdy, chcąc jak najbardziej oddalić się od rezydencji, ot, na wszelki wypadek, gdyby ktoś zajrzał do sali tortur i skojarzył fakty, zjechałam na pobocze i otworzyłam schowek. Niech Bóg błogosławi Amerykanów! Znalazłam mapę Missisipi z dodatkiem o Jackson.

Tak, mapa na pewno by mi się przydała, gdybym miała choć słabe pojęcie, gdzie się obecnie znajduję!

Ludzie, którzy ratują się desperacką ucieczką, nie przypuszczają, że mogą się zgubić.

Wzięłam kilka głębokich wdechów. Wróciłam na drogę i jechałam przed siebie do czasu, aż zobaczyłam ruchliwą stację benzynową. Chociaż bak lincolna był pełen („Dzięki, Ericu!") podjechałam pod jeden z dystrybutorów paliwa. Po drugiej stronie stał czarny mercedes, a kobieta tankująca benzynę wyglądała na inteligentną osobę w średnim

wieku, ubraną w ładny, swobodny strój sportowy. Włączyłam wycieraczki na przedniej szybie i spytałam:

– Przepraszam, wie pani może, jak wrócić stąd na I-20?

– O tak, jasne – odparła i się uśmiechnęła. Należała
do ludzi, którzy naprawdę uwielbiają pomagać innym,
i pomyślałam, że miałam wielkie szczęście, że na nią trafiłam. – Tu jest Madison, a Jackson leży na południe stąd.
Międzystanowa I-55 zaczyna się może ze dwa kilometry
stąd, w tamtym kierunku. – Wskazała na zachód. – Pojedzie pani I-55 na południe i trafi prosto na I-20. Albo
może pani wybrać...

Już miałam zbyt dużo informacji.

– Och, wspaniale, wybiorę tę drogę. Pojadę od razu,
nim zapomnę.

– Jasne. Cieszę się, że mogłam pomóc.

– Proszę mi wierzyć, naprawdę mi pani pomogła.

Uśmiechnęłyśmy się do siebie szeroko jak dwie sym-
patyczne babeczki. Z radości o mało przy okazji nie wy-
znałam jej: „Mam w bagażniku wampira, którego torturowano".

W porządku, uratowałam Billa i żyję, a dziś wieczorem wyruszymy w drogę powrotną do Bon Temps. Życie
znów stanie się cudownie bezproblemowe, chociaż... Muszę jeszcze odbyć rozmowę z moim niewiernym chłopakiem, dowiedzieć się, czy znaleziono ciało wilkołaka, które porzuciliśmy w Bon Temps, a także obawiać się, czy nie
usłyszę tego samego na temat zwłok znalezionych w szafie
Alcide'a. No i jeszcze wyczekiwać, jak zareaguje królowa
Luizjany na tę niedyskrecję Billa. Mówiąc o niedyskre-
cji, mam na myśli to, co wygadał Lorenie, ponieważ ani

przez minutę nie wierzyłam, żeby królową obchodził ich romans.

Poza tym, wszystko świetnie.

„Dosyć ma dzień swojej biedy"* – powiedziałam sobie. To był ulubiony biblijny cytat mojej babci. Kiedy miałam jakieś dziewięć lat, poprosiłam ją, by mi go wyjaśniła, a ona odpowiedziała: „Nie szukaj kłopotów, bo one już szukają ciebie".

Mając to w pamięci, porzuciłam próżne rozważania. Mój następny cel był prosty – wrócić do Jackson i schronić się w podziemnym garażu. Zastosowałam się do instrukcji życzliwej kobiety i po półgodzinie spokojnie wjeżdżałam do miasta.

Wiedziałam, że jeśli tylko zdołam odszukać siedzibę zgromadzenia stanowego, zdołam też odnaleźć apartamentowiec Alcide'a. Kiedy wilkołak pokazywał mi centrum Jackson, nie zwracałam, niestety, uwagi na ulice jednokierunkowe i nieszczególnie interesowały mnie kierunki w ogóle, ale w całym stanie Missisipi jest niewiele pięciopiętrowych budynków, podobnie w stolicy. Po paru minutach nerwowego krążenia, dostrzegłam apartamentowiec.

No, pomyślałam, teraz wszystkie moje kłopoty się skończą.

Czy to nie głupota tak myśleć? Głupota, i to niezależnie od okoliczności.

---

* Ewangelia według św. Mateusza 6:34. Cyt. za *Biblią Tysiąclecia* (przyp. tłum.).

Podjechałam do małej budki strażnika, gdzie każdy musi poczekać, aż zostanie przez niego rozpoznany, gdyż dopiero wówczas strażnik pstryknie włącznik, wciśnie przycisk lub to, co podnosi szlaban. Strasznie się bałam, że mężczyzna mnie nie wpuści, ponieważ nie miałam specjalnej nalepki, takiej jaką Alcide przykleił na pikapie.

Strażnika nie było. Budka była pusta. Pomyślałam, że to pewnie źle. Skrzywiłam się i zadałam sobie pytanie, co robić. Nagle jednak strażnik nadszedł – w grubym, brązowym mundurze mozolnie wspinał się po podjeździe. Widząc, że czekam, zrobił zbolałą minę, a później coś mu się skojarzyło i pośpiesznie podszedł do samochodu. Westchnęłam, uświadomiwszy sobie, że będę musiała z nim rozmawiać. Opuściłam szybę.

– Przepraszam, że zszedłem z posterunku – tłumaczył się bez wstępów. – Musiałem, eee... iść za potrzebą.

Uznałam, że mogę ten fakt wykorzystać.

– Wypożyczyłam samochód, żeby wrócić – oznajmiłam. – Mogę dostać tymczasową nalepkę?

Spojrzałam na niego sugestywnie. To spojrzenie mówiło: „Daj mi nalepkę, a ja nikomu nie pisnę ani słowa, że zszedłeś z posterunku".

– Tak, proszę pani. Apartament numer pięćset cztery?

– Ma pan doskonałą pamięć – powiedziałam, a na jego pooranej zmarszczkami twarzy pojawił się rumieniec.

– To część mojej pracy – odparł nonszalancko i wręczył mi zalaminowany numer, który położyłam na desce rozdzielczej. – Proszę mi go oddać, gdy będzie pani wyjeżdżać na dobre. Bo jeżeli planuje pani pozostać dłużej, trzeba wypełnić formularz do akt, a wtedy otrzyma pani naklejkę. Właściwie... – stwierdził, jąkając się nieco z zakłopotania – będzie musiał go wypełnić pan Herveaux jako właściciel mieszkania.

– Dobrze. – Pokiwałam głową. – Nie ma problemu.

Pomachałam mu wesoło, a wtedy wycofał się do budki, żeby podnieść szlaban.

Wjechałam na ciemny parking, czując przypływ ulgi, jaka zwykle towarzyszy każdemu po pokonaniu potężnej przeszkody.

Ulga nie była jedyną reakcją. Gdy wyjęłam kluczyk ze stacyjki, drżałam na całym ciele. Wydało mi się, że widzę wóz Alcide'a parę metrów dalej, zaparkowałam jednak w najgłębszym możliwym miejscu garażu, w najciemniejszym rogu – tak się złożyło, że z dala od wszystkich innych pojazdów. Na tym kończył się mój plan. Nie wiedziałam, co teraz robić. Wcześniej chyba nie wierzyłam, że dotrę aż tutaj.

Rozparłam się w wygodnym fotelu – tylko na minutkę, żeby się całkowicie odprężyć i przestać się trząść, zanim wysiądę. Podczas jazdy z rezydencji włączyłam ogrzewanie na maksimum, więc w aucie było bardzo gorąco.

Obudziłam się po paru godzinach.

W samochodzie panował chłód i mimo kradzionej pikowanej kurtki dygotałam. Wygramoliłam się z siedzenia kierowcy, przeciągnęłam się, a potem zrobiłam kilka skłonów, próbując rozciągnąć skurczone mięśnie.

Może powinnam sprawdzić, co z Billem, który pewnie przez całą drogę przesuwał się w bagażniku. Musiałam się też upewnić, że jest dobrze przykryty.

Tak naprawdę po prostu chciałam go znów zobaczyć. Na tę myśl szybciej zabiło mi serce. Tak, jestem kompletną idiotką.

Zerknęłam, jak daleko znajduję się od słabo oświetlonego przez słońce wjazdu, i uznałam, że odległość jest wystarczająco duża. Zresztą zaparkowałam w taki sposób, by otwarta pokrywa bagażnika przesłaniała resztki blasku słonecznego.

Ulegając pokusie, poszłam na tył samochodu. Przekręciłam w zamku kluczyk, wyjęłam go i wrzuciłam do kieszeni kurtki, a później obserwowałam, jak pokrywa się podnosi.

W przyćmionym świetle garażu nie widziałam zbyt dobrze nie tylko Billa, ale nawet puszystego żółtego koca. Czyli że mój wampir był raczej dobrze ukryty. Pochyliłam się trochę bardziej, żeby mocniej nasunąć koc na jego głowę. Jeden jedyny ostrzegawczy dźwięk – stąpnięcie buta na betonie – usłyszałam, niestety, zbyt późno. Sekundę później poczułam energiczne pchnięcie z tyłu.

Wpadłam do bagażnika, na Billa.

Ktoś natychmiast wepchnął tam również moje nogi i pokrywa gwałtownie się zatrzasnęła.

Zatem teraz ja i Bill tkwiliśmy zamknięci razem w bagażniku lincolna.

ROZDZIAŁ DWUNASTY

Debbie. Pomyślałam, że na pewno zrobiła to Debbie. Kiedy zwalczyłam pierwszy atak paniki, który trwał dłużej, niż chciałabym przyznać, usilnie starałam się przypomnieć sobie ostatnie kilka sekund. Sądząc po cechach umysłu napastnika, bez wątpienia był zmiennokształtny. A więc na pewno chodzi o byłą dziewczynę Alcide'a – hm... może już nie byłą, skoro kręciła się po jego podziemnym garażu.

Czy czekała na mój powrót do Alcide'a od ubiegłej nocy? A może spotkała się z nim w pewnym momencie w trakcie szaleństw uprawianych podczas pełni księżyca? Najwyraźniej fakt, że towarzyszyłam Alcide'owi w klubie, rozgniewał ją bardziej, niż sądziłam. Albo go kochała, albo była osobą niesamowicie zaborczą.

Co prawda, jej motywy niespecjalnie mnie w tej chwili interesowały. Bardziej niepokoiłam się ilością powietrza w bagażniku. Po raz pierwszy naprawdę sie ucieszyłam, że Bill nie oddycha.

Siłą woli uspokoiłam się i wyrównałam oddech. Żadnych głębokich, panicznych wdechów, żadnego rzucania się po bagażniku. Muszę na spokojnie wszystko przemyśleć. Okej, wpadłam do bagażnika prawdopodobnie około godziny, hm, trzynastej. Bill obudzi się za jakieś pięć godzin, wtedy na dworze robi się ciemnawo. Może pośpi trochę dłużej, ponieważ jest bardzo wyczerpany, ale prawdopodobnie najdalej do osiemnastej trzydzieści. Kiedy się obudzi, wydostanie nas stąd! Czy aby na pewno? Był bardzo słaby. Został poważnie ranny, a leczenie takich obrażeń trwa jakiś czas, nawet w przypadku wampira. Żeby dojść do siebie, będzie potrzebował odpoczynku i krwi. Nie jadł przecież od tygodnia... Pod wpływem tej myśli nieoczekiwanie poczułam chłód.

Zadrżałam.

No tak, Bill będzie głodny. Naprawdę, naprawdę głodny. Szaleńczo głodny.

A to ja – jego przekąska.

Czy będzie pamiętał, kim jestem? Czy zda sobie sprawę, kogo ma obok siebie, wystarczająco szybko, by przerwać posiłek?

Kolejna myśl sprawiła mi jeszcze większy ból. A może ja już Billa nic nie obchodzę? Może obchodzę go tak mało, że nawet wiedząc, kim jestem, nie przestanie ssać? Będzie po prostu ssał i ssał, aż wyssie ze mnie całą krew. Przecież miał romans z Loreną. A potem widział, jak ją zabiłam. Tak, zabiłam ją na jego oczach. Zgoda, wydała go i torturowała, więc powinien ją znienawidzić. Ale czy ludzie w związkach nie postępują irracjonalnie?

Nawet moja babcia powiedziałaby: „O, cholera!".

No dobra, tylko spokojnie. Musiałam oddychać płytko i powoli, oszczędzając powietrze. Powinnam też odsunąć Billa i ułożyć się wygodniej. Dobrze przynajmniej, że ten bagażnik jest taki duży – największy, jaki kiedykolwiek widziałam. Dzięki temu ów manewr stał się możliwy. Ciało mojego wampira było zupełnie bezwładne (no cóż, jakżeby inaczej, przecież Bill nie żył), więc mogłam je odepchnąć, nie martwiąc się o konsekwencje. W bagażniku panowało zimno, spróbowałam zatem „pożyczyć" od Billa kawałek koca.

Panowały kompletne ciemności. Mogłabym napisać do projektanta samochodu list, powiadamiając go, że pokrywa bagażnika bez wątpienia nie przepuszcza światła. Tak, mogłam za to ręczyć. Może i napiszę, jeśli się stąd wydostanę. Nagle namacałam butelki z krwią.

Może Bill zadowoli się ich zawartością?

Przypomniałam sobie artykuł, który czytałam w jakimś czasopiśmie w poczekalni u dentysty. Opowiadał o kobiecie, którą ktoś porwał jako zakładniczkę i została zamknięta w bagażniku własnego auta, a później rozpoczęła kampanię na rzecz instalowania w bagażnikach zatrzasków pozwalających przetrzymywanemu otworzyć go od środka. Zastanawiałam się, czy przekonała producentów lincolnów. Obmacałam cały bagażnik, przynajmniej te części, do których mogłam sięgnąć, i rzeczywiście wyczułam coś w rodzaju zatrzasku; w pobliżu wisiały jakieś przewody. Ale jeśli znajdował się tu kiedyś jakiś uchwyt lub dźwigienka, teraz ich nie było.

Próbowałam ciągnąć zatrzask, a później szarpać – to w lewo, to w prawo.

Żadnych rezultatów, niech to szlag. Pomyślałam, że chyba zaraz zwariuję w tym bagażniku. Znalazłam sposób ucieczki i nie mogłam z niego skorzystać. Przesuwałam palcami po przewodach, bezskutecznie.

Mechanizm odłączono.

Intensywnie szukałam niemożliwej odpowiedzi na pytanie: „Jak to się mogło stać?". Wstyd się przyznać, ale brałam nawet pod uwagę udział Erica. Czyżby to był jego sposób na powiedzenie mi: „Zobacz, co ci się przydarza za to, że wybierasz Billa". Tak naprawdę jednak nie wierzyłam, by coś takiego zlecił. Eric miał wiele wad, a jego moralność pozostawiała sporo do życzenia, ale nie zrobiłby mi czegoś takiego. Choćby dlatego, że nie osiągnął jeszcze przecież swojego celu, którym było – najdelikatniej mówiąc – zdobycie mnie.

Ponieważ nie miałam nic innego do roboty poza myśleniem, szczególnie że, z tego co wiedziałam, myślenie nie wymaga dodatkowego tlenu, zastanawiałam się nad tym, kto mógł być właścicielem lincolna. Przyszło mi do głowy, że przyjaciel Erica wskazał mu po prostu pojazd, który łatwo było ukraść. Samochód bez wątpienia należał do kogoś, kto przebywa na dworze późno w nocy, może sobie pozwolić na lincolna i wozi w bagażniku stosy śmieci w postaci papierosowych bibułek, jakiegoś proszku i małych woreczków foliowych...

Och, mogłabym się założyć, że Eric buchnął auto dilerowi narkotyków. A ten diler unieruchomił wewnętrzny zatrzask w bagażniku z powodów... z powodów, których wolałam nie roztrząsać zbyt dokładnie.

Och, bez przesady, pomyślałam z oburzeniem. Niemal zapomniałam, jakie ciężkie chwile miałam za sobą. Wiedziałam jednak, że jeśli jeszcze raz mi się uda i wydostanę się z bagażnika przed przebudzeniem się Billa, wszystko co złe przestanie się liczyć.

Była niedziela, do Bożego Narodzenia nie zostało dużo czasu i w garażu panowała cisza. Może niektórzy ludzie wyjechali już gdzieś na święta, politycy wrócili do domów w swoich okręgach wyborczych, a pozostali byli zajęci... świątecznymi lub niedzielnymi sprawami.

Gdy tak leżałam, usłyszałam tylko raz, że z parkingu wyjeżdża samochód. A potem usłyszałam głosy – dwoje ludzi wysiadało z windy. Zaczęłam krzyczeć i tłuc w pokrywę bagażnika, ale wszelkie odgłosy pochłonęło uruchamianie jakiegoś potężnego silnika. Od razu się uspokoiłam, przerażona, że bez sensu zużyłam większe ilości powietrza, niż mogłam sobie na to pozwolić.

Powiem wam, że czas spędzony w niemal kompletnych ciemnościach i małej przestrzeni, w dodatku spędzony na czekaniu, aż coś się zdarzy – cóż, to naprawdę coś okropnego. Nie miałam zegarka. Zresztą, i tak musiałabym mieć taki z podświetlonymi wskazówkami... Nie zasnęłam ani na chwilę, choć kilka razy zdarzyło mi się popaść w osobliwy stan zawieszenia. Sądzę, że główną przyczyną był chłód. Mimo pikowanej kurtki i koca było mi naprawdę zimno. Cisza, chłód, brak ruchu, ciemność, brak bodźców. Nie myślałam o niczym konkretnym, po prostu dryfowałam.

A potem naprawdę się przeraziłam.

Bill się poruszył! Poruszył się i jęknął. I nagle jego mięśnie się napięły. Wiedziałam, że mnie wyczuł.

– Bill – odezwałam się ochryple. Wargi miałam tak zesztywniałe z zimna, że ledwie się poruszały. – Bill, to ja, Sookie. Bill, dobrze się czujesz? Jest tu krew w butelkach. Napij się teraz.

I wtedy rzucił się na mnie.

Był tak głodny, że zapomniał o delikatności. Cierpiałam, bolało mnie jak wszyscy diabli.

– Bill, to ja – powtarzałam, płacząc. – Bill, to ja. Nie rób tego, kochanie. Bill, to ja, Sookie. Tu jest Czysta Krew.

Bill jednak nie przestawał ssać. Ja wciąż mówiłam, a on ciągle ssał. Czułam coraz większy chłód i byłam coraz słabsza. Z całych sił przyciskał mnie do siebie i wiedziałam, że nie ma sensu odpychać jego ramion, zresztą wszelki mój opór czy walka jedynie dodatkowo by go podnieciły. Nogą przyciskał moje nogi.

– Bill – wyszeptałam. Pomyślałam, że może jest już za późno. Zebrałam resztki sił i palcami prawej ręki uszczypnęłam go w ucho. – Proszę, posłuchaj... Bill.

– Oj – jęknął.

Jego głos brzmiał szorstko. Miał prawdopodobnie podrażnione gardło. Przestał ssać, lecz teraz poczuł kolejną potrzebę, blisko powiązaną z jedzeniem. Zsunął moje spodnie od dresu i po długim gmeraniu, macaniu, przesuwaniu i przekręcaniu, po prostu we mnie wszedł, bez uprzedzenia czy przygotowania. Krzyknęłam, więc położył mi dłoń na ustach. Płakałam i szlochałam; miałam zatkany nos, musiałam więc oddychać przez usta. A gdy zaczęłam się dusić, przestałam się hamować i zaczęłam walczyć jak tygrysica. Gryzłam, drapałam i kopałam, nie dbając o kończące się powietrze ani o to, że może w ten sposób rozwścieczam Billa jeszcze bardziej. Naprawdę potrzebowałam tlenu.

Po kilku sekundach ręka mojego wampira opadła, a on sam przestał się poruszać. Zrobiłam wdech, głęboki, drżący i gwałtowny, po czym rozpłakałam się na dobre.

– Sookie? – spytał niepewnie Bill. – Sookie?

Nie byłam w stanie mu odpowiedzieć.

– To ty – dodał ochrypłym i zdumionym głosem. – To ty. Naprawdę byłaś tam, w sali tortur?

Usiłowałam się pozbierać, ale kręciło mi się w głowie i bałam się, że zaraz zemdleję. W końcu zdołałam wyszeptać:

– Bill.

– To ty. Nic ci nie jest?

– Nie – odparłam niemal przepraszającym tonem.

Ostatecznie to jego więziono i torturowano.

– Czy ja...? – Zawahał się, jak gdyby zbierał się na odwagę. – Wyssałem więcej krwi, niż powinienem?

Nie mogłam odpowiedzieć. Położyłam głowę na jego ramieniu. Mówienie wydało mi się zbyt męczące.

– Chyba uprawiałem z tobą seks w tym małym pomieszczeniu – szepnął stłumionym głosem. – Czy... hm... byłaś chętna?

Pokręciłam powoli głową, a potem ponownie położyłam ją na jego ramieniu.

– O, nie – szepnął. – O, nie.

Wysunął się ze mnie i znowu zaczął gmerać przy moim ubraniu. Tym razem doprowadził mnie do porządku, a potem, jak sądzę, siebie. Poklepał rękoma miejsca wokół nas.

– Och, to bagażnik – mruknął.

– Potrzebuję powietrza – jęknęłam.

– Dlaczego nie powiedziałaś?

Uderzył pięścią w pokrywę bagażnika, wybijając dziurę. Był ode mnie silniejszy. Dobre chociaż to!

Do środka wdarło się chłodne powietrze, które natychmiast wciągnęłam głęboko do płuc. Piękny, piękny tlen.

— Gdzie jesteśmy? – spytał po chwili Bill.

— W podziemnym garażu. – Wciąż łapałam powietrze. – Apartamentowiec. Jackson.

Byłam tak słaba, że nie miałam ochoty się odzywać. Na nic nie miałam ochoty.

— Dlaczego?

Próbowałam znaleźć w sobie dość energii, by mu odpowiedzieć.

— Alcide tu mieszka – wymamrotałam w końcu.

— Jaki Alcide? Co mamy teraz zrobić?

— Eric... przyjdzie. Pij krew z butelek.

— Sookie? Nic ci nie jest?

Nie mogłam na to odpowiedzieć. Gdybym mogła, może spytałabym: „A co cię to obchodzi? I tak zamierzałeś mnie opuścić". A może oznajmiłabym: „Wybaczam ci", chociaż nie wydaje mi się to prawdopodobne. Albo wyznałabym, że za nim tęskniłam i że nadal nie zdradziłam nikomu jego sekretu; wierna aż po śmierć, oto cała Sookie Stackhouse.

Usłyszałam, że otworzył butelkę.

Czułam się, jakbym dryfowała w łodzi, która porusza się coraz szybciej, aż uprzytomniłam sobie, że Bill nie ujawnił nikomu mojego imienia. Wiedziałam, że starali się je od niego wydobyć, żeby mnie porwać i torturować na jego oczach; mogliby go w ten sposób łatwiej złamać. Lecz on mnie nie wydał.

Bagażnik otworzył się z gwałtownym zgrzytem.

Eric stał w blasku świetlówek garażu. Włączono je, kiedy zapadł zmrok.

— Co robicie w środku oboje? – spytał.

Co do mnie, nie zdążyłam odpowiedzieć, bo znów moją wyimaginowaną łódź porwał wyimaginowany prąd.

***

– Sookie odzyskuje przytomność – zauważył Eric. – Chyba krwi było dość.

W głowie mi huczało przez dobrą minutę, potem zapadła cisza.

– Naprawdę – dodał.

Zamrugałam i otworzyłam oczy. Miałam nad sobą trzy męskie oblicza, na każdym widziałam niepokój.

To były twarze Erica, Alcide'a i Billa. Nie wiem dlaczego, ale na ich widok zachciało mi się śmiać. W rodzinnej miejscowości tak wielu mężczyzn bało się mnie lub wolało ignorować, a teraz otaczało mnie trzech i wszyscy pragnęli uprawiać ze mną seks lub przynajmniej o tym myśleli. Tłoczyli się wokół łóżka. Zachichotałam, naprawdę zachichotałam, tak jak nie chichotałam od może dziesięciu lat.

– Trzej muszkieterowie – mruknęłam.

– Ma halucynacje? – spytał Eric.

– Sądzę, że raczej śmieje się z nas – odparł Alcide.

Nie wydawał się z tego powodu niezadowolony. Postawił pustą butelkę po Czystej Krwi na toaletce, którą miał za sobą. Stał tam już wielki dzban i szklanka.

Chłodne palce Billa splotły się z moimi.

– Sookie – powiedział mój wampir, typowym dla siebie spokojnym głosem, który zawsze wywoływał ciarki na moich plecach.

Usiłowałam skupić wzrok na jego twarzy. Siedział na łóżku po mojej prawej stronie.

Wyglądał lepiej. Najgłębsze przecięcia na jego twarzy już się zabliźniły, sińce pobladły.

– Czy wracam na ukrzyżowanie? – upewniłam się.

– Skąd ci to przyszło do głowy?

Bill pochylił się nade mną. Minę miał zdeterminowaną, ciemne oczy szeroko otwarte.

– Pytali mnie o to strażnicy przy bramie.

– Strażnicy przy bramie rezydencji króla zadali ci pytanie, czy wracasz na ukrzyżowanie dziś wieczorem? Dziś w nocy?

– Tak.

– Czyje?

– Nie wiem.

– Spodziewałbym się raczej, że spytasz: „Gdzie jestem?" albo: „Co mi się przytrafiło?"! – wtrącił Eric. – A ty pytasz, kto zostanie ukrzyżowany... być może zostanie ukrzyżowany – poprawił się, zerkając na zegar przy łóżku.

– Może mnie chcieli ukrzyżować? – Billa wyraźnie oszołomiła ta myśl. – Może postanowili mnie zabić dziś wieczorem?

– Albo schwytali fanatyka, który próbował zaatakować kołkiem Betty Joe? – zasugerował Eric. – Byłby pierwszorzędnym kandydatem na ukrzyżowanie.

Przemyślałam to, w stopniu, w jakim byłam w stanie myśleć mimo znużenia i ciągłej obawy, że zasłabnę.

– Nie taki obraz widziałam – wyszeptałam.

Okropnie bolała mnie szyja.

– Podsłuchałaś jakieś myśli wilkołaków? – uściślił Eric.
Skinęłam głową.

– Sądzę, że mieli na myśli Bubbę – powiedziałam szeptem i wszyscy trzej mężczyźni znieruchomieli.

– Ten kretyn – mruknął brutalnie Eric po chwili zastanowienia. – Schwytali go?

– Tak sądzę.

Takie miałam wrażenie.

– Będziemy musieli go odbić – oznajmił Bill. – O ile wciąż żyje.

Deklaracja ze strony Billa, że zamierza wrócić na teren posiadłości króla, wymagała prawdziwej odwagi. Na jego miejscu nigdy bym czegoś takiego nie zaproponowała.

Zapadło nieprzyjemne milczenie.

– Eric?

Bill spojrzał na niego, marszcząc ciemne brwi. Czekał na odpowiedź.

Eric wyglądał na szczerze zagniewanego.

– Chyba masz rację. Jesteśmy za niego odpowiedzialni. Nie mogę uwierzyć, że jego rodzinny stan pragnie wykonać na nim karę śmierci! Gdzie ich lojalność?

– A ty? – spytał znacznie chłodniejszym głosem Bill, zwracając się do Alcide'a.

Ciepło bijące od wilkołaka wypełniało sypialnię. Lecz w jego myślach panował prawdziwy chaos. Alcide bez wątpienia spędził część ubiegłej nocy z Debbie.

– Nie wiem, jak mógłbym pomóc – tłumaczył się rozpaczliwie. – Interesy moje i mojego ojca zależą od moich częstych przyjazdów do Jackson. Jeśli zacznę drzeć koty z Russellem i jego ekipą, może to dużo kosztować moją firmę. Będę miał wystarczające kłopoty, gdy wampiry dowiedzą się, że to najprawdopodobniej Sookie porwała ich więźnia.

– I zabiła Lorenę – dodałam.

Zapadło kolejne wymowne milczenie.

Eric zaczął szczerzyć zęby w uśmiechu.

– Wykończyłaś Lorenę?

Jak na tak starego nieumarłego szybko łapał potoczny język.

Minę Billa trudno mi było zinterpretować.

– Sookie przebiła ją kołkiem – przyznał. – Stoczyła uczciwą walkę.

– Zabiła Lorenę w walce?

Uśmiech Erica stał się jeszcze szerszy. Eric był ze mnie tak dumny jak ojciec ze swego pierworodnego, który cytowałby Szekspira.

– Po bardzo krótkiej walce – odparłam, nie chcąc sobie przypisywać jakichś szczególnych zasług.

Jeśli można to nazwać „zasługą".

– Sookie zabiła wampirzycę – powiedział Alcide. W jego głosie wyraźnie słyszałam podziw.

Odniosłam wrażenie, że skoczyły u niego moje notowania.

Dwa wampiry w pokoju nachmurzyły się.

Wilkołak nalał wody do szklanki i wręczył mi ją. Piłam powoli, każdy łyk sprawiał mi ból. Ale po paru minutach poczułam się znacznie lepiej.

– Wróćmy do pierwotnego tematu – oznajmił Eric, posyłając mi następne znaczące spojrzenie, które sugerowało, że będzie chciał ze mną jeszcze pomówić o zabiciu Loreny. –

Jeśli nie wiedzą, że to Sookie pomogła Billowi w ucieczce, mogłaby wrócić do rezydencji i jakoś nas wprowadzić bez podnoszenia alarmu. Na pewno jej się tam nie spodziewają, ale nie sądzę też, by próbowali ją odprawić. Szczególnie jeśli powie, że ma wiadomość dla Russella od królowej Luizjany lub powie, że ma coś, co chce dać Russellowi...

Wzruszył ramionami, jak gdyby wierzył, że zdołamy wymyślić sensowną bajeczkę.

Nie chciałam tam wracać. Pomyślałam o biednym Bubbie i usiłowałam się martwić o jego los – o to, co być może już go spotkało – ale byłam po prostu za słaba, by martwić się o kogokolwiek.

– Białą flagę? – podsunęłam. Odchrząknęłam. – Czy wampiry mają coś takiego?

Eric popatrzył na mnie w zadumie.

– Wtedy oczywiście musiałbym wyjaśnić, kim jestem – zauważył.

Ponieważ Alcide był dziś szczęśliwy, o wiele łatwiej czytałam w jego myślach. A myślał o tym, jak szybko może zadzwonić do Debbie.

Otworzyłam usta, zastanowiłam się, zamknęłam je i znów otworzyłam. A niech tam.

– Wiesz, kto mnie wepchnął do bagażnika i zatrzasnął? – spytałam wilkołaka.

Spojrzenie jego zielonych oczu wwierciło się w moje, lecz twarz pozostała opanowana, jak gdyby Alcide bał się ujawnić emocje. Bez słowa odwrócił się i opuścił pokój. Zamknął za sobą drzwi. Dopiero teraz odkryłam, że leżę w sypialni dla gości.

— Więc kto ci to zrobił, Sookie? – spytał Eric.

— Jego eksdziewczyna. Chociaż po ostatniej nocy już chyba nie eks.

— Dlaczego miałaby to zrobić? – spytał Bill.

Kolejne znamienne milczenie.

— Sookie udawała nową przyjaciółkę Alcide'a, by móc wejść do klubu – odparł bardzo subtelnie Eric.

— Ach tak – powiedział Bill. – A po co poszłaś do tego klubu?

— Chyba dostałeś parę razy przez łeb, Bill – odparował Eric lodowato. – Sookie starała się „podsłuchać", dokąd cię zabrali.

Ocierał się o kwestie, które Bill i ja musieliśmy omówić na osobności.

— Powrót tam to głupota – oświadczyłam. – Może zadzwonimy?

Obaj popatrzyli na mnie jak na kobietę, która zmienia się w żabę.

— No, dobry pomysł – odparł Eric.

***

Telefon, jak się okazało, był zarejestrowany na Russella Edgingtona, a nie pod nazwą „Rezydencja Śmierci" czy też „Wampiry to my". Dopracowałam moją historyjkę, gdy wypiłam duszkiem całą zawartość dużego plastikowego kubka. Nie spodobał mi się smak krwi syntetycznej, którą Bill kazał mi wypić, więc zmieszał ją z sokiem jabłkowym, a ja starałam się nie patrzeć, co piję.

Już wcześniej, gdy przynieśli mnie do mieszkania Alcide'a, skłonili mnie do wypicia Czystej Krwi wprost z butelki. Nie spytałam, jak im się udało mnie namówić. Wiedziałam przynajmniej, dlaczego ubrania, które pożyczyłam od Bernarda, są w tak opłakanym stanie. Wyglądałam jak po podcięciu gardła, a nie po bolesnym ugryzieniu Billa. Zranione miejsce jeszcze mnie pobolewało, ale znacznie mniej.

Naturalnie, to ja musiałam zadzwonić. Jeszcze nie spotkałam mężczyzny powyżej szesnastego roku życia, który lubiłby rozmawiać przez telefon.

– Poproszę z Betty Joe Pickard – powiedziałam, usłyszawszy po drugiej stronie męski głos.

– Jest zajęta – odparł natychmiast.

– Muszę z nią porozmawiać teraz.

– I tak jest zajęta. Może zostawi pani swój numer.

– Uratowałam tej kobiecie życie zeszłej nocy – upierałam się. Nie zamierzałam niczego owijać w bawełnę. – Muszę z nią porozmawiać, i to już. Bezzwłocznie.

– Sprawdzę.

Długo panowała cisza. Od czasu do czasu docierały do mnie odgłosy kroków przechodzących obok telefonu osób, słyszałam też wiwaty, które dochodziły z pewnego oddalenia. Wolałam nie zastanawiać się nad powodami tej radości. Eric, Bill i Alcide – który w końcu wrócił do sypialni głośno tupiąc, gdy Bill poprosił go o możliwość skorzystania z jego telefonu – stali i robili do mnie najróżniejsze miny, a ja co chwila wzruszałam ramionami.

W końcu rozległo się stukanie obcasów na wyłożonej kaflami podłodze.

– Jestem wdzięczna, ale nie możesz wykorzystywać mojej wdzięczności bez końca – rzuciła Betty Joe Pickard prosto z mostu. – Załatwiliśmy ci lekarza, mogłaś wracać u nas do zdrowia. Nie wymazaliśmy twojej pamięci – dodała, jak gdyby wcześniej ten mały szczegół jej umknął. – O co chcesz zapytać?

– Macie wampira, imitatora Elvisa?

– No i? – Nagle w jej głos wkradła się ostrożność. – Przyłapaliśmy go ubiegłej nocy, jak myszkował po posiadłości.

– Dziś rano, kiedy wyjechałam z rezydencji, ponownie mnie zatrzymano – oznajmiłam.

Uznaliśmy wcześniej, że powinnam mówić głosem słabym i chrypliwym.

Zapanowała długa cisza, podczas której Betty Joe rozważała różne opcje.

– Masz nawyk pojawiania się w niewłaściwym miejscu – zauważyła z niejakim współczuciem.

– Kazali mi teraz do ciebie zadzwonić – ciągnęłam powoli. – Mam powiedzieć, że wampir, którego macie, to nie imitator.

Roześmiała się.

– Och, ale... – zaczęła. Potem umilkła. – Co ty pieprzysz, co?

Mamie Eisenhower nigdy by tak nie odpowiedziała, mogłabym przysiąc.

– Mówię prawdę. W kostnicy tamtej nocy pracował wampir – wykrakałam.

Betty Joe wydawała dźwięk, który zabrzmiał jak coś pomiędzy gwałtownym wdechem a odgłosem krztuszenia się.

– Nie nazywajcie go jego prawdziwym imieniem. Mówcie do niego „Bubba". I, na litość boską, nie zrańcie go.

– Ale my go już... Poczekaj!

Pobiegła. Stukanie jej obcasów cichło.

Westchnęłam i czekałam. Po kilku sekundach miałam dość dwóch wampirów stojących nade mną i patrzących na mnie z góry. Pomyślałam, że wzmocniłam się chyba już wystarczająco, żeby usiąść prosto.

Bill delikatnie mnie podtrzymał, a Eric podłożył mi pod plecy poduszki. Ucieszyłam się, widząc, że któryś z nich wykazał się refleksem i rozłożył na łóżku żółty koc, żebym nie poplamiła narzuty. Przez cały czas trzymałam telefon przyciśnięty do ucha, toteż gdy Betty Joe się odezwała, przestraszyłam się.

– Zdążyliśmy – oświadczyła wesoło.

– Zadzwoniliśmy na czas – przekazałam Ericowi.

Zamknął oczy i miałam wrażenie, że odmawia modlitwę. Zastanowiłam się, do kogo mógłby się modlić. Czekałam na dalsze instrukcje.

– Powiedz im – powiedział – żeby go wypuścili, a on sam trafi do domu. Powiedz, że przepraszamy za to, że spuściliśmy go z oczu.

Przekazałam wiadomość od moich „porywaczy".

Betty Joe szybko wydała rozkazy.

– Spytaj, czy mógłby zostać i nam trochę pośpiewać? Jest w całkiem dobrym stanie – nalegała.

Powtórzyłam. Eric przewrócił oczyma.

– Niech go spyta, ale jeśli jej odmówi, musi potraktować jego słowa poważnie i nie prosić go więcej – oznajmił. – Jeżeli nie będzie w nastroju, tylko się zdenerwuje.

Czasami, kiedy śpiewa, przypomina sobie różne zdarzenia i staje się, hm, zaczepny.

– W porządku – odparła Betty Joe po moich wyjaśnieniach. – Wszystko będzie dobrze. Jeśli nie zechce śpiewać, natychmiast go wypuścimy.

Usłyszałam, że przyciszonym głosem przekazuje komuś polecenie:

– Jeśli się zgodzi, niech zaśpiewa.

W odpowiedzi dotarło do mnie głośne: „Hurra!". No, no, no, świcie króla Missisipi trafiły się dwie szalone noce, jedna po drugiej.

– Mam nadzieję, że wykaraskasz się z obecnych kłopotów – powiedziała do mnie. – Nie wiem, jak twój porywacz zyskał prawo do opieki nad największą gwiazdą na świecie. Zgodziłby się na negocjacje?

Nie miała pojęcia, jakie problemy łączą się z opieką nad „gwiazdą". Bubba miał nieszczęsne upodobanie do kociej krwi, był trochę przygłupi i potrafił wypełniać tylko najprostsze polecenia, chociaż raz na jakiś czas wykazywał się odrobiną sprytu. Tyle że te polecenia zawsze wypełniał absolutnie dosłownie.

– Ona prosi o pozwolenie zatrzymania go – przekazałam Ericowi.

Zmęczyła mnie już rola pośrednika. Tyle że Betty Joe nie powinna rozmawiać z Erikiem, gdyż zorientowałaby się, że ma do czynienia z rzekomym przyjacielem Alcide'a, który pomógł mi się dostać poprzedniej nocy do rezydencji.

Ta sytuacja zaczęła mi się wydawać zbyt skomplikowana.

– Tak? – powiedział Eric do słuchawki.

Nagle mówił z brytyjskim akcentem. Mistrz przemian. Rzucił jeszcze: „On jest nietykalny" oraz: „Nie wiecie, w co się pakujecie". (Gdybym była w lepszym humorze, to ostatnie stwierdzenie uznałabym za całkiem zabawne). Zamienił jeszcze kilka słów, po czym odłożył słuchawkę z zadowoloną miną.

Jakie to dziwne, że Betty Joe nijak nie zasugerowała, że ktoś z rezydencji zaginął. Nie oskarżyła Bubby o porwanie ich więźnia i nie skomentowała znalezienia ciała Loreny. Ma się rozumieć, nie musiała wspominać o takich zdarzeniach w rozmowie z nieznajomą istotą ludzką... W dodatku, jeśli chodzi o Lorenę, z jej ciała zapewne nie zostało zbyt dużo; zwłoki wampirów rozpadają się dość szybko. W basenie jednak bez wątpienia pozostał srebrny łańcuch i może taka ilość osadu, która pozwoli rozpoznać, że to są resztki wampira.

Z drugiej strony, po co by mieli dziś zaglądać pod brezent chroniący basen?

No, ale przecież chyba zauważyli, że zniknął ich główny więzień?!

Może założyli, że Billa uwolnił Bubba, gdy włóczył się po posiadłości. Zakazaliśmy mu cokolwiek mówić i pewnie wypełnił nasz rozkaz co do joty.

Może nic mi już nie grozi? Może zajrzą do basenu dopiero na wiosnę, gdy będą go czyścić? A do tego czasu po ciele Loreny najprawdopodobniej nie zostanie żaden ślad.

Kiedy tak myślałam o zwłokach, przypomniał mi się trup, którego znaleźliśmy w szafie. Ktoś na pewno wiedział, gdzie przebywamy, i ten ktoś na pewno bardzo nas nie lubił. Zostawiając ciało w szafie, pragnął uwikłać nas w morderstwo. Co prawda, rzeczywiście je popełniłam, chociaż nie popełniłam tego konkretnego... Byłam ciekawa, czy znaleziono już ciało Jerry'ego Falcona. Niebezpieczeństwo nie wydawało się duże. Już chciałam spytać Alcide'a, czy nie mówili o tym w wiadomościach, jednak zrezygnowałam. Zabrakło mi energii, żeby sformułować zdanie.

Zupełnie straciłam już kontrolę nad własnym życiem. W ciągu dwóch dni ukryłam ciało i dokonałam zabójstwa. A wszystko dlatego, że zakochałam się w wampirze. Posłałam Billowi obojętne spojrzenie. Byłam tak bardzo zatopiona we własnych myślach, że nie usłyszałam dzwonka telefonu. Alcide, który wyszedł wcześniej do kuchni, odebrał prawdopodobnie po pierwszym sygnale.

Chwilę później nasz gospodarz stanął w drzwiach sypialni.

– Ruszajcie się – polecił. – Wszyscy natychmiast do sąsiedniego apartamentu. Jest pusty. Szybko, szybko!

Bill podniósł mnie razem z kocem i pościelą. Wampiry wybiegły. Znaleźliśmy odpowiednie drzwi i Eric wyłamał zamek. A wszystko to zdarzyło się w ułamku sekundy. Usłyszałam jeszcze skrzypienie wjeżdżającej powoli na piąte piętro windy, po czym Bill zamknął za nami drzwi.

Stanęliśmy bez ruchu w pustym, zimnym salonie niezamieszkanego apartamentu. Wampiry nasłuchiwały, co się dzieje za ścianą. Ja zaczęłam drżeć w ramionach Billa.

Prawdę powiedziawszy, czułam się wspaniale, gdy mnie obejmował, niezależnie od tego, jak strasznie się na niego gniewałam, niezależnie od tego, jak wiele kwestii musieliśmy omówić i ustalić. Przyznam, że miałam cudowne poczucie powrotu do domu. Ściśle rzecz biorąc, mimo że moje ciało było takie sponiewierane (na dodatek sponiewierane przez niego czy raczej przez jego kły), nie mogło się doczekać dotyku jego nagiego ciała. I to mimo okropnego incydentu w bagażniku. Westchnęłam. Byłam sobą głęboko rozczarowana. Musiałam bronić swoich decyzji, ponieważ ciało gotowe było mnie zdradzić, i to bez wahania. Jakby zapomniało o napaści mojego wampira.

Bill położył mnie na podłodze w mniejszej sypialni tego mieszkania tak ostrożnie, jak gdybym kosztowała milion dolarów, a potem starannie opatulił mnie kocem. Wraz z Erikiem nasłuchiwali przez chwilę, stojąc przy ścianie, za którą znajdowała się sypialnia Alcide'a.

– Co za suka – mruknął Eric.

Och! Debbie wróciła.

Zamknęłam oczy. Eric wydał odgłos sugerujący zaskoczenie, więc otworzyłam je ponownie. Patrzył na mnie, a na jego obliczu po raz kolejny dostrzegłam denerwujące rozbawienie.

– Debbie odwiedziła ubiegłej nocy jego siostrę w jej domu i maglowała ją o ciebie. Siostra Alcide'a bardzo cię lubi – wyjaśnił Eric szeptem. – To gniewa zmiennokształtną Debbie. Znieważa jego siostrę.

Widziałam z miny Billa, że nie jest tak zachwycony jak Eric.

Nagle dostrzegłam, że mój wampir spina wszystkie mięśnie, jak gdyby ktoś włożył jego palec w gniazdko elektryczne. Eric rozdziawił usta i gapił się na mnie z wyrazem twarzy, którego nie potrafiłam zinterpretować.

W tym momencie z sąsiedniego mieszkania dotarł łatwy do rozpoznania odgłos wymierzonego policzka – nawet ja go usłyszałam.

– Zostaw nas na chwilę – poprosił Bill Erica.

Nie spodobał mi się jego ton.

Zamknęłam oczy. Pomyślałam, że nie mam siły na to, co teraz się zdarzy. Nie chciałam sprzeczać się z Billem ani wytykać mu niewierności. Nie chciałam słuchać jego wyjaśnień i wymówek.

Usłyszałam, że podchodzi, a potem klęka obok mnie na dywanie. Po chwili położył się i objął mnie.

– On właśnie powiedział tej kobiecie, że jesteś świetna w łóżku – mruknął cicho.

Zerwałam się z pozycji na brzuchu tak szybko, że poczułam rwanie w gojącej się szyi i ukłucie w niemal zagojonym boku.

Przykryłam ręką szyję i zacisnęłam zęby, żeby nie jęczeć. Kiedy wreszcie mogłam przemówić, zdołałam jedynie powtarzać dwa słowa:

– On co? On co?

Z gniewu mówiłam bez ładu i składu. Bill obrzucił mnie przenikliwym spojrzeniem i położył palec na ustach, przypominając mi, że musimy zachowywać się cicho.

– Ja nigdy nie... – wyszeptałam z wściekłością. – Ale nawet gdybym z nim spała, to wiesz co? Zasłużyłeś sobie na to, ty wiarołomny sukinsynie.

Spojrzałam mu w oczy i przez chwilę nie odwracałam wzroku. Okej, trzeba będzie odbyć tę rozmowę.

– Masz rację – mruknął. – Połóż się, Sookie. Jesteś ranna.

– Oczywiście, że jestem ranna – odszepnęłam i wybuchnęłam płaczem. – A ty kazałeś innym, żeby mi powtórzyli, że zamierzasz dać mi pieniądze na pożegnanie, po czym odejdziesz i będziesz żyć z nią. I nawet nie miałeś odwagi porozmawiać o tym ze mną osobiście! Bill, jak mogłeś być zdolny do czegoś takiego?! Byłam idiotką, skoro myślałam, że naprawdę mnie kochasz!

Z okrucieństwem, o które nigdy bym siebie nie podejrzewała, odgarnęłam koc i rzuciłam się na niego. Moje palce po omacku szukały jego gardła.

Do diabła z bólem.

Nie zdołałam chwycić dłońmi jego szyi, ale wbiłam w nią palce najmocniej, jak mogłam, i poczułam, że ogarnia mnie niewyobrażalna furia. Chciałam go zabić.

Gdyby Bill odpowiedział na atak, może szalałabym dalej, ale ponieważ nie reagował, wściekłość stopniowo we mnie słabła, aż zobojętniałam i poczułam w sobie pustkę. Usiadłam okrakiem na ciele Billa, który leżał teraz biernie na brzuchu, z rękoma po bokach. Zdjęłam dłonie z jego szyi i ukryłam w nich twarz.

– Mam nadzieję, że boli cię jak cholera – warknęłam.

Głos miałam zdławiony, lecz mówiłam wystarczająco wyraźnie.

– Tak – powiedział. – Boli jak cholera.

Pociągnął mnie w dół, a kiedy położyłam się obok niego, przykrył nas oboje kocem. Łagodnie pchnął moją głowę we wgłębienie między jego szyją i ramieniem.

Leżeliśmy tak w milczeniu przez czas, który wydał mi się długi, chociaż zapewne było to jedynie kilka minut. Wtuliłam się w niego zarówno z przyzwyczajenia, jak i z wielkiej potrzeby, chociaż nie wiem, czego potrzebowałam – Billa w szczególności czy zażyłości, która łączyła mnie tylko z nim i z nikim innym. Nienawidziłam go. I kochałam.

– Sookie – szepnął mi we włosy. – Ja...

– Ciii – poprosiłam. – Ciii.

Przylgnęłam do niego jeszcze mocniej. Rozluźniłam się. Tak czuje się człowiek, któremu wreszcie ktoś odwinął zbyt mocno zawiązany bandaż elastyczny.

– Masz na sobie czyjeś ubranie – szepnął po minucie czy dwóch.

– Tak, pewnego wampira imieniem Bernard. Dał mi te ciuchy, bo moja sukienka zniszczyła się w barze.

– W barze „U Josephine"?

– Tak.

– W jaki sposób została zniszczona?

– Ktoś wbił mi w bok kołek.

Bill znieruchomiał.

– Bolało cię? – Odchylił koc. – Pokaż mi.

– Oczywiście, że bolało – odparłam. – Cholernie mnie bolało.

Delikatnie podniosłam brzeg bluzy od dresu.

Jego palce pogładziły błyszczącą skórę. Moje rany nigdy nie będą się goić w taki sposób jak jego rany. Jemu uzdrowienie zajmie może jeszcze parę nocy, ale potem mimo tygodniowych tortur będzie wyglądał tak jak przed nimi. Ja będę miała bliznę do końca życia, niezależnie od tego, ile wampirzej krwi bym wypiła. Blizna może nie będzie bardzo wyraźna i utworzy się bez wątpienia w niezwykłym tempie, ale teraz była niezaprzeczalnie czerwona i brzydka, ciało pod skórą nadal wrażliwe, a cały bok obolały.

– Kto ci to zrobił?

– Jakiś mężczyzna. Fanatyk. To długa historia.

– Nie żyje?

– Tak. Betty Joe Pickard zabiła go dwoma potężnymi ciosami pięści. To mi przypomniało pewną opowieść, którą czytałam w podstawówce. O Paulu Bunyanie.

– Nie znam jej.

Wpatrywał się w moje oczy. Wzruszyłam ramionami.

– Najważniejsze, że facet nie żyje. – Uczepił się tematu.

– Wielu ludzi teraz nie żyje – docięłam mu. – A wszystko z powodu twojego programu.

Na długą chwilę zapanowała cisza. Potem Bill zerknął na drzwi, które Eric taktownie zamknął za sobą. Bez wątpienia i tak słuchał, a słuch, jak wszystkie wampiry, miał doskonały.

– Jest bezpieczny?

– Tak.

Usta Billa znalazły się tuż przy moim uchu. Poczułam łaskotanie. Zapytał szeptem:

– Przeszukali mój dom?

– Nie wiem. Może wampiry z Missisipi. Nie miałam okazji tam zajrzeć po rewelacjach Erica, Pam i Chow, którzy przyszli mi powiedzieć, że zostałeś porwany.

– I powiedzieli ci...?

– Że postanowiłeś mnie opuścić. Tak, powiedzieli mi o tym.

– Już zapłaciłem za to krótkie szaleństwo – zauważył.

– Może zapłaciłeś tyle, że przestałeś czuć się winny – stwierdziłam – ale nie wiem, czy zmyłeś swoją winę w moich oczach.

Tym razem milczenie w zimnym, pustym pokoju przeciągało się. W salonie również było cicho. Miałam nadzieję, że Eric wymyślił, co teraz zrobimy, i pragnęłam, żeby ten pomysł wiązał się z powrotem do domu. Niezależnie od tego, co zaszło między Billem i mną, chciałam wrócić do Bon Temps. Do mojej pracy i moich przyjaciół. I pragnęłam zobaczyć mojego brata. Może nie jest najwspanialszy, ale stanowi całą moją rodzinę.

Zadałam sobie pytanie, co się dzieje w sąsiednim mieszkaniu.

– Kiedy królowa przyszła do mnie i powiedziała, że dotarły do niej informacje, zgodnie z którymi pracuję nad zupełnie nowym programem, pochlebiło mi to – podjął Bill. – Kwota, którą zaoferowała, była duża, zwłaszcza że w ogóle nie musiała mi płacić, skoro jestem jej poddanym.

Poczułam, że się krzywię, słysząc kolejne przypomnienie, jak bardzo świat Billa różni się od mojego.

– Kto twoim zdaniem ją o tym poinformował? – zainteresowałam się.

– Nie wiem. I naprawdę nie chcę wiedzieć – odrzekł.

Powiedział to szybko i spokojnie, lecz mu nie wierzyłam.

– Wiesz, że pracowałem nad nim od jakiegoś czasu – kontynuował, gdy uznał, że nie zamierzam skomentować jego słów.

– Dlaczego?

– Dlaczego? – Wydawał się osobliwie zakłopotany. – No cóż, sądziłem, że to dobry pomysł. Lista wszystkich wampirów Ameryki i przynajmniej niektórych z innych krajów wyglądała na wartościowy projekt, a poza tym tworzenie

279

jej sprawiało mi przyjemność. A w którymś momencie w trakcie poszukiwań pomyślałem o włączeniu zdjęć. Chciałem też odszukać fałszywe nazwiska i pseudonimy. I opowieści. Cóż, projekt po prostu się rozrósł.

– Czyli że opracowywałeś coś w rodzaju, hm, katalogu? Spisu wampirów?

– Dokładnie tak. – Jarząca się twarz Billa rozbłysła jeszcze bardziej. – Po prostu zacząłem pewnej nocy, gdy pomyślałem, na ile innych wampirów natknąłem się podczas moich podróży w ubiegłym stuleciu i spisałem ich nazwiska. A potem zacząłem dodawać rysunki lub fotografie, które wykonałem.

– Więc wampiry się fotografują? To znaczy... widać je na zdjęciach?

– Jasne. Tyle że kiedy fotografia upowszechniła się w Ameryce, nie lubiliśmy się fotografować, ponieważ zdjęcie jest dowodem, że przebywamy w konkretnym miejscu w konkretnym czasie. Jeśli ktoś nas uwieczni ponownie dwadzieścia lat później, okaże się, że wyglądamy tak samo, i wtedy, no cóż, stanie się oczywiste, kim jesteśmy. Jednak od chwili, w której się ujawniliśmy, trzymanie się starych zasad straciło już sens.

– Założę się, że niektóre wampiry wciąż są zwolennikami starych zasad.

– Zgadza się. Niektóre ciągle ukrywają się w ciemnościach i wszystkie noce przesypiają w kryptach.

(Powiedział to facet, który od czasu do czasu sypia w cmentarnej ziemi).

– I inne wampiry pomagały ci przy tym projekcie?

– Tak – odparł. – Tak, kilka mi pomagało. Niektóre cieszyły się, że odświeżają dzięki mnie wspomnienia... niektóre korzystały z okazji, by odszukać starych znajomych, podróżować do ulubionych niegdyś miejsc. Jestem pewien, że nie spisałem wszystkich wampirów mieszkających w Ameryce, szczególnie najświeższej imigracji, sądzę jednak, że mam prawdopodobnie osiemdziesiąt procent danych.

– No dobrze, ale dlaczego królową tak niepokoi twój program? Czemu inne wampiry pragną go zdobyć, odkąd się o nim dowiedziały? Mogły przecież same zgromadzić te wszystkie informacje, prawda?

– Tak – przyznał. – Ale łatwiej jest odebrać je mnie. A dlaczego spis jest taki pożądany...? Pomyśl, nie chciałabyś dysponować broszurką, w której opisani są z nazwiska wszyscy telepaci w Stanach Zjednoczonych?

– Och, jasne – zgodziłam się. – Mogłabym znaleźć w nim wiele wskazówek, jak radzić sobie z moim problemem lub może jak lepiej używać tego daru.

– Czyż nie jest więc dobrze mieć również listę amerykańskich wampirów wraz z opisem ich umiejętności?

– Tyle że pewne wampiry z pewnością nie chcą, by ich nazwiska znalazły się w takiej książeczce – zauważyłam. – Mówiłeś, że niektóre w ogóle nie chcą się ujawniać, wolą pozostać w ukryciu i potajemnie polować.

– Faktycznie.

– Nazwiska tych wampirów także spisałeś?

Bill skinął głową.

– Jesteś samobójcą?

– Ani przez chwilę nie uświadamiałem sobie, jak kuszący może być ten projekt dla innych. Nie pomyślałem, jak wielką władzę daje właścicielowi... dopóki ktoś nie spróbował mi go ukraść.

Sposępniał.

Naszą uwagę w tym momencie przyciągnęły krzyki w sąsiednim apartamencie.

Alcide i Debbie znowu się kłócili. Traktowali się naprawdę paskudnie, ale odczuwali do siebie tak silny pociąg, że nie potrafili rozstać się raz na zawsze. Może z dala od Alcide'a Debbie bywała całkiem sympatyczna.

Nie, nie, nie byłam w stanie w to uwierzyć. Może jednak bywała przynajmniej znośna, kiedy w grę nie wchodziły uczucia do Alcide'a.

Naprawdę powinni zerwać. Mało tego, nigdy już nie powinni przebywać razem w tym samym pomieszczeniu.

Tak, a ja powinnam wziąć sobie do serca własne spostrzeżenie.

Bo popatrzcie na mnie. Pokaleczona, pozbawiona krwi, przebita kołkiem, sponiewierana. Leżę w zimnym mieszkaniu w obcym mieście, z wampirem, który mnie zdradził.

Wiedziałam, że będę musiała podjąć poważną i ostateczną decyzję.

Odepchnęłam Billa i chwiejnie wstałam. Włożyłam kurtkę. Milczał zaszokowany, gdy otwierałam drzwi do salonu. Eric z pewnym rozbawieniem wsłuchiwał się w słowną bitwę, która rozgrywała się w sąsiednim apartamencie.

– Zabierz mnie do domu – poprosiłam.

– Naturalnie – odparł. – Teraz?

– Tak. Alcide może podrzucić moje rzeczy podczas powrotu do Baton Rouge.

– Czy lincoln jest zdatny do jazdy?

– O, tak. – Wyjęłam kluczyki z kieszeni. – Proszę.

Wyszliśmy z pustego mieszkania i zjechaliśmy windą do garażu.

Bill nie podążył za nami.

ROZDZIAŁ TRZYNASTY

Eric dogonił mnie, kiedy wsiadałam do lincolna.

– Musiałem dać Billowi instrukcje, jak ma posprzątać bałagan, który spowodował – wyjaśnił, mimo że nie spytałam.

Eric był przyzwyczajony raczej do prowadzenia sportowych samochodów i miał trochę kłopotów z uruchomieniem lincolna.

– Przyszło ci do głowy – zapytał, kiedy opuściliśmy centrum Jackson – że masz zwyczaj odchodzić, ilekroć ty i Bill przeżywacie trudniejszy okres? Nie powiem, oczywiście, że mi to przeszkadza, ponieważ cieszyłbym się, gdybyście zerwali... Tyle że jeśli zawsze tak postępujesz w związkach uczuciowych, chcę wiedzieć to teraz.

Przez myśl przemknęły mi liczne riposty, z których kilka pierwszych odrzuciłam, żeby moja babcia nie przewróciła się w grobie, po czym wzięłam głęboki wdech.

– Po pierwsze, Ericu, sprawy pomiędzy Billem i mną to nie twój cholerny interes. – Milczałam kilka sekund. – Po drugie, związek z Billem jest moim pierwszym związkiem uczuciowym, więc nie mam bladego pojęcia, co zamierzam zrobić następnego dnia, a cóż dopiero powtarzać jakieś

284

zachowania. – Zrobiłam kolejną pauzę, podczas której formułowałam następną myśl. – Po trzecie, skończyłam z wami wszystkimi! Zmęczyło mnie oglądanie waszego chorego świata. Zmęczyło mnie to, że stale muszę być odważna, robić rzeczy, które mnie przerażają, i spędzać cały swój czas z dziwakami i nadnaturalnymi. Jestem zwyczajną kobietą i chcę się spotykać wyłącznie z normalnymi ludźmi. Albo przynajmniej z istotami, które oddychają.

Eric spokojnie czekał, aż skończę. Rzuciłam mu szybkie spojrzenie – latarnie uliczne oświetlały jego wyrazisty profil o ostrym nosie. W każdym razie nie śmiał się ze mnie. Nawet się nie uśmiechał.

Zerknął na mnie przelotnie, po czym ponownie zwrócił uwagę na drogę.

– Wysłuchałem tego, co powiedziałaś – oznajmił. – Wiem, że mówisz poważnie. Mam twoją krew, więc znam twoje uczucia.

Kilometr czy dwa przejechaliśmy w ciemnościach. Cieszyłam się, że Eric traktuje mnie serio. Nie zawsze tak było, a często zbywał mnie byle czym.

– Zresztą wielu ludzi nie przepada za tobą – dodał.

Jego nieznaczny obcy akcent był teraz wyraźniejszy.

– Może i nie. Chociaż niewiele straciłam, ponieważ do tej pory nie miałam szczęścia do facetów. – Trudno umawiać się z mężczyzną, którego myśli znasz. Często taka sytuacja po prostu zabija pożądanie, a nawet sympatię. – Teraz jednak wolałabym być samotna niż w związku, w którym trwam.

Przypomniałam sobie praktyczne zasady starej dobrej Ann Landers, zwłaszcza kwestię: „Czy byłoby mi lepiej bez niego?". Gdy Jason i ja dorastaliśmy, wraz z babcią codziennie czytaliśmy drukowane porady Ann Landers. A później dyskutowaliśmy o odpowiedziach dziennikarki na pytania czytelników. Wiele porad, których nie szczędziła, miało pomóc kobietom w kontaktach z takimi facetami jak Jason, więc do naszych rozmów mój brat zawsze „wnosił" męską perspektywę.

W tej konkretnej chwili miałam naprawdę cholerną pewność, że bez Billa byłoby mi lepiej. Bill mnie oszukał, wykorzystał seksualnie, zdradził i wyssał zbyt wiele krwi.

Ale też stanął w mojej obronie, mścił się za mnie, nauczył moje ciało odczuwać rozkosz i niezależnie od wszystkiego towarzyszył mi godzinami, a ja doskonale się z nim czułam.

No cóż, będę musiała rozważyć wszystkie za i przeciw. Na razie czułam się zraniona i pragnęłam wrócić do domu. Pędziliśmy przez czarną noc, każde zatopione we własnych myślach. Ruch był niewielki, ale, jak to na autostradzie międzystanowej, od czasu oczywiście pojawiały się inne pojazdy.

Nie miałam pojęcia, o czym Eric myśli, i było to cudowne uczucie. Może rozważał zjazd na pobocze i złamanie mi karku, a może zastanawiał się nad wieczornym utargiem w „Fangtasii". Chciałam, żeby ze mną porozmawiał, żeby opowiedział mi, jak żył, zanim został wampirem, ale ponieważ wiele wampirów uważało ten temat za naprawdę drażliwy, wolałam nie ryzykować i nie poruszać go akurat dziś.

Jakąś godzinę przed Bon Temps zjechaliśmy z głównej drogi. Mogło nam zabraknąć benzyny, a poza tym musiałam skorzystać z toalety. Eric już zaczął napełniać bak, kiedy wreszcie po kilku bolesnych chwilach udało mi się ostrożnie wysiąść. Odrzucił moją ofertę pomocy przy tankowaniu grzecznym: „Nie, dziękuję". Przy dystrybutorach stał jeszcze tylko jeden samochód. Kobieta, tleniona blondynka mniej więcej w moim wieku, właśnie odwieszała wąż.

O godzinie pierwszej w nocy, zarówno na stacji benzynowej, jak i w całodobowym sklepie spożywczym było pusto – dostrzegłam jedynie mocno wymalowaną młodą kobietę otuloną w pikowaną kurtkę. Moją uwagę przyciągnął też stojący w najciemniejszym miejscu parkingu zdezelowany pikap marki Toyota. Siedziało w nim dwóch mężczyzn pogrążonych w ożywionej rozmowie.

– Za zimno, żeby siedzieć w pikapie – zauważyła blondynka z ciemnymi odrostami, kiedy razem weszłyśmy szklanymi drzwiami. Zadrżała przesadnie.

– Pewnie tak – odparłam.

Aby dojść do toalety, musiałam przejść przez sklep. Byłam w połowie drogi, gdy sprzedawca za wysokim kontuarem na podwyższeniu odwrócił się od małego telewizora i przyjął zapłatę od kobiety.

Miałam trudności z zamknięciem drzwi łazienki, gdyż drewniany próg był spęczniały, prawdopodobnie po jakimś zalaniu. Z drugiej strony, śpieszyło mi się, więc nieszczególnie się starałam. Ważne, że drzwi kabiny można było zamknąć na zasuwkę i że w środku było jako tako czysto. Po skorzystaniu z toalety ociągałam się nieco, gdyż nie bardzo miałam ochotę wracać do auta z milczącym Erikiem w roli towarzysza. Spojrzałam w lustro nad umywalką, spodziewając się naprawdę paskudnego widoku, i nie zaprzeczam, że moje obawy się potwierdziły. Posiniałe ślady na mojej szyi wyglądały naprawdę okropnie, jak gdyby pogryzł mnie pies. Kiedy oczyszczałam ranę mydłem i wilgotnymi papierowymi ręcznikami, zastanawiałam się, czy wampirza krew, którą wypiłam, najpierw dodaje siły i przyśpiesza gojenie, a później osłabia i powoduje wyczerpanie, czy też raczej działa bardziej jak kapsułka leku o przedłużonym działaniu, a jeśli tak, to kiedy ustanie ten efekt. Wcześniej, gdy wyssałam nieco krwi Billa, przez parę miesięcy czułam się doskonale.

Nie miałam grzebienia ani szczotki, a wyglądałam jak siedem nieszczęść. Próby poskromienia palcami włosów dodatkowo pogorszyły sprawę. Umyłam twarz i szyję, po czym wróciłam do oślepiająco oświetlonego sklepu. Bezwiednie zauważyłam, że drzwi łazienki ponownie nie zamknęły się za mną i znowu utknęły na wypaczonym progu. Wynurzyłam się za ostatnim długim rzędem z artykułami spożywczymi, takimi jak: „CornNuts", chipsy „Lays", „Moon Pies", „Scotch Snuf" i puszki z tytoniem „Prince Albert"...

W drzwiach przy podwyższeniu z kontuarem sprzedawcy zauważyłam dwóch uzbrojonych złodziei.

Boże święty, niech dadzą po prostu wszystkim tym biednym kasjerom koszulki z namalowanym dużym celem! – to była moja pierwsza myśl, obojętna niczym u widza oglądającego film o napadzie na sklep.

Potem uprzytomniłam sobie, gdzie jestem, i skupiłam się intensywnie na twarzy sprzedawcy, by wyczytać coś z jego myśli. Był bardzo młody – zwykły nastolatek z trądzikiem i piskliwym głosem. Patrzył na dwóch wielkich facetów z bronią i gwałtownie machał rękoma. Był wściekły. Przypuszczałabym raczej, że będzie się mazał albo nieskładnie błagał o życie, a ten chłopak naprawdę się wkurzył.

Wyczytałam z jego myśli, że odkąd tu pracuje ten napad jest czwartym. I trzeci raz celowano do niego z broni. Żałował, że nie może wyciągnąć strzelby spod siedzenia w pikapie, który stał za sklepem, bo rozwaliłby tych sukinsynów i posłał do piekła.

Na razie nikt nie wiedział, że tu jestem.

Żeby było jasne: nie skarżę się. Okej?

Zerknęłam za siebie, sprawdzając, czy nie wrócić do łazienki, sądziłam jednak, że zdradziłby mnie odgłos otwieranych drzwi.

Najlepszym wyjściem byłoby wymknięcie się tylnymi drzwiami, o ile zdołam je znaleźć. A później obiegnę budynek, dotrę do Erica i zadzwonię na policję.

Zaraz, zaraz! Gdzie właściwie jest Eric? I dlaczego nie wszedł, żeby zapłacić za benzynę?

Ogarnęły mnie kolejne złe przeczucia, jeszcze bardziej złowieszcze od poprzednich. Pomyślałam, że skoro Eric nie wszedł do tej pory, nie wejdzie tu już. Może postanowił odjechać? Zostawić mnie?

Tutaj.

Samą.

Dokładnie tak jak zostawił cię Bill – podsunął uprzejmie mój własny umysł.

No cóż, wielkie dzięki, drogi umyśle.

A może Erica zastrzelili? Jeśli trafi się wampirowi w głowę, nie ma mowy o wyleczeniu. Podobnie w przypadku strzału w serce z broni dużego kalibru.

Och, sterczenie w miejscu i zamartwianie się nie miało najmniejszego sensu.

Byłam w typowym sklepie na stacji benzynowej. Wchodziło się frontowymi drzwiami, za długą ladą po prawej stronie, na podwyższeniu pracował sprzedawca. Pod lewą ścianą stała lodówka z zimnymi napojami. Przez całą szerokość sklepu biegły trzy długie rzędy z artykułami, gdzieniegdzie znajdowały się też różne specjalne witryny oraz sterty plastikowych kubków, brykietów węgla drzewnego i karma dla ptaków. Z mojego miejsca na tyłach sklepu, nad rzędami produktów widziałam sprzedawcę (bez trudu) i rabusiów (słabo). Pragnęłam jak najszybciej opuścić sklep, najlepiej niewidoczna. Dalej, na tylnej ścianie spostrzegłam nieco rozszczepione drewniane drzwi, z napisem: „Tylko dla pracowników". Ściśle rzecz ujmując, mieściły się tuż za kontuarem sprzedawcy. Między końcem lady i ścianą teren był odkryty, więc gdybym zdecydowała się na tę drogę, podczas przejścia – od końca rzędu do początku kontuaru – byłabym doskonale widoczna.

Wiedziałam jednak, że samym czekaniem raczej nic nie osiągnę.

Opadłam na czworaki. Poruszałam się powoli, by równocześnie skoncentrować się na nasłuchiwaniu.

– Widziałeś blondynkę, która tu weszła? Mniej więcej tego wzrostu? – spytał bardziej krzepki z dwóch bandytów i nagle poczułam się słabo.

O którą blondynkę im chodziło? O mnie czy o tę tlenioną? A może szukali Erica? Nie widziałam, niestety, jakiego wzrostu osobę pokazał. Szukali telepatki? Wampira? A może nie... Przecież, przypomniałam sobie, na pewno nie jestem jedyną kobietą na świecie, która wpadła w kłopoty.

– Pięć minut temu weszła tutaj blondynka i kupiła papierosy – przyznał sprzedawca z ponurą miną.

Świetnie, chłopaku, wielkie dzięki!

– Nieee, tamta odjechała. Chcemy tę, która była z wampirem.

Jezu, chodziło jednak o mnie.

– Nie widziałem żadnej innej kobiety – zapewnił sprzedawca.

Spojrzałam w górę i zobaczyłam lustro wiszące w rogu sklepu. Zapewne zamontowano je dla bezpieczeństwa, żeby sprzedawca widział w nim złodziei sklepowych.

Pomyślałam: na pewno widzi, że tu kucam. Wie, że jestem.

Niech Bóg mu wynagrodzi. Starał się dla mnie ze wszystkich sił. Zatem i ja musiałam zrobić coś dla niego. Dobrze, jeśli przy okazji żadne z nas nie zostanie postrzelone. Ale gdzie, do cholery, jest Eric?!

Błogosławiąc pożyczone spodnie od dresu i baletkinki, w których mogłam przemieszczać się miękko jak kot i niemal bezgłośnie, skradałam się ku starym drzwiom dla pracowników. Ciekawe czy zaskrzypią. Dwóch zbirów wciąż indagowało sprzedawcę, nie słuchałam ich jednak, całkowicie koncentrując się na jak najszybszym i najcichszym dotarciu do drzwi.

Bywałam już wcześniej przerażona, i to nie raz, ale nigdy chyba nie bałam się o życie tak jak teraz. Mój ojciec polował, polowali Jason i jego kumple, obserwowałam także masakrę w Dallas – znałam efekty działania broni palnej.

Doszłam właśnie do końca rzędu i miałam przed sobą otwartą przestrzeń.

Wyjrzałam za witrynę. Muszę przeskoczyć ponad metr, niczym nieosłonięta i dopiero wówczas będę mogła się ukryć za długim kontuarem, który biegł przed kasą. W tamtym miejscu bandyci nie zdołają mnie już dostrzec. Tylko jak tam dotrzeć, tak żeby nikt mnie nie widział?

– Wjeżdża jakiś samochód – powiedział sprzedawca i obaj złodzieje mechanicznie wyjrzeli przez szybę okienną.

Na szczęście wyczytałam wcześniej z myśli sprzedawcy jego zamiary, więc się nie wahałam. Przemknęłam po linoleum szybciej, niż sądziłam, że potrafię.

– Nie widzę żadnego samochodu – odburknął szczuplejszy z napastników.

– Och, zdawało mi się, że słyszę odgłos dzwonka, ten, który brzęczy, ilekroć przejeżdża pod nim jakiś pojazd – tłumaczył się chłopak.

Sięgnęłam w górę i przekręciłam gałkę u drzwi. Otworzyły się bezgłośnie.

– Brzęczy czasami, chociaż nikogo tam nie ma – kontynuował.

Zrozumiałam, że sprzedawca stara się zagłuszać moje poczynania, a jednocześnie stale przyciągać uwagę mężczyzn, abym mogła bezpiecznie wyjść. Jeszcze raz, niech mu Bóg da długie życie w zdrowiu.

Pchnęłam drzwi trochę szerzej i nie wstając, przecisnęłam się przez nie. Znalazłam się w wąskim korytarzu, na końcu którego mieściły się kolejne drzwi. Przypuszczalnie prowadziły na tereny za sklepem. W zamku wisiał zestaw kluczy. Rozsądnie ze strony sprzedawcy, że zamykał tylne drzwi na klucz. Na jednym rzędzie gwoździ obok wyjścia wisiała ciężka panterka. Poszperałam w kieszeni po prawej stronie i wyjęłam klucze chłopaka. Po prostu zgadłam. Zdarza się. Zacisnęłam palce na kluczach, żeby nie zabrzęczały, otworzyłam tylne drzwi i wyszłam na dwór.

Nie było tutaj niczego z wyjątkiem zdezelowanego auta i śmierdzącego pojemnika na śmieci. Oświetlenie było kiepskie, ale przynajmniej coś widziałam. Ze szczelin w popękanym asfalcie wyrastało zielsko, które z racji zimy było suche i zbrązowiałe. Usłyszawszy cichy dźwięk po lewej stronie, aż podskoczyłam, a potem westchnęłam z drżeniem. Hałas spowodował ogromny, stary szop pracz, po czym oddalił się powoli w stronę rzadkiego lasu, który rósł za sklepem.

Wypuściłam wstrzymywane powietrze z takim samym drżeniem, jak je wciągnęłam, a potem z trudem skupiłam uwagę na pęku kluczy. Było ich, niestety, około dwudziestu. Jezu, ten chłopak miał więcej kluczy niż wiewiórka żołędzi. Na całym bożym świecie nikt nie używa tylu kluczy. Przeglądałam je w desperacji, ostatecznie wybrałam ten z literami „GM" wytłoczonymi na czarnej gumowej końcówce.

Otworzyłam drzwiczki auta i sięgnęłam do zatęchłego wnętrza, które pachniało intensywnie dymem papierosowym i psami. Strzelba rzeczywiście leżała pod siedzeniem.

Sprawdziłam, czy jest naładowana. Była. Dzięki Bogu, że Jason jest zwolennikiem samoobrony, więc na swoim nowym benellim pokazał mi, jak ładować i strzelać.

Mimo że miałam teraz broń, bałam się, że nie znajdę w sobie odwagi, by podejść do sklepu od frontu. Musiałam jednak sprawdzić, co się tam dzieje, i ustalić co z Erikiem. Podbiegłam do bocznej ściany sklepu, gdzie stała stara toyota. Platforma wozu była pusta, w słabym świetle zauważyłam jedynie niewielką plamę. Wsunęłam strzelbę pod pachę, pochyliłam się i przesunęłam po plamie palcem. Świeża krew! Po raz kolejny poczułam na plecach lodowate ciarki. Już mnie to wszystko zmęczyło. Przez długą chwilę stałam nieruchomo z pochyloną głową, a później zaczęłam zbierać siły.

Zajrzałam w okno kierowcy i odkryłam, że kabina nie jest zamknięta. Taaa, szczęściara ze mnie. Otworzyłam cicho drzwiczki i rozejrzałam się.

Na przednim siedzeniu stało wielkie otwarte pudło i kiedy sprawdziłam jego zawartość, serce stanęło mi w piersi i bałam się, że upadnę. Na pudełku dostrzegłam napis: „Sztuk: Dwie", a w środku leżała tylko jedna srebrna siatka, taka, jakie sprzedają sklepy dla „najemników" polujących na wampiry.

Reklamują ją jako wampiroodporną, ale jest równie zawodna jak zwykła siatka do połowu ryb w przypadku rekinów.

Gdzie jest Eric? Rozejrzałam się, nigdzie go jednak nie zauważyłam. Z autostrady dobiegał szum przejeżdżających samochodów, lecz na tym zimnym ponurym parkingu panowała całkowita cisza.

Mój wzrok przyciągnął leżący na tablicy rozdzielczej scyzoryk. Świetnie! Ostrożnie odłożyłam strzelbę na przednie siedzenie, podniosłam nożyk i otworzyłam go z zamiarem przebicia opon auta. Zastanowiłam się jednak. Jeśli potnę opony, bandyci zyskają dowód, że ktoś majstrował przy ich pikapie, podczas gdy oni przebywali w sklepie. W ten sposób niczego nie zyskam. Zadowoliłam się wykonaniem jednego otworu w jednej oponie. Powiedziałam sobie, że taka niewielka dziurka mogła powstać z dowolnego powodu. Jeśli złodzieje odjadą stąd, prawdopodobnie będą musieli po drodze zatrzymać się na poboczu. Włożyłam scyzoryk do kieszeni (cóż, powoli zaczynałam się specjalizować w drobnych kradzieżach), wysiadłam i wróciłam pod ciemną ścianę budynku. Wszystkie te działania zabrały mi dobre kilka minut (choć mniej, niż moglibyście sądzić), nie wiedziałam więc, jaka jest teraz sytuacja w sklepie.

Nasz lincoln nadal stał przy dystrybutorze. Bak był zakręcony, toteż wiedziałam, że Eric skończył tankować, zanim... coś mu się przytrafiło. Obeszłam narożnik sklepu, nie oddalając się od ściany. Przy frontowym wejściu znalazłam sobie dobrą kryjówkę między automatem z lodami i ścianą. Stanęłam prosto i zaryzykowałam zerknięcie nad szczytem automatu.

Bandyci stali teraz na podwyższeniu sprzedawcy i znęcali się nad nim.

No, nie! Musiałam to przerwać. Przypuszczałam, że biją go, ponieważ chcą się dowiedzieć, gdzie jestem. Nie mogłam pozwolić, żeby ten chłopak przeze mnie cierpiał.

– Sookie – usłyszałam głos za plecami, a chwilę później ktoś położył mi dłoń na ustach, akurat gdy miałam wrzasnąć. – Wybacz – szepnął Eric. – Powinienem wymyślić lepszy sposób powiadomienia cię o mojej obecności.

– Eric – powiedziałam, kiedy już mogłam mówić, to znaczy kiedy wampir uznał, że się uspokoiłam, i cofnął rękę. – Musimy go uratować – dodałam.

– Dlaczego?

Czasami wampiry naprawdę wprawiają mnie w osłupienie. No cóż, ludzie także, dziś wieczorem jednak zaszokował mnie wampir.

– Ponieważ ci ludzie biją go z mojego powodu i prawdopodobnie go zabiją. A wtedy to będzie nasza wina!

– Przecież okradają sklep – odparował Eric, jakby rozmawiał z kretynką. – Kupili sobie siatkę na wampiry i pomyśleli, że ją wypróbują na mnie. Jeszcze nie wiedzą, że taka siatka jest za słaba przeciwko nam. To tylko pazerne szumowiny.

– Nie, oni szukają nas – odparłam gniewnie.

– Opowiedz mi – poprosił szeptem, więc mu streściłam całe zdarzenie. – Daj mi strzelbę – polecił.

Zignorowałam go i trzymałam broń mocno.

– Wiesz, jak z niej strzelać? – spytałam.

– Pewnie równie dobrze jak ty!

A jednak patrzył na broń z powątpiewaniem.

– I tu się mylisz – odparowałam.

Zamiast przeciągać spór i pozwalać, by ktoś bił mojego nowego bohatera, kucnęłam i w tej pozycji okrążyłam automat z lodami, a później minęłam stojak z butlami propanu i wpadłam do sklepu przez frontowe drzwi. Dzwoneczek nad nimi zabrzęczał jak szalony. Ponieważ jednak mężczyźni krzyczeli, jego odgłos umknął ich uwagi, więc, by ją przyciągnąć, strzeliłam w sufit nad ich głowami. Z sufitu posypały się kawałki płyt, izolacji i tynku.

Z powodu odrzutu o mało nie straciłam równowagi, na szczęście ustałam na nogach i wycelowałam strzelbę w rabusiów. Nie zrobiłam na nich wrażenia. Popatrzyli na mnie jak na postać z dziecięcego teatrzyku. Ale to nie była zabawa, a my nie graliśmy żadnych ról. Nieszczęsny pryszczaty dzieciak miał pokrwawioną twarz, byłam też pewna, że złamali mu nos i wybili kilka zębów.

Zawładnęła mną prawdziwa furia.

– Puśćcie młodego – oznajmiłam głośno i wyraźnie.

– Zamierzasz nas zastrzelić, paniusiu?

– Jasne, cholera – odburknęłam.

– A jeśli ona chybi, ja się wami zajmę – odezwał się nade mną Eric.

Duży wampir to wspaniałe wsparcie.

– Wampir się uwolnił, Sonny – bąknął szczuplejszy ze bandytów. Miał poplamione ręce, a na nogach skórzane trapery.

– Widzę przecież – odparował Sonny, ten większy.

Był także smaglejszy i miał ciemniejsze włosy. Głowę szczuplejszego pokrywały z kolei kosmyki w kolorze nijakim, który ludzie określają mianem „brązu", bo jakoś muszą go nazwać.

Młody sprzedawca, obolały i przestraszony, wyrwał się napastnikom i pędem obiegł kontuar.

Na jego twarzy oprócz krwi dostrzegłam drobiny białego proszku, które posypały się z sufitu. Wyglądał koszmarnie.

– Widzę, że znalazłaś moją strzelbę – rzekł, mijając mnie.

Nie chciał stać na linii ognia pomiędzy mną i bandytami. Wyjął z kieszeni telefon komórkowy i usłyszałam ciche kliknięcia, gdy wystukiwał numer. Wkrótce nerwowo tłumaczył policji przebieg zdarzenia.

– Sookie – powiedział Eric – zanim policja tu dotrze, musimy się dowiedzieć, kto nasłał tych dwóch debili.

Mnie na ich miejscu dodatkowo przeraziłby jego ton, szczególnie że wyglądali na takich, którzy znają możliwości rozwścieczonego wampira. Eric stanął obok mnie, a potem zrobił krok do przodu, toteż widziałam jego twarz. Przecinały ją linie po oparzeniach, jak gdyby przebijał się przez zarośla sumaka jadowitego. Miał szczęście, że w kontakcie z siatką tylko jego twarz była odkryta, choć pewnie wolałby nie doświadczyć nawet tego.

– Złaź tutaj – polecił, patrząc na Sonny'ego.

Mężczyzna natychmiast posłusznie opuścił podwyższenie, a potem obszedł kontuar. Tymczasem jego towarzysz gapił się z rozdziawioną gębą.

– Ty stój – dodał Erik do niego.

Osobnik o „nijakich" włosach zacisnął powieki, żeby nie patrzeć na wampira, rozchylił je jednak na sekundę, kiedy usłyszał, że Eric robi krok ku niemu. To wystarczyło. Żaden człowiek pozbawiony szczególnych zdolności nie może spojrzeć w oczy nieumarłemu. Jeśli spojrzy, będzie musiał wypełniać wszystkie rozkazy, które wyda mu tamten.

– Kto was tu przysłał? – spytał Eric łagodnie.

– Jeden z diabelskiego gangu – odparł beznamiętnie Sonny.

Eric wyglądał na zaszokowanego.

– Członek gangu motocyklowego – wyjaśniłam spokojnie, wiedząc, że z wielkim zaciekawieniem słucha nas chłopak, który nie wie o wielu rzeczach.

Podczas gdy Eric przesłuchiwał bandytów, ja czytałam im w myślach.

– Co kazał wam zrobić?

– Mieliśmy czekać przy autostradzie międzystanowej. Na innych stacjach benzynowych jest więcej naszych.

Ustaliłam, że w sumie nasłano na nas ze czterdziestu zbirów. Ktoś wydał sporo grosza.

– Kogo mieliście szukać?

– Dużego bruneta i wysokiego blondyna. I jeszcze blondynki, całkiem młodej, o ładnych cyckach.

Eric podniósł rękę tak szybko, że ledwo to zauważyłam. Właściwie widziałam tylko efekt – krew spływającą Sonny'emu po twarzy.

– Mówisz o mojej przyszłej kochance, więc wykaż się większym szacunkiem. Dlaczego nas szukacie?

– Mieliśmy was schwytać i odwieźć z powrotem do Jackson.

– Po co?

– Ci z gangu podejrzewają, że może macie coś wspólnego ze zniknięciem Jerry'ego Falcona. Chcieli wam zadać w tej sprawie kilka pytań. Ktoś od nich pilnował apartamentowca i widział, że we dwoje wsiadacie do lincolna, a potem przez jakiś czas jechał za wami. Bruneta z tobą nie było, ale kobieta się zgadza, więc zaczęliśmy was tropić.

– Czy wampiry z Jackson wiedzą coś o tym planie?

– Nie, ci z gangu uważali, że to tylko ich sprawa. Zresztą wampiry mają dość innych problemów, bo uciekł im jakiś więzień, a w dodatku wielu się pochorowało... No i biorąc wszystko do kupy, zwerbowali naszą paczkę do pomocy.

– Co to za ludzie? – spytał mnie Eric.

Zamknęłam oczy i ostrożnie sprawdziłam.

– Po prostu ludzie – odrzekłam. – Zupełnie przeciętni. I rzeczywiście. Nie byli zmiennokształtnymi ani wilkołakami, ani nikim innym. Wprawdzie osobiście nie nazwałabym ich istotami ludzkimi, ale kogo obchodzi moje zdanie.

– Musimy się stąd wynosić – stwierdził Eric.

Zgodziłam się z nim bez wahania. Ostatnim, czego pragnęłam, była noc na posterunku policji. A Eric nie mógł ryzykować. Aż do Shreveport nie było cel tylko dla wampirów. Do diabła, nikt nie myślał o takich inwestycjach, skoro na przykład przy posterunku w Bon Temps dopiero niedawno wybudowano podjazd dla wózków inwalidzkich.

Eric popatrzył Sonny'emu w oczy.

– Nie było nas tutaj – powiedział. – Ani tej pani, ani mnie.

– Tylko chłopak – zgodził się Sonny.

Drugi bandyta znowu usiłował zacisnąć powieki, ale Eric dmuchnął mu w twarz i mężczyzna – niczym pies – otworzył oczy, a później spróbował odskoczyć. Eric chwycił go w ułamku sekundy i również jemu wymazał pamięć.

Potem odwrócił się do sprzedawcy i wręczył mu strzelbę.

– Twoja, jak sądzę – powiedział.

– Dzięki – odparł chłopak, patrząc wyłącznie na broń. Wycelował w rabusiów. – Wiem, że was tutaj nie było –

300

mruknął, wpatrując się przed siebie. – I nic nie powiem policji.

Eric położył na ladzie czterdzieści dolarów.

– Za benzynę – wyjaśnił. – Sookie, zbierajmy się.

– Lincoln z dużą dziurą w bagażniku rzuca się w oczy! – zawołał za nami chłopak.

– Ma rację.

Zapinałam pasy, a Eric właśnie przyśpieszył, kiedy usłyszeliśmy syreny. Były dość blisko.

– Powinienem wziąć pikap? – spytał.

Chyba się cieszył, że nasza mała przygoda już się skończyła.

– Jak twoja twarz?

– Lepiej.

Oparzenia rzeczywiście stały się niemal niezauważalne.

– Co ci się przydarzyło? – spytałam, mając nadzieję, że temat nie jest zbyt delikatny.

Spojrzał na mnie z ukosa. Teraz, kiedy wróciliśmy na autostradę międzystanową, zwolniliśmy do dopuszczalnej prędkości, żeby żaden funkcjonariusz w którymś z licznych wozów policyjnych jadących do napadu na stację benzynową, nie pomyślał, że uciekamy.

– Gdy zaspokajałaś swoje ludzkie potrzeby w łazience – zaczął opowiadać – ja skończyłem nalewać benzynę do baku. Odwiesiłem końcówkę węża na dystrybutor i już prawie wchodziłem do sklepu, żeby zapłacić, kiedy ci dwaj wysiedli z wozu i natychmiast rzucili na mnie sieć. To upokarzające, że tak łatwo zdołało mnie zaskoczyć dwóch głupców ze srebrną siecią.

– Pewnie rozmyślałeś o czymś innym.

– Tak – przyznał krótko. – Rzeczywiście tak było.

– Co stało się później? – spytałam, odniosłam bowiem wrażenie, że sam nic więcej mi nie powie.

– Ten grubszy uderzył mnie kolbą i minęła dobra chwila, zanim doszedłem do siebie – odparł.

– Widziałam krew.

Dotknął miejsca na potylicy.

– Tak, krwawiłem. Kiedy ból zelżał, rozdarłem róg sieci o zderzak ich pikapu i jakoś się wywinąłem. Napaść na mnie przygotowali równie marnie jak rabunek sklepu. Gdyby obciążyli sieć srebrnymi łańcuchami, skutek mógłby być zupełnie inny.

– Czyli że się uwolniłeś?

– Cios w głowę okazał się większym problemem, niż początkowo sądziłem – przyznał Eric chłodno. – Pobiegłem za sklep do kurka z wodą. Wtedy usłyszałem, że ktoś wychodzi z zaplecza. Docuciłem się i poszedłem w ślad za odgłosami, aż w końcu znalazłem ciebie.

Po długiej chwili milczenia Eric spytał mnie, co zdarzyło się w sklepie.

– Najpierw pomylili mnie z inną blondynką, która weszła do sklepu razem ze mną i coś kupowała, podczas gdy ja udałam się do toalety – wyjaśniłam. – Chyba nie mieli pewności, czy nadal tam jestem, zwłaszcza że sprzedawca zapewnił ich, że nie widział żadnej innej kobiety poza tą, która odjechała. Odkryłam, że chłopak ma strzelbę w pikapie... wiesz, wyczytałam to w jego myślach. No więc poszłam po strzelbę, potem unieruchomiłam ich wóz i zaczęłam szukać ciebie, ponieważ podejrzewałam, że coś ci się przytrafiło.

– Planowałaś zatem ocalić i mnie, i sprzedawcę? Obu?

– No cóż... tak. – Nie rozumiałam, dlaczego Eric mówi nagle tak dziwnym tonem. – Uważałam, że nie mam wyboru.

Jego oparzenia miały w tej chwili postać jedynie różowych kreseczek.

Cisza między nami wciąż mi ciążyła. Byliśmy już blisko domu. Może powinnam zapomnieć o wszystkim, co zaszło. Ale nie potrafiłam.

– Chyba coś cię dręczy – zauważyłam zdecydowanym tonem.

Jak zwykle, działałam pod wpływem impulsu. Wiedziałam, że nie powinnam na niego naciskać. Wiedziałam, że powinnam cieszyć się z milczenia, jakkolwiek złowieszcze i wymowne mi się wydawało.

Eric skręcił na południe, do Bon Temps.

Dlaczego nie umiałam odpuścić? Dlaczego zawsze muszę znać odpowiedź na każde pytanie?

– Czy to coś złego, że próbowałam ocalić was obu?

Przejeżdżaliśmy już przez moje miasteczko. Budynków stojących przy Main stopniowo było coraz mniej, a kiedy zabudowa się skończyła, Eric skręcił na wschód. Minęliśmy „U Merlotte'a” – bar nadal był otwarty. Znowu skręciliśmy na południe, na wąską drogę gminną. Wreszcie dotarliśmy na mój podjazd.

Eric zatrzymał się i wyłączył silnik.

– Tak – odpowiedział mi wreszcie. – Jest w tym coś złego. I dlaczego, do cholery, nie naprawisz tego podjazdu?

Napięcie, które do tej pory wyczuwałam między nami, osiągnęło punkt krytyczny.

Pośpiesznie wyskoczyłam z samochodu, Eric również. Mierzyliśmy się wzrokiem nad dachem lincolna, który sięgał mi niemal do nosa. Obeszłam przód auta i stanęłam przed wampirem.

– Ponieważ mnie na to nie stać, oto dlaczego! Bo nie mam pieniędzy! A wy stale mi każecie brać urlop i robić coś dla was! Nie mogę tak dłużej! – krzyczałam. – Nie zgodzę się więcej!

Przez parę minut panowała cisza. Eric przyglądał mi się z uwagą. Moja pierś falowała pod kradzioną kurtką. Nie pasowało mi coś w związku z wyglądem domu, ale byłam tak zdenerwowana, że to zignorowałam.

– Bill... – zaczął Eric ostrożnie, lecz to imię mnie rozsierdziło.

– Bill wydaje wszystkie swoje pieniądze na cholernych Bellefleurów – warknęłam cicho, lecz jadowicie. Byłam szczera, nie potrafiłam udawać. – Nigdy nie pomyślał, żeby wspomóc finansowo mnie. Zresztą, czy mogłabym przyjąć od niego pieniądze? Stałabym się utrzymanką, a ja nie jestem jego dziwką, jestem jego... byłam jego dziewczyną.

Wzięłam długi wdech, zdając sobie sprawę, że zaraz się rozpłaczę. Lepiej byłoby nadal pałać gniewem. Poszukałam go w sobie.

– Dlaczego im powiedziałeś, że będę twoją... kochanką? Skąd ci się to wzięło?

– A co się stało z pieniędzmi, które zarobiłaś w Dallas? – ciągnął, kompletnie mnie zaskakując.

– Zapłaciłam z nich podatki za dom.

– Pomyślałaś choć przez chwilę, że gdybyś mi powiedziała, gdzie Bill ukrył swój program komputerowy, dałbym ci wszystko, o co poprosisz? Nie wiedziałaś, że Russell również by ci za niego zapłacił sporą sumkę?

Sapnęłam. Byłam tak zgorszona jego pytaniami, że nie potrafiłam znaleźć żadnej riposty.

— Widzę, że nie przyszło ci to do głowy.

— A nie, bo jestem prawdziwym aniołem.

Prawda jednak była taka, że rzeczywiście nie brałam pod uwagę tych możliwości, z czego teraz o mało nie zaczęłam się tłumaczyć. Drżałam z wściekłości, a mój zdrowy rozsądek wzięli diabli. Wszystko przez to, że wyczuwałam bliskość myślących istot, i fakt, że ktoś jest w moim domu, rozzłościł mnie jeszcze bardziej. Pod wpływem gniewu przestałam myśleć racjonalnie.

— Ktoś czeka w moim domu, Ericu.

Obróciłam się gwałtownie i ciężko wbiegłam na ganek. Znalazłam klucz, który ukryłam pod bujanym fotelem, ukochanym meblem mojej babci. Lekceważąc wszystkie ostrzeżenia, które usiłował podsunąć mi umysł, ignorując krzyk Erica, po prostu otworzyłam frontowe drzwi i... na głowę spadła mi chyba tona cegieł.

ROZDZIAŁ CZTERNASTY

– Mamy ją – rozległ się głos, którego nie rozpoznałam. Ktoś szarpnął mnie do pionu. Zachwiałam się pomiędzy dwoma podtrzymującymi mnie mężczyznami.

– A gdzie wampir?

– Strzeliłem do niego dwukrotnie, ale zniknął wśród drzew. Uciekł.

– To kiepsko. Musimy się śpieszyć.

Wyczułam, że w pomieszczeniu wraz ze mną jest wielu mężczyzn. Otworzyłam oczy. Zapalili światła. Byli w moim domu. W moim domu! Ta myśl sprawiała mi taki sam ból jak cios w szczękę, który otrzymałam. A przypuszczałam, że w domu znajdę innych gości. Sama, Arlene albo Jasona.

Gdy wróciła mi zdolność logicznego myślenia, naliczyłam w salonie pięciu nieznajomych. Zanim jednak zdołałam sformułować kolejną sensowną myśl, jeden z nich – zauważyłam właśnie, że nosi znaną mi skórzaną kamizelkę – uderzył mnie pięścią w brzuch.

Zabrakło mi tchu, by wrzasnąć.

Dwaj mężczyźni znowu podciągnęli mnie do pozycji stojącej.

– Gdzie on jest?

– Kto?

W tym momencie naprawdę nie mogłam sobie przypomnieć, jaką konkretną zaginioną osobę mam dla niego zlokalizować. Niemniej jednak mój kat wymierzył mi oczywiście ponowny cios. Przez straszliwą minutę sądziłam, że się zakrztuszę, ale nawet na to zabrakło mi powietrza. Dusiłam się tylko i dławiłam.

W końcu udało mi się zrobić długi wdech. Rzęziło mi w gardle i czułam ból, a równocześnie ogromną ulgę.

Przepytujący mnie wilkołak, który miał jasne włosy ogolone tuż przy czaszce i wstrętną krótką kozią bródkę, tym razem spoliczkował mnie mocno otwartą dłonią. Głowa zakołysała mi się na szyi niczym samochód na wadliwych amortyzatorach.

– Gdzie wampir, suko? – spytał wilkołak i zamachnął się pięścią.

Nie potrafiłam dłużej tego znieść. Postanowiłam przyśpieszyć bieg zdarzeń. Podciągnęłam nogi, a ponieważ dwaj osobnicy nadal mocno trzymali moje ramiona, kopnęłam stojącego przede mną wilkołaka. Prawdopodobnie kopniak byłby skuteczniejszy, gdybym nadal nie miała na stopach balerinek. Nigdy nie noszę porządnych butów, kiedy naprawdę ich potrzebuję. A jednak pan Brzydka Kozia Bródka naprawdę zatoczył się w tył, potem wszakże podszedł bliżej i popatrzył na mnie nienawistnym wzrokiem.

W tym momencie stałam znów na podłodze obiema nogami, ale ślizgałam się w tył, kompletnie pozbawiając w ten sposób równowagi obu trzymających mnie porywaczy. Zachwiali się, spróbowali stanąć prosto, lecz opierali się na mnie, a ja im w tym nie pomagałam. Po chwili wszyscy upadliśmy, wilkołak razem z nami.

Może nie czułam się lepiej, ale nie lubię biernie czekać na kolejne ciosy.

Wylądowałam na twarzy, ponieważ nie miałam władzy nad rękoma. Gdy padaliśmy, jeden z napastników puścił mnie, a ja, korzystając z okazji, wsparłam się na wolnej ręce i wyrwałam drugą z uścisku jego towarzysza.

Udało mi się częściowo podnieść, kiedy wilkołak, szybszy niż ludzie, chwycił mnie za włosy. Znów mnie spoliczkował, a równocześnie owinął sobie na dłoni moje włosy, dzięki czemu przysunęłam się do niego bliżej. Pozostali podeszli i albo pomagali wstać tym dwóm na podłodze, albo chcieli patrzeć, jak wilkołak mnie tłucze.

Większość walk kończy się zwykle po paru minutach, ponieważ ludzie szybko się męczą. Miałam za sobą bardzo długi dzień i byłam gotowa zrezygnować z oporu wobec tak druzgocącej przewagi przeciwnika. Pozostało mi jednak jeszcze trochę godności i rzuciłam się na najbliższego osobnika – brzuchatego mężczyznę o tłustych ciemnych włosach, który skojarzył mi się z wieprzem. Wbiłam palce w jego twarz, usiłując zrobić mu krzywdę, dopóki jeszcze mogłam.

Wilkołak kopnął mnie kolanem w brzuch, więc krzyknęłam, a wieprzowaty zaczął wołać kamratów, żeby mnie od niego odciągnęli, lecz w tym momencie gwałtownie otworzyły się frontowe drzwi i do środka wparował Eric, z pokrwawioną twarzą i prawą nogą. Tuż za nim stał Bill.

Sekundę później obaj nieumarli całkowicie stracili nad sobą panowanie. Na własne oczy zobaczyłam, do czego są zdolne wampiry.

Już po krótkiej chwili zdałam sobie sprawę, że moja pomoc nie będzie potrzebna. Uznałam, że Bogini Naprawdę Twardych Dziewczyn musi mi wybaczyć moją słabość, i zamknęłam oczy.

Po dwóch minutach w moim salonie znajdowali się wyłącznie nieżywi mężczyźni.

***

— Sookie? Sookie? — Głos Erica był zachrypnięty. — Musimy zabrać ją do szpitala? — spytał Billa.

Poczułam zimne palce najpierw na nadgarstku, a później na szyi. Zamierzałam powiedzieć, że tym razem jestem przytomna, ale mówienie wydało mi się czynnością zbyt trudną. I tak dobrze mi się leżało na podłodze...

— Puls zdecydowanie wyczuwalny — poinformował go Bill. — Trzeba ją obrócić.

— Więc żyje?

— Tak.

— To jej krew? — Głos Erica zabrzmiał bliżej.

— Tak, część.

Westchnął głęboko.

— Jej jest inna.

— Jasne — odparował Bill chłodno. — Do tej pory pewnie masz jej już w sobie mnóstwo.

— Minęło sporo czasu, odkąd napiłem się prawdziwej krwi w dużej ilości — dociął mu Eric.

Powiedział to takim tonem, jakim mój brat Jason oznajmiłby, że od dawna nie jadł placka z jeżynami.

Bill wsunął ręce pod moje ciało.

– Cóż, ja także – rzekł. – Będziemy musieli wynieść ich wszystkich na podwórze – rzucił niedbale. – A później posprzątamy w domu.

– Naturalnie.

Bill zaczął mnie odwracać, a ja się rozpłakałam. Nie mogłam się powstrzymać. Chociaż chciałam być silna, potrafiłam myśleć jedynie o własnym ciele. Jeśli zostaliście kiedykolwiek naprawdę poważnie pobici, wiecie, o czym mówię. Człowiek poważnie pobity uświadamia sobie nagle, że posiada powłokę ze skóry, którą łatwo przekłuć i pod którą znajdują się liczne płyny i rzekomo mocna konstrukcja, którą z kolei całkiem łatwo ktoś może naruszyć i połamać. Przypomniało mi się, jak strasznie zostałam ranna w Dallas kilka tygodni temu, teraz jednak czułam się gorzej. Wiedziałam, że tak naprawdę może wcale nie jest ze mną gorzej, teraz bowiem miałam sporo uszkodzeń tkanki miękkiej, a w Dallas doznałam pęknięcia kości policzkowej i urazu kolana. Pomyślałam, że może kolano znów jest uszkodzone, a jedno z uderzeń w twarz mogło ponownie naruszyć tę samą kość policzkową. Otworzyłam oczy, zamrugałam, a potem otworzyłam je szerzej. Po kilku sekundach widziałam wyraźnie.

– Możesz mówić? – spytał Eric po długiej chwili.

Spróbowałam coś powiedzieć, lecz w ustach miałam tak sucho, że mi się nie udało.

– Ona musi się czegoś napić.

Bill dotarł do kuchni okrężną drogą, gdyż musiał obejść wiele przeszkód.

Eric odgarnął mi włosy z oczu.

Przypomniałam sobie, że został postrzelony, i chciałam go spytać, jak się czuje, ale nie byłam w stanie.

Siedział obok mnie, opierając się o poduszki kanapy. Jego twarz była pobrudzona krwią i wydawała się bardziej niż kiedykolwiek zaróżowiona, wręcz zdrowo rumiana.

Kiedy Bill wrócił z wodą dla mnie – nawet dodał słomkę – przyjrzałam się z uwagą jego obliczu. Wyglądał niemal jak opalony.

Podtrzymał mnie ostrożnie i wsunął mi słomkę do ust. Napiłam się i była to najlepsza rzecz, jaką kiedykolwiek miałam w ustach.

– Zabiliście ich wszystkich – zauważyłam zgrzytliwie.

Eric skinął głową.

Pomyślałam o kręgu prymitywnych twarzy, które nie tak dawno temu mnie otaczały. Pomyślałam o wilkołaku, który mnie spoliczkował.

– To dobrze – powiedziałam.

Eric zerknął na mnie jak zwykle rozbawiony. W minie Billa nie dostrzegłam żadnej szczególnej emocji.

– Ilu?

Eric rozejrzał się odruchowo, a Bill w milczeniu liczył, celując palcem.

– Siedmiu? – spytał niepewnie mój wampir. – Dwóch na podwórzu i pięciu w domu?

– Myślałem, że ośmiu – mruknął Eric.

– Dlaczego się tu zaczaili?

– Jerry Falcon.

– Ooo. – W głosie Billa zabrzmiała inna nuta. – A tak, spotkałem go. W sali tortur. Jest pierwszy na mojej liście.

– Więc możesz go skreślić – odparował Eric. – Alcide i Sookie porzucili jego ciało wczoraj w lesie.

– Ten Alcide go zabił? – Bill przypatrzył mi się w zadumie. – Czy Sookie?

– Alcide twierdzi, że nie. Znaleźli ciało w szafie apartamentu i ukuli plan ukrycia jego szczątków.

Eric zaczął przemawiać jak staroświecki intelektualista.

– Moja Sookie ukryła czyjeś zwłoki?

– Nie sądzę, żebyś mógł mieć zbyt dużą pewność co do tego zaimka dzierżawczego.

– Gdzie poznałeś te określenia, Northman?

– Wybrałem angielski jako drugi język w college'u. W latach siedemdziesiątych.

– Ona jest moja – zapewnił go Bill.

Zastanowiłam się, czy mogę poruszać rękoma. Mogłam. Uniosłam je obie i wykonałam niedwuznaczny gest palcem środkowym.

Eric się roześmiał.

– Sookie! – upomniał mnie wstrząśnięty Bill.

– Sądzę, że Sookie pragnie nam powiedzieć, że należy wyłącznie do samej siebie – oznajmił Eric spokojnie. – Tymczasem... żeby zakończyć naszą rozmowę o zwłokach, powiem tylko, że ten, kto wepchnął je do szafy, chciał zrzucić winę na Alcide'a, ponieważ Jerry Falcon poprzedniej nocy w rażącym stylu przystawiał się do Sookie w barze i Alcide mógłby się poczuć z tego powodu urażony.

– Czyli że może celem całej tej intrygi był ten Alcide, a nie my?

– Trudno powiedzieć. Z tego co wyznali nam uzbrojeni bandyci ze stacji benzynowej, wyraźnie wynikało, że

312

członkowie gangu wilkołaków wezwali wszystkie znane sobie zbiry i kazali im czekać na nas w różnych miejscach autostrady międzystanowej. Mieli nas przechwycić w drodze powrotnej z Jackson. Gdyby ci ze stacji nie zawalili sprawy, nie siedzieliby w tej chwili w areszcie pod zarzutem napadu z bronią w ręku. Bo na pewno tam teraz są.

– Ale jak ci faceci tu dotarli? Jak się dowiedzieli, gdzie mieszka Sookie? I kim naprawdę jest?

– Użyła w Klubie Martwych prawdziwego nazwiska. Nie wiedzieli, że to twoja dziewczyna, bo nazwiska twojej przyjaciółki nie znali. Nie zdradziłeś jej.

– Zdradziłem ją za to w innym sensie – odparł Bill ponuro. – Pomyślałem więc, że przynajmniej tyle mogę dla niej zrobić.

No proszę, a ja kazałam spadać takiemu facetowi. Z drugiej strony, ten właśnie facet mówił wciąż w taki sposób, jak gdyby nie było mnie w pokoju. No i, co najważniejsze, miał inną „ukochaną", dla której zamierzał puścić mnie kantem.

– Więc może wilkołaki w ogóle nie wiedzą, że Sookie była twoją przyjaciółką. Może wiedzą jedynie, że pomieszkiwała z Alcide'em w czasie, gdy zniknął ich kumpel Jerry. Może uważają, że Jerry przyszedł do apartamentu. Alcide twierdził, że przywódca stada z Jackson kazał mu wyjechać z miasta i nie wracać przez jakiś czas, nie sugerował jednak, że Alcide zabił Jerry'ego.

– Ten... Alcide tkwi najwyraźniej w jakimś burzliwym związku uczuciowym, który przeżywa trudności.

– Jego była dziewczyna zaręczyła się z kimś innym. Sądziła, że Alcide z kolei związał się z Sookie.

313

– A związał się? Miał czelność powiedzieć tej jędzy Debbie, że Sookie jest dobra w łóżku.

– Chciał wzbudzić w niej zazdrość. Nigdy nie spał z Sookie.

– Ale bardzo ją lubi.

Sądząc po tonie Billa, uważał coś takiego za zbrodnię, którą należałoby karać śmiercią.

– Jak wszyscy, nie sądzisz?

– Właśnie przed chwilą – odezwałam się z wielkim wysiłkiem – zabiliście paru facetów, którzy na pewno nie darzyli mnie sympatią.

Zmęczyła mnie rozmowa o mnie, jaką toczyli tuż nad moją głową. Nawet jeśli wiele się z niej dowiadywałam. Wszystko mnie bolało, a w moim salonie leżało pełno trupów. Chciałabym zmienić obie te sytuacje.

– Billu, jak tu właściwie dotarłeś? – spytałam zgrzytliwym szeptem.

– Własnym autem. Wynegocjowałem układ z Russellem, ponieważ nie chciałem do końca swojego istnienia oglądać się ze strachem przez ramię. Gdy zadzwoniłem, Russell się wściekał. Nie dość, że ja i Lorena zniknęliśmy, to zatrudniane przez niego wilkołaki nie posłuchały go i naraziły na szwank kontakty biznesowe, które łączyły króla z Alcide'em i jego ojcem.

– Na kogo Russell najbardziej się złościł? – spytał Eric.

– Na Lorenę, za to, że pozwoliła mi uciec.

Zanim Bill podjął opowieść, rechotali przez chwilę nad moją głową. Ach te wampiry! Kupa śmiechu.

– Russell zgodził się oddać mi samochód i zostawić mnie w spokoju, jeśli wyznam, w jaki sposób uciekłem, dzięki czemu będzie mógł poprawić zabezpieczenia na tym polu. Spytał mnie też, czy może włączyć się do projektu katalogowania wampirów.

Gdyby Russell od tego zaczął, zaoszczędziłby wszystkim mnóstwa zgryzot. Z drugiej strony, Lorena wciąż by żyła. Podobnie jak oprychy, które mnie pobiły, i może także Jerry Falcon, którego śmierć nadal pozostawała tajemnicą.

– Popędziłem więc za wami autostradą – kontynuował Bill. – Chciałem wam powiedzieć, że ścigają was wilkołaki i ich pomagierzy. I że zamierzają was wyprzedzić i zaczaić się tutaj. Sprawdzili w Internecie, że dziewczyna Alcide'a, Sookie Stackhouse, mieszka w Bon Temps.

– Komputery to niebezpieczne przedmioty – zauważył Eric.

Mówił ze znużeniem i przypomniałam sobie krew na jego ubraniu. Erica postrzelono dwukrotnie, ponieważ mi towarzyszył.

– Twarz Sookie puchnie – zauważył Bill. W jego głosie dosłyszałam równocześnie łagodność i gniew.

– Ericu, w porządku? – spytałam ze zmęczeniem, uznając, że nie trzeba wielu słów, aby mnie zrozumiał.

– Uleczę się – odparł, jakby z wielkiego oddalenia. – Szczególnie skoro mam tyle tak dobrej...

I wtedy zasnęłam, zemdlałam lub wpadłam w jakieś połączenie obu tych stanów.

***

Słońce. Odkąd widziałam je po raz ostatni, minęło tak dużo czasu, że niemal zapomniałam, jakie jest cudowne.

Leżałam we własnym łóżku, ubrana we własną nocną koszulę z miękkiego nylonu i owinięta jak mumia. Naprawdę, naprawdę musiałam wstać i pójść do łazienki! Poruszyłam się i natychmiast odkryłam, jak straszne zadanie mnie czeka, więc tylko ucisk na pęcherz zmusił mnie do opuszczenia łóżka.

Szłam, stawiając maleńkie kroczki na podłodze i przemierzając obszar, który nagle wydał mi się bezmierny i nagi jak pustynia. Pokonywałam bolesny centymetr po bolesnym centymetrze. Palce u stóp wciąż miałam pokryte złotawobrązowym lakierem, podobnie jak palce u rąk. Tyle że tym u nóg przyglądałam się bardzo długo podczas powolnej drogi do łazienki.

Dzięki Bogu, że mam ubikację w domu. Gdybym musiała korzystać z wychodka na podwórku, tak jak moja babcia w dzieciństwie, dałabym za wygraną i nie wyszła z domu.

Kiedy załatwiłam sprawy w łazience i włożyłam szlafrok z polaru, ruszyłam powoli korytarzem do salonu, żeby sprawdzić podłogę. Po drodze zauważyłam, że słońce cudownie świeci, a niebo ma piękny ocień intensywnego błękitu. Było prawie sześć stopni Celsjusza – tak wskazywał termometr, który Jason dał mi kiedyś na urodziny i zamocował na ramie okiennej, wystarczyło więc tylko wyjrzeć i odczytać temperaturę.

Salon wyglądał naprawdę dobrze. Nie byłam pewna, jak długo ekipa wampirzych sprzątaczy pracowała ubiegłej nocy, nie dostrzegłam jednak żadnych śladów po ciałach. Drewno podłogi połyskiwało, a meble wydawały się cudownie czyste. Z kanapy zniknęła stara narzuta, lecz nie tęskniłam za nią. Nie była to żadna ważna pamiątka, tylko zwykła kapa, którą babcia kupiła na pchlim targu za trzydzieści pięć dolarów. Dlaczego to sobie przypomniałam? Narzuta nie była dla mnie ważna. A babcia nie żyła.

W tym momencie o mało się nie rozpłakałam, na szczęście się opanowałam. Nie zamierzałam się teraz nad sobą użalać. Moja reakcja na informację o niewierności Billa była jedynie odległym wspomnieniem; może stałam się twardsza, a może skrywałam obecnie uczucia pod grubszą zbroją. Już nie czułam złości na niego. Ku swojemu zaskoczeniu! Torturowała go kobieta... no, raczej wampirzyca, w której miłość wierzył. W dodatku torturowała go dla korzyści finansowych – to było chyba najgorsze.

Ku własnemu zdumieniu i przerażeniu nagle w moich wspomnieniach powrócił moment, gdy kołek wszedł pod jej żebra, i przez chwilę pamiętałam ruch drewna przemieszczającego się w jej ciele.

Udało mi się wrócić do łazienki w ostatniej chwili.

No dobra, zabiłam kogoś, i co?

Już kiedyś zraniłam kogoś, kto usiłował mnie zabić, i nigdy nie dręczyłam się tym czynem: och, miałam raz czy dwa dziwny sen. Jednakże wspomnienie przebicia kołkiem wampirzycy Loreny było okropne. A przecież gdyby mogła, zabiłaby mnie w jednej chwili i na pewno nie miałaby wyrzutów sumienia. Prawdopodobnie śmiałaby się z tego do rozpuku.

Może przejmowałam się nie własnym czynem, lecz emocjami, które mu towarzyszyły. Kiedy zatopiłam kołek w jej piersi, jestem pewna, że przez moment, przez sekundę, przez ułamek czasu... pomyślałam: „A masz, suko". I wtedy odczułam czystą przyjemność.

***

Parę godzin później odkryłam, że jest wczesne popołudnie. Wczesne poniedziałkowe popołudnie. Zadzwoniłam na komórkę do mojego brata i niedługo potem przyjechał wraz z moją pocztą.

Gdy otworzyłam drzwi, stał w nich przez długą minutę, oglądając mnie od stóp od głów.

– Jeśli on ci to zrobił, pojadę do niego z pochodnią i zaostrzonym trzonkiem miotły – oświadczył w końcu.

– Nie, nie on.

– Co się przydarzyło tym, którzy to zrobili?

– Lepiej nie myśl o tym zbyt dużo.

– Przynajmniej czasem twój wampir postępuje właściwie.

– Nigdy więcej nie zamierzam się z nim spotkać.

– Taaa. Już to słyszałem.

Miał rację.

– Przez jakiś czas – powiedziałam stanowczo.

– Sam powiedział, że wyjechałaś z Alcide'em Herveaux.

– Nie powinien ci mówić.

– Cholera, jestem twoim bratem! Muszę wiedzieć, z kim wyjeżdżasz.

– Interesy – odparłam, siląc się na lekki uśmiech, ot tak, na próbę.

– Zajmiesz się teraz pomiarami?

– Znasz Alcide'a?

– A któż go nie zna, przynajmniej z nazwiska? Rodzina Herveaux jest znana. Twardzi faceci. Dobrzy pracodawcy. Bogaci.

– Alcide jest miły.

– Przyjedzie tu znów? Chciałbym go poznać. Wiesz, że nie zamierzam do końca życia dozorować dla gminy ekip drogowych.

Hm, to była dla mnie prawdziwa nowina.

– Następnym razem, gdy się zjawi, zadzwonię do ciebie. Nie wiem, czy wybiera się do mnie wkrótce, ale jeżeli przyjedzie, powiadomię cię.

– To dobrze. – Jason się rozejrzał. – Co się stało z narzutą?

Zauważyłam plamę krwi na kanapie, mniej więcej w miejscu, o które opierał się wcześniej Eric. Usiadłam tak, żeby zasłonić ją nogami.

– Narzuta? Pobrudziłam ją sosem pomidorowym. Jadłam spaghetti tutaj i oglądałam telewizję.

– Oddałaś ją do czyszczenia?

Nie wiedziałam co odpowiedzieć. Nie miałam pojęcia, czy wampiry postanowiły wyczyścić narzutę, czy musiały ją spalić.

– Tak – odparłam z wahaniem. – Ale nie wiadomo, czy da się tę plamę usunąć.

– Nowy żwir dobrze wygląda.

Zagapiłam się na Jasona z rozdziawionymi ustami.

– Co takiego?!

Popatrzył na mnie jak na idiotkę.

– Nowy żwir. Na podjeździe. Wykonali dobrą robotę, ułożyli go równo. Ani jednego wyboju.

Zapominając o krwawej plamie, dźwignęłam się z niejaką trudnością z kanapy i wyjrzałam przez frontowe okno, tym razem uważniej.

Nie tylko podjazd został poprawiony, lecz także nowe miejsce do parkowania, które oddzielono niziutkim drewnianym płotkiem. Widziałam, że żwir jest drogi, z gatunku reklamowanego jako najwytrzymalszy – taki który nie rozsypuje się na boki i leży w miejscu przez długie lata. Szacując koszt napraw, położyłam rękę na ustach.

– Wygląda tak aż do samej drogi? – spytałam Jasona bardzo cicho.

– Tak, a gdy przejeżdżałem wcześniej, widziałem ludzi z Burgess and Sons – odrzekł powoli. – Nie ty ich zamówiłaś?

Potrząsnęłam głową.

– Cholera, wysypali żwir przez pomyłkę? – Jason łatwo wpadał we wściekłość i teraz aż się zarumienił z emocji. – Zadzwonię do Randy'ego Burgessa i opieprzę go. Nie płać żadnych rachunków! Tu mam karteczkę, która wisiała na frontowych drzwiach. – Jason wyciągnął z przedniej kieszeni zrolowany skrawek papieru. – Wybacz, miałem ci ją dać od razu, ale później zobaczyłem, jak wygląda twoja twarz, i...

Rozwinęłam żółty karteluszek i przeczytałam nagryzmolony tekst:

Sookie... Pan Northman powiedział, żeby nie stukać do Twoich drzwi, więc zostawiam wiadomość. Jeśli coś Ci nie pasuje, po prostu do nas zadzwoń. Randy.

– Jest zapłacony – powiedziałam i Jason trochę się uspokoił.

– Twój chłopak... To znaczy twój eks?

Przypomniałam sobie, co wykrzykiwałam do Erica na temat podjazdu.

– Nie – odparłam. – Ktoś inny.

Było mi trochę przykro, że Bill nie jest tak troskliwy.

– Całkiem dobrze sobie ostatnio radzisz – stwierdził.

Nie krytykował mnie, czego mogłabym się spodziewać, chociaż z drugiej strony wiedział, że nie ma prawa mnie potępiać.

– Nie, to nieprawda – odparłam beznamiętnie.

Przez kilka minut mi się przypatrywał. Spojrzałam mu w oczy.

– Okej – powiedział powoli. – Więc ktoś był ci to winien.

– Już prędzej – przyznałam i zastanowiłam się z kolei, ile w tym prawdy. – Dzięki, że odbierałeś moją pocztę, braciszku. Muszę wracać do łóżka.

– Drobiazg. Zawieźć cię do lekarza?

Pokręciłam głową. Nie miałabym odwagi wejść w takim stanie do poczekalni.

– Zadzwoń, jeśli będziesz potrzebowała czegoś do jedzenia.

– Dzięki – powtórzyłam. – Dobry z ciebie brat.

Ku naszemu wspólnemu zaskoczeniu wspięłam się na palce i cmoknęłam go w policzek. Jason objął mnie niezdarnie, a ja zmusiłam się do uśmiechu, zamiast krzywić się z bólu.

– Wróć do łóżka, siostrzyczko – powiedział, po czym wyszedł i starannie zamknął za sobą drzwi.

Zauważyłam, że stał na ganku i przez pełną minutę oceniał dodatkowy żwir. Potem pokręcił głową i wrócił do swojego wozu, jak zawsze czystego i lśniącego. Jego samochód jest czarny, po bokach przyozdobiony charakterystycznymi zawijasami w kolorach niebieskawo-zielonym i różowym.

Przez jakiś czas oglądałam telewizję. Próbowałam jeść, ale za bardzo bolała mnie szczęka. Naprawdę się ucieszyłam na widok jogurtu w lodówce.

Około piętnastej przed domem zatrzymał się duży pikap. Alcide przywiózł moją walizkę i torbę. Zastukał delikatnie w drzwi.

Może wolałby, żebym nie zareagowała, ale pomyślałam, że nikt mi nie płaci za uszczęśliwianie Alcide'a Herveaux, więc otworzyłam.

– O Jezu Chryste! – jęknął, kiedy mi się przyjrzał.

Mówił absolutnie serio.

– Wejdź – powiedziałam przez zęby, gdyż z powodu bólu niemal nie mogłam otworzyć ust. Wprawdzie obiecałam powiadomić Jasona o odwiedzinach Alcide'a, ale Alcide i ja musieliśmy porozmawiać na osobności.

Wszedł, stanął i przypatrywał mi się. W końcu zaniósł bagaże do mojego pokoju, a następnie przygotował mi dużą szklankę mrożonej herbaty i wraz ze słomką postawił na kanapie. Oczy zaszły mi łzami. Nie wszyscy wiedzieli, że gorące napoje nie są odpowiednie dla osoby z tak spuchniętą i obolałą twarzą.

– Powiedz, co się zdarzyło, kochanie – poprosił, siadając na kanapie obok mnie. – Połóż tu stopy, będą wyżej.

Pomógł mi się obrócić na bok i ułożyć nogi na jego kolanach. Za plecami miałam kilka poduszek i było mi naprawdę wygodnie albo najwygodniej jak mogło mi być przez najbliższe parę dni.

Streściłam mu całą historię.

– Więc sądzisz, że będą mnie ścigać w Shreveport? – spytał.

Przyznam, że obawiałam się, że będzie obwiniał mnie za kłopoty, które ściągnęłam mu na głowę, nic jednak na to nie wskazywało.

Bezradnie pokręciłam głową.

– Po prostu nie wiem. Szkoda, że nie mamy pojęcia, co naprawdę zaszło. Może wtedy odczepiliby się od nas.

– Wilkołaki są lojalne – oznajmił.

Wzięłam go za rękę.

– Wiem o tym.

Patrzył na mnie bacznie.

– Debbie prosiła, żebym cię zabił – rzucił.

Poczułam przeszywające do kości zimno.

– Co jej odrzekłeś? – spytałam przez zaciśnięte zęby.

– Kazałem jej się odpieprzyć, wybacz mi to słowo.

– I jak się teraz czujesz?

– Odrętwiały. Czy to nie jest głupie? Tak jak ci wspomniałem, pragnę, żeby zniknęła z mojego życia. Musi z niego zniknąć. Jestem od niej uzależniony jak narkoman od heroiny. To zła istota.

Pomyślałam o Lorenie.

– Czasami – odparłam, słysząc smutek we własnym głosie – zło zwycięża. – Lorena nie żyła, a jednak jej wspomnienie wciąż kładło się cieniem na moim związku z Billem. Kiedy pomyślałam o Debbie, przypomniał mi się kolejny nieprzyjemny szczegół. – Kiedy się kłóciliście, powiedziałeś jej, że uprawiałeś ze mną seks!

Moja uwaga straszliwie go zażenowała i wywołała rumieniec na oliwkowej cerze.

– Wstyd mi z tego powodu. Wiedziałam, że Debbie dobrze się bawi ze swoim narzeczonym. Przechwalała mi się. Byłem naprawdę wściekły, ale nie powinienem wspominać o tobie. Bardzo cię przepraszam.

Potrafiłam go zrozumieć, mimo że nie podobało mi się to, co zrobił. Uniosłam brwi, sugerując, że takie stwierdzenie mi nie wystarczy.

– Okej, postąpiłem rzeczywiście podle. Po dwakroć cię przepraszam i obiecuję, że nigdy więcej tak nie postąpię.

Skinęłam głową. Wybaczyłam mu.

– Wiesz, nie chciałem tak pośpiesznie wyrzucać was z mieszkania, ale wolałem, żeby nie widziała waszej trójki, ze względu na wnioski, które mogłaby wyciągnąć. Debbie potrafi się wkurzyć, a poza tym, gdyby zobaczyła cię z wampirami, a przy okazji słyszała plotkę, że Russellowi uciekł więzień, mogłaby skojarzyć fakty. Ze złości może nawet zadzwoniłaby do Russella.

– I gdzie ta słynna lojalność wilkołaków?

– Debbie jest zmiennokształtną, nie wilkołaczycą – odparował Alcide natychmiast, potwierdzając moje podejrzenia.

Zaczynałam bowiem sądzić, że wbrew oświadczeniu, że pragnie zachować dla siebie wilkołacze geny, nigdy nie będzie szczęśliwy z nikim poza wilkołaczycą. Westchnęłam, starając się, by zabrzmiało to spokojnie i neutralnie. Mogę się przecież mylić.

– Nie mówmy już o Debbie – powiedziałam, machając ręką dla podkreślenia swoich słów. – Ważniejsze, że ktoś zabił Jerry'ego Falcona i podrzucił zwłoki do twojej szafy. Z tego powodu ty i ja... mieliśmy mnóstwo kłopotów podczas pierwotnej misji, którą było poszukiwanie Billa. Kto mógł zrobić coś takiego? Chyba ktoś naprawdę nikczemny!

– Albo naprawdę głupi – powiedział wprost Alcide.

– Wiem, że Bill tego nie zrobił, ponieważ był wtedy więziony. I przysięgłabym, że Eric nie kłamał, nie przyznając się do zabójstwa. – Zawahałam się, nie chcąc znów wymieniać eksdziewczyny Alcide'a. – A... Debbie? Była przecież... – Powstrzymałam się przed użyciem określenia „ta okropna suka", ponieważ tylko Alcide miał prawo ją tak nazwać. – Była naprawdę rozgniewana na ciebie za twoją randkę z kimś innym – dodałam oględnie. – Może podrzuciła do twojej szafy ciało Jerry'ego Falcona, żeby narobić ci kłopotów?

– Debbie bywa złośliwa i kłopotliwa, ale nigdy nikogo nie zabiła – zapewnił mnie Alcide. – Nie ma takiego charakteru... takiej odwagi. Ani żądzy zabijania.

Taaa, jasne, Debbie to istne uosobienie niewinności.

Alcide najwyraźniej dostrzegł na mojej twarzy konsternację.

– Hej, jestem wilkołakiem – wyjaśnił, wzruszając ramionami. – Zabiłbym, gdybym musiał. Szczególnie podczas pełni księżyca.

– Może zatem z nieznanych nam powodów wykończył go jakiś kumpel, a potem postanowił zrzucić winę na ciebie? Kolejny możliwy scenariusz.

– Nie wydaje mi się. Inny wilkołak... No cóż, po takim ataku ciało wyglądałoby inaczej – tłumaczył Alcide, usiłując mi oszczędzić drastyczniejszych szczegółów. Miał zapewne na myśli rozerwanie zwłok na strzępy. – Zresztą wydaje mi się, że wyczułbym zapach innego wilkołaka. Nawet nie zbliżając się za bardzo do zwłok.

Skończyły nam się pomysły na rozwiązanie zagadki, chociaż gdybym nagrała tę rozmowę, a później ją przesłuchała, może dość szybko pomyślałabym o innym potencjalnym winowajcy.

Alcide powiedział, że musi teraz wrócić do Shreveport, więc zdjęłam stopy z jego nóg, by mógł wstać. Podniósł się, lecz po chwili przyklęknął na jedno kolano przy szczycie kanapy, chcąc się ze mną pożegnać. Powiedziałam uprzejmie, jak to sympatycznie z jego strony, że pozwolił mi się zatrzymać w swoim mieszkaniu, jak bardzo polubiłam jego siostrę, jak zabawnie było ukrywać wraz z nim trupa... Nie, nie, nie powiedziałam tego, chociaż przemknęło mi coś takiego przez głowę, gdyż babcia wychowała mnie na osobę prawdomówną i grzeczną.

– Cieszę się, że cię poznałem – odrzekł.

Cmoknął mnie w usta. Jednakże po tym cmoknięciu, które sprawiło mi przyjemność, nadszedł czas na dłuższe pożegnanie. Wargi Alcide'a były takie ciepłe. A po sekundzie poczułam jego język, jeszcze cieplejszy. Obrócił lekko głowę i dalej całował. Jego prawa ręka poruszała się nad moim ciałem, gdyż wilkołak bał się ją położyć w bolesnym dla mnie miejscu. W końcu przykrył moją dłoń swoją. O rany, to było miłe. Ale miłe jedynie dla mojej dłoni, warg i łona. Reszta ciała cierpiała. Gdy Alcide położył mi rękę na piersi, zrobiłam głośny, ostry wdech.

– O Boże, sprawiłem ci ból! – zreflektował się.

Usta wciąż miał nabrzmiałe i czerwone po długim pocałunku, oczy mu błyszczały.

Poczułam się zmuszona przeprosić.

– Jestem trochę przewrażliwiona – tłumaczyłam się.

– Co oni ci zrobili? – spytał. – To było chyba coś więcej niż kilka policzków w twarz?

Najwyraźniej wyobrażał sobie, że opuchnięta twarz to mój najpoważniejszy problem.

– Niestety, masz rację – przyznałam, próbując się uśmiechnąć.

Miał naprawdę zbolałą minę.

– A ja cię napastuję.

– No cóż, nie odepchnęłam cię – powiedziałam łagodnie. (Za bardzo cierpiałam, żeby odpychać). – I nie powiedziałam: „Ależ, proszę pana, jak pan śmie dobierać się do mnie w takiej chwili!".

Popatrzył na mnie z lekkim przestrachem.

– Wrócę szybko – obiecał. – Jeśli będziesz czegoś potrzebowała, zatelefonuj do mnie. – Wyjął z kieszeni wizytówkę i położył ją na stoliku obok kanapy. – Tu jest mój numer do pracy, a na odwrocie dopisałem komórkowy i domowy. Podyktuj mi swój.

Posłusznie wyrecytowałam cyfry, a on je zapisał w... nie żartuję... małym czarnym notesiku. Zabrakło mi sił, by skomentować ten fakt.

Kiedy odszedł, dom wydał mi się wyjątkowo pusty. Alcide był taki duży i taki żwawy... taki pełen życia, że, mówiąc obrazowo, swoją osobą i serdecznością wypełniłby każdą, nawet największą przestrzeń.

Chyba nigdy wcześniej nie wzdychałam w ciągu jednego dnia tyle razy co dziś.

Powiadomiona przez Jasona w „Merlotcie" Arlene przyjechała o siedemnastej trzydzieści. Obejrzała mnie dokładnie, kilkakrotnie jawnie powstrzymała się przed nasuwającymi jej się uwagami, a potem po prostu podgrzała dla mnie zupę z puszki. Poczekałam, aż zupa trochę ostygnie, a potem zjadłam ją bardzo ostrożnie i powoli; poczułam się dzięki niej lepiej. Arlene włożyła naczynia do zmywarki i spytała mnie, czy jeszcze jakoś może mi pomóc. Pomyślałam o dzieciach czekających na nią w domu i odparłam, że doskonale sobie radzę. Cieszyłam się, że mnie odwiedziła, a jeszcze bardziej, że zapanowała nad sobą i mnie nie zbeształa.

Czułam się zesztywniała, więc zmusiłam się do wstania i trochę pochodziłam (chociaż to wyglądało bardziej jak kuśtykanie), ale ponieważ doskwierały mi mocno już pociemniałe siniaki, a w domu było coraz zimniej, moje samopoczucie stale się pogarszało. Jeśli człowiek mieszka sam, to dopiero gdy jest chory lub słaby, uświadamia sobie, że nie może nikogo poprosić o pomoc.

W takim momencie łatwo zacząć się nad sobą użalać.

Ku mojemu zdumieniu jako pierwsza z wampirów zjawiła się Pam. Tego wieczoru miała na sobie czarną suknię do ziemi, więc domyśliłam się, że wybiera się do pracy w „Fangtasii". Pam zazwyczaj unika czerni; woli ubrania w kolorach pastelowych. Przez chwilę niecierpliwie obciągała szyfonowe rękawy.

– Eric powiedział, że może potrzebujesz kobiety do pomocy – mówiła szybko. – Chociaż zupełnie nie wiem, dlaczego miałabym ci służyć jako pokojówka. Naprawdę czegoś ci potrzeba czy tyko Eric stara ci się przypochlebić? Nawet cię trochę lubię, ale ostatecznie ja jestem wampirzycą, a ty istotą ludzką.

Cała Pam, sama słodycz.

– Mogłabyś posiedzieć ze mną przez minutę i dotrzymać mi towarzystwa – zaproponowałam, bo inna odpowiedź nie przyszła mi na myśl.

Oczywiście przyjemnie byłoby, gdyby ktoś pomógł mi wejść do wanny i wyjść z niej po kąpieli, wiedziałam jednak, że prosząc Pam o coś tak osobistego, obraziłabym ją. Ostatecznie, ona była wampirzycą, a ja istotą ludzką...

Usadowiła się w fotelu stojącym naprzeciwko kanapy.

– Eric mówi, że potrafisz strzelać ze strzelby – rzuciła swobodniejszym tonem. – Nauczysz mnie?

– Bardzo chętnie, gdy poczuję się lepiej.

– Naprawdę przebiłaś kołkiem Lorenę?

Jak mi się wydawało, lekcje strzelania były ważniejsze niż śmierć Loreny.

– Tak. W przeciwnym razie zabiłaby mnie...

– Jak to zrobiłaś?

– Miałam przy sobie kołek, który ktoś wbił mi w bok.

Pam, naturalnie, pragnęła usłyszeć opowieść o tym zdarzeniu, a później spytała mnie, jak się wówczas czułam, ponieważ byłam jedyną znaną jej osobą, która przeżyła taki atak. A potem znów indagowała mnie, w jaki sposób zabiłam Lorenę, i wróciłyśmy do najmniej ulubionego z tematów.

– Nie chcę o tym rozmawiać – oznajmiłam jej.

– Ale dlaczego? – Pam była ciekawa. – Twierdzisz, że próbowała cię zabić.

– Bo tak było.

– A potem dalej torturowałaby Billa, aż by się załamał, ty byś nie żyła i cała akcja okazałaby się daremna.

Jej argumenty brzmiały sensownie, więc usiłowałam myśleć o tym zdarzeniu jako o działaniu praktycznym i niezbędnym, a nie desperackim odruchu.

– Bill i Eric przybędą tu wkrótce – oznajmiła, patrząc na zegarek.

– Och, szkoda że nie powiedziałaś mi wcześniej! – zawołałam, usiłując wstać.

– Chcesz umyć zęby i uczesać włosy? – spytała z sarkazmem. – Właśnie dlatego Eric uważał, że możesz potrzebować mojej pomocy.

– Sądzę, że zdołam się jakoś sama doprowadzić do porządku, ale jeśli mogę cię prosić, podgrzej trochę krwi w kuchence mikrofalowej... Dla siebie także, ma się rozumieć. Przepraszam, że wcześniej ci tego nie zaproponowałam.

Posłała mi sceptyczne spojrzenie, niemniej jednak bez słowa oddaliła się do kuchni. Przez minutę wsłuchiwałam się w dobiegające stamtąd odgłosy, chcąc się upewnić, czy Pam umie obsłużyć urządzenie, na szczęście usłyszałam kliknięcia wstukiwanych cyfr. A później wcisnęła „Start".

Umyłam się nad zlewem, uczesałam włosy, wyszczotkowałam zęby, a potem włożyłam jedwabną różową piżamę, podomkę w podobnym kolorze i kapcie. Żałowałam, że nie mam siły ubrać się w zwykły strój codzienny, nie mogłam jednak nawet sobie wyobrazić wciągania bielizny, skarpetek i butów.

Przy takich sińcach nie było sensu nakładać makijażu. Były tak ciemne, że nie istniał sposób ukrycia ich. Zadałam sobie pytanie, po co właściwie wstawałam z kanapy i narażałam się na takie katusze. Zapatrzyłam się na swoje odbicie w lustrze i powiedziałam sobie, że jestem idiotką, skoro przygotowuję się na ich przybycie. W jakimś sensie po prostu się stroiłam. Biorąc pod uwagę mój żałosny wygląd i kiepskie samopoczucie, zachowywałam się naprawdę śmiesznie. Było mi głupio, że poddałam się odruchowi, a jeszcze bardziej, że ośmieszyłam się w oczach Pam.

Jednak pierwszym osobnikiem, który się zjawił, był Bubba.

Niesamowicie się wystroił. Nie miałam wątpliwości, że wampirom z Jackson bardzo odpowiadało jego towarzystwo. Włożył czerwony kombinezon z naszytymi kryształkami (bez zaskoczenia przypomniałam sobie, że widziałam w takim jednego z kochasiów króla w rezydencji) oraz szeroki pas i buty z krótką cholewką. Prezentował się świetnie.

Nie wyglądał jednak na zadowolonego. I był skruszony.

– Panno Sookie, przepraszam, że straciłem cię z oczu ubiegłej nocy – oznajmił bez wstępów. Wchodząc, obojętnie minął Pam, która popatrzyła na niego ze zdziwieniem. – Widzę, że przydarzyło ci się coś okropnego, a mnie nie było przy tobie i temu nie zapobiegłem, tak jak mi kazał Eric. Ale dobrze się bawiłem w Jackson. Ci ludzie naprawdę potrafią wydawać przyjęcia.

Wyobraziłam to sobie natychmiast, jasno i wyraźnie. Gdybym występowała w komiksie, rysownik pokazałby tę nagłą myśl poprzez błyskawicę umieszczoną nad moją głową.

– Obserwowałeś mnie przecież każdej innej nocy – powiedziałam najłagodniej, jak potrafiłam. Równocześnie coś mi się skojarzyło, lecz starałam się nie mówić rozgorączkowanym tonem. – Prawda?

– Tak, panno Sookie, odkąd polecił mi pan Eric. – Wyprostował się i majestatycznie zadarł głowę, a ja zauważyłam, że ma znajomą fryzurę wykonaną przy użyciu brylantyny. Faceci z rezydencji Russella naprawdę się postarali.

– Czyli że byłeś blisko mnie również tej nocy, kiedy wróciliśmy z klubu? – naciskałam na niego. – Pierwszej nocy?

– No pewnie, panno Sookie.

– Widziałeś kogoś przed mieszkaniem?

– No pewnie, że widziałem.

Naprawdę był z siebie dumny.

O, rany!

– To był facet z gangu ubrany w skóry?

Popatrzył zaskoczony.

– Tak, panno Sookie, ten facet, który cię skrzywdził w barze. Widziałem, jak portier go wyrzucał. Kilku jego kumpli wyszło za nim. Rozmawiali o tym, co się zdarzyło, stąd wiedziałem, że cię obraził. Pan Eric powiedział, że publicznie nie mam się do ciebie zbliżać, no to trzymałem się z dala. Ale pojechałem z wami do apartamentu, tym pikapem. Prawdopodobnie nawet nie wiedzieliście, że siedzę z tyłu.

– Nie, wcale nie wiedziałam, że tam jesteś. Postąpiłeś naprawdę inteligentnie. A teraz powiedz mi, kiedy znów zobaczyłeś tego wilkołaka? Co wtedy robił?

– Otwierał wytrychem zamek do mieszkania, ale podkradłem się i stanąłem za nim. Złapałem frajera dosłownie w ostatniej chwili.

– Co z nim zrobiłeś? – Uśmiechnęłam się do niego.

– Skręciłem mu kark i wepchnąłem go do szafy – odparł z dumą Bubba. – Nie miałem czasu zabrać stamtąd ciała, a pomyślałem, że wraz z panem Erikiem zdołacie wymyślić, jak się go pozbyć.

Nie mogłam na niego patrzeć, musiałam odwrócić wzrok. Jakie to proste. Jakie to normalne. Dla rozwiązania tej zagadki wystarczyło zadać właściwej osobie jedno właściwe pytanie.

Dlaczego na to nie wpadliśmy? Nie można wydać Bubbie poleceń i spodziewać się, że ich nie wypełni lub wypełni je inaczej pod wpływem nowych okoliczności. Całkiem możliwe, że zabijając Jerry'ego Falcona, uratował mi życie, ponieważ wilkołak bez wątpienia po wejściu do mieszkania udałby się od razu do mojej sypialni. A ja, kiedy w końcu położyłam się do łóżka, byłam taka zmęczona, że obudziłabym się za późno.

Pam patrzyła z pytającą miną to na mnie, to na Bubbę. Podniosłam rękę i dałam jej znak, że wyjaśnię wszystko później. Wysiliłam się na kolejny uśmiech, którym obrzuciłam Bubbę, po czym zapewniłam go, że postąpił właściwie.

– Eric będzie bardzo zadowolony – dodałam.

A rozmowa z Alcide'em na ten temat okaże się interesującym doświadczeniem.

Bubba ewidentnie się odprężył. Uśmiechnął się, a jego górna warga podwinęła się jedynie nieznacznie.

– Cieszę się, że to od ciebie słyszę – powiedział. – Masz trochę krwi? Jestem ogromnie spragniony.

– Jasne – odparłam.

Pam wykazała się refleksem i poszła po butelkę. Bubba wypił duży haust.

– Nie tak pyszna jak kocia – obwieścił – ale niemal równie niesamowicie dobra. Dziękuję ci bardzo.

ROZDZIAŁ PIĘTNASTY

Ależ przyjemny okazał się ten wieczór – Wasza bohaterka i cztery wampiry. Bill i Eric przybyli osobno, lecz prawie równocześnie. Mój dom, a w nim tylko ja i moi kumple, nie ma co.

Bill uparł się, że zaplecie mi włosy. Zrobił to chyba tylko po to, by pokazać, że świetnie zna rozkład parteru i moje zwyczaje. Poszedł do łazienki i przyniósł pudło z akcesoriami fryzjerskimi i ozdobami do włosów. Potem posadził mnie przed sobą na otomanie, a gdy usadowił się za mną wygodnie, zaczął czesać i układać moje włosy. Zawsze to lubiłam, a teraz przypomniał mi się inny wieczór, który Bill i ja zaczęliśmy właśnie w ten sposób, a finał był wprost bajeczny. Oczywiście. Bill świetnie wiedział, że wywoła takie wspomnienia.

Eric obserwował nas badawczym wzrokiem, a Pam otwarcie patrzyła z szyderczym uśmiechem. Za diabła nie mogłam zrozumieć, dlaczego postanowili siedzieć tu u mnie wszyscy jednocześnie, chociaż mieli dosyć zarówno siebie nawzajem, jak i mnie. A ja ich. Już po kilku minutach w tym towarzystwie zatęskniłam za pustym domem. Jak mogło mi się wydawać, że jestem samotna?

Bubba wyszedł stosunkowo wcześnie, ponieważ bardzo chciał zapolować. Wolałam nie rozważać dokładniej tej kwestii. Po jego wyjściu opowiedziałam pozostałym wampirom, co naprawdę przydarzyło się Jerry'emu Falconowi.

Na Ericu najwidoczniej w ogóle nie zrobił wrażenia fakt, że Bubba właściwie z jego polecenia zabił wilkołaka, a ja już wcześniej odkryłam, że wcale nie zdenerwowałam się czynem Bubby. Jeśli to była sytuacja typu „albo on, albo ja"... no cóż, siebie lubię bardziej. Billa z kolei zupełnie nie obchodził los Jerry'ego, a Pam uznała cały epizod za zabawny.

– Ciekawe, że Bubba pojechał za tobą do Jackson, skoro otrzymał instrukcje, żeby chronić cię tutaj, i to przez jedną noc... W ogóle interesujące, że ciągle i niezależnie od wszystkiego wypełnia wydany tak dawno rozkaz. Hm, nie zachowuje się jak wampir, ale bez wątpienia dobry z niego żołnierz.

– Byłoby znacznie lepiej, gdyby powiedział Sookie, co zrobił i dlaczego – wtrącił Eric.

– Tak, powinien chociaż zostawić karteczkę – odparowałam z sarkazmem. – Wszystko byłoby lepsze od otwarcia szafy i znalezienia w niej śmierdzącego trupa.

Pam ryczała ze śmiechu. Jak miło, że potrafię ją rozbawić. Cudownie!

– Wyobrażam sobie twoją minę – powiedziała wesoło. – A później ty i wilkołak musieliście ukryć ciało? Bezcenne!

– Szkoda, że nie znałam jeszcze tej historii, gdy Alcide mnie dziś odwiedził – mruknęłam.

Zamknęłam oczy, delektując się uspokajającym muskaniem szczotki. A nagłe milczenie wampirów wydało mi się wręcz rozkoszne. Nareszcie udało mi się ich zaskoczyć.

– Alcide Herveaux przyjechał tutaj? – spytał Eric.

– Tak, przywiózł moją torbę i walizkę. Widząc, w jakim opłakanym stanie jestem, został, żeby mi trochę pomóc.

Otworzyłam oczy, gdyż Bill przestał mnie czesać. Pam patrzyła na mnie, a później mrugnęła. Posłałam jej maleńki uśmieszek.

– Rozpakowałam za ciebie twoją torbę, Sookie – oznajmiła bez zająknienia. – Skąd masz ten piękny szal z aksamitu?

Mocno zacisnęłam usta.

– Cóż, pierwszego wieczoru w Klubie... to znaczy „U Josephine"... moje okrycie zostało zniszczone. Następnego dnia Alcide poszedł na zakupy i zrobił mi niespodziankę, kupując ten szal... Twierdził, że poczuł się odpowiedzialny z powodu przepalenia mojej chusty.

Cieszyłam się, że wzięłam szal z przedniego siedzenia lincolna i zaniosłam do mieszkania Alcide'a. Chociaż nie pamiętałam, że to zrobiłam.

– Jak na wilkołaka ma doskonały gust – przyznała wampirzyca. – Jeśli pożyczę od ciebie tę czerwoną sukienkę, pożyczysz mi także szal?

Nie wiedziałam, że wymieniamy się z Pam ubraniami. Ale musiałam przyznać, że niezła z niej szelma.

– Jasne – zapewniłam ją.

Niedługo potem powiedziała, że wychodzi.

– Chyba pobiegnę do domu przez las – stwierdziła. – Mam ochotę podelektować się nocą.

– Będziesz biegła aż do Shreveport? – zdziwiłam się.

– Nie pierwszy raz – odparła. – Och, tak przy okazji, Billu, królowa dzwoniła dziś wieczorem do „Fangtasii". Pytała, dlaczego spóźniasz się z realizacją pracy, którą ci zleciła. Twierdziła, że nie mogła cię złapać w domu od wielu nocy.

Bill znowu zaczął mnie czesać.

– Oddzwonię do niej później – powiedział. – Z mojego domu. Ucieszy się, gdy powiem, że skończyłem.

– Przecież prawie wszystko straciłeś – warknął Eric.

Jego nagły wybuch zaskoczył nas wszystkich.

Pam zerknęła na Erica, a później na Billa, po czym szybko wymknęła się frontowymi drzwiami. Przeraziłam się trochę.

– Tak, świetnie zdaję sobie z tego sprawę – przyznał Bill.

Jego głos, zawsze chłodny i łagodny, brzmiał teraz absolutnie lodowato. Eric z kolei był wyraźnie rozgniewany.

– Byłeś głupcem, że zadałeś się znów z tą demonicą – ciągnął Eric.

– Hej, koledzy, ja tutaj siedzę – mruknęłam.

Obaj wytrzeszczyli na mnie oczy. Podejrzewałam, że byli gotowi zakończyć ten spór, ale nie zamierzałam tego sprawdzać. Niech się kłócą na zewnątrz. Nie podziękowałam jeszcze Ericowi za inwestycję w mój podjazd i naprawdę chciałam to zrobić, ale uznałam, że dziś pora nie jest raczej odpowiednia.

– Okej – podsumowałam. – Miałam nadzieję, że zdołam tego uniknąć, ale... Billu, cofam swoje zaproszenie, nie masz już wstępu do mojego domu.

Bill ruszył tyłem do drzwi. Na jego twarzy rysowała się bezsilność, w ręku wciąż trzymał moją szczotkę do włosów. Eric popatrzył na niego z triumfalnym uśmiechem.

– Ericu – powiedziałam i jego uśmiech osłabł. – Cofam zaproszenie dla ciebie do mojego domu.

Wyszedł tyłem, przekroczył próg i znalazł się na ganku. Drzwi zatrzasnęły się za nimi (a może przed nimi?).

Usiadłam na otomanie. Nagła cisza przyniosła mi niewypowiedzianą ulgę. I nagle zdałam sobie sprawę, że program komputerowy, tak pożądany przez królową Luizjany, ten program, który kosztował kilka osób życie i stał się przyczyną rozpadu mojego związku z Billem, znajduje się w moim domu... W moim domu, do którego ani Eric, ani Bill, ani nawet królowa, nie mogą wejść bez mojej zgody.

Nie śmiałam się tak szaleńczo od wielu tygodni.

MARTWY AŻ DO ZMROKU

Charlaine Harris

Charlaine Harris jest fenomenem literackim w Stanach Zjednoczonych. Jako jedyna autorka wprowadziła jednocześnie 7 tytułów serii na listę bestsellerów „New York Times". Na podstawie jej serii o Sookie Stackhouse, laureat Oscara i nagrody Emmy, Alan Ball nakręcił serial, który z miejsca stał się hitem na całym świecie, zdobywając dwie nominacje do Złotych Globów i prawie 4 miliony widzów w samych USA. W Polsce emitowany na HBO serial jest najlepiej oglądanym serialem tego kanału. Prawa autorskie do serii książek Charlaine Harris o Sookie Stackhouse sprzedano do ponad 20 krajów.

Seria do października 2008 roku ukazała się w nakładzie 2.4 miliona egz. MARTWY AŻ DO ZMROKU sprzedał się w 1.200.000 egz i miał 20 dodruków . Na liście bestsellerów stowarzyszenia amerykańskich księgarzy (Independent Mystery Booksellers Association) MARTWY AŻ DO ZMROKU zajął 1 miejsce!

Dzięki wynalezionej w japońskim laboratorium syntetycznej krwi oraz napojowi z jej ekstraktem o nazwie Tru: Blood, w ciągu zaledwie jednej nocy wampiry z legendarnych potworów przeistoczyły się w przykładnych obywateli. I chociaż ludzie nie figurują już w ich jadłospisie, społeczeństwo niepokoi się, co stanie się, gdy wampiry opuszczą mroczne kryjówki. Przywódcy religijni i polityczni na całym świecie wyrazili już na ten temat swoje zdanie i jedynie mieszkańcy Bon Temps, małego miasteczka w Luizjanie, nie mogą się zdecydować, co o tym naprawdę myśleć.

Miejscowa kelnerka, Sookie Stackhouse jako osoba posiadająca wątpliwy dar słyszenia myśli innych ludzi, przychylnie patrzy na integrację społeczną wampirów, a w szczególności na pewnego przystojnego 173-latka, Billa Comptona. Niestety, seria tajemniczych wydarzeń, które towarzyszą pojawieniu się Billa w Bon Temps wystawi otwartość Sookie na ciężką próbę. MARTWY AŻ DO ZMROKU to intrygująca i przyprawiająca o dreszcz emocji powieść, „to połączenie elementów kryminału, filmu grozy i komedii z nieokiełznaną wyobraźnią. To powieść i serial, które utwierdzają nas w przekonaniu, że istnieje pełne doznań życie po śmierci [...]" – napisano na łamach USA Today.

U MARTWYCH W DALLAS

Charlaine Harris

Dzięki wynalezionej w japońskim laboratorium syntetycznej krwi oraz napojowi z jej ekstraktem o nazwie Tru: Blood, w ciągu zaledwie jednej nocy wampiry z legendarnych potworów przeistoczyły się w przykładnych obywateli. I chociaż ludzie nie figurują już w ich jadłospisie, społeczeństwo niepokoi się, co stanie się, gdy wampiry opuszczą mroczne kryjówki. Jedynie mieszkańcy Bon Temps, małego miasteczka w Luizjanie, nie mogą się zdecydować, co o tym naprawdę myśleć.

Miejscowa kelnerka, Sookie Stackhouse dobrze wie, jak wygląda życie na marginesie społeczeństwa. Jako osoba posiadająca wątpliwy dar słyszenia myśli innych ludzi, przychylnie patrzy na integrację społeczną wampirów, a w szczególności na pewnego przystojnego 173-latka, Billa Comptona, który zostaje jej kochankiem.

Pewnego dnia Sookie znajduje na parkingu ciało zamordowanego kucharza z baru, w którym pracuje. Jakby tego było mało, zostaje śmiertelnie poraniona i otruta przez tajemnicza postać z mitów greckich. Na szczęście, pewne przyjacielsko usposobione wampiry wysysają jej zatrutą krew. Kiedy proszą ja o przysługę, Sookie wdzięczna za uratowanie życia nie odmawia. Wkrótce wykorzystuje swoje telepatyczne zdolności aby znaleźć wskazówkę co do zaginięcia pewnego wampira. Wkrótce jednak Sookie zaczyna żałować swej decyzji...

MÓJ WŁASNY DIABEŁ

Mike Carey

Seria o Feliksie Castorze to debiut literacki Carey'a, który szybko zdobył uznanie krytyków i czytelników w Wielkiej Brytanii i Stanach Zjednoczonych. Doskonałe połączenie czarnego kryminału, horroru i dark fantasy.

„Ta książka od pierwszej szokującej niespodzianki wciąga niepowstrzymanie i już ani na moment nie puszcza. Zarwiecie noc, nie mogąc oderwać się od lektury".

– Richard Morgan

Felix Castor to prywatny egzorcysta; jego podwórkiem jest Londyn. Praca pogromcy duchów ma swoje zalety – płacą dobrze, człowiek nigdy się nie nudzi – ale istnieje też ryzyko: wcześniej czy później jakiś duch okazuje się silniejszy.

Próbując wycofać się z zawodu, Castor przyjmuje pozornie łatwe zlecenie pozbycia się ducha nawiedzającego jedno z londyńskich archiwów – w końcu musi z czegoś żyć. Lecz teoretycznie proste egzorcyzmy wkrótce zmieniają się w rozgrywki pod tytułem „Kto Pierwszy Załatwi Castora", w których o główną nagrodę walczą duchy i demony.

Nic nie szkodzi: Castor umie sobie radzić z umarłymi. To żywi go wkurzają...

BŁĘDNY KRĄG
Mike Carey

Po sprawie ducha z Archiwum Bonningtona Castor, uwierzywszy, że dzięki swym zdolnościom może jednak zdziałać coś dobrego (oczywiście „dobro" w kontaktach z nieumarłymi to pojęcie względne), powraca niechętnie do praktykowania egzorcyzmów. Lecz jego przyjaciel Rafi nadal pozostaje opętany, sukkub Ajulutsikael (dla przyjaciół Juliet) wciąż technicznie ma kontrakt na jego życie, a on sam jest ciągle – nie bójmy się tego słowa – biedny jak mysz kościelna.

Konsultacje dla lokalnej policji pomagają opędzić najpilniejsze wydatki, ale by choć w części zapełnić dziurę w budżecie Castor potrzebuje dużego, prywatnego zlecenia. Ponieważ jednak jego stosunki z Losem są, delikatnie mówiąc, chłodne, dostaje pozornie błahą sprawę zaginionego ducha, która powoli, lecz nieuchronnie wciąga jego i jego najbliższych w sam środek złowieszczego spisku, zmierzającego do wywołania jednego z najgroźniejszych demonów piekieł.

A kiedy w tym samym raporcie policyjnym pojawiają się sataniści, krwawe ofiary, skradzione duchy i nawiedzone kościoły, z pewnością widnieje też w nim nazwisko Felix Castor...

PRZEBIERAŃCY

Mike Carey

Praca pogromcy duchów ma swoje zalety – płacą dobrze, człowiek nigdy się nie nudzi – ale istnieje też ryzyko: wcześniej czy później jakiś duch okazuje się silniejszy. Podczas, gdy pierwsza powieść dotyczy pojedynczej tajemnicy, następne książki poszerzają swoje spektrum i zaczynają przedstawiać szerzej Świat Castora.

Myślicie może, że trudno wymyślić coś dziwniejszego, niż pomoc wdowie po przyjacielu w walce z prawnikiem, usiłującym wykraść zwłoki jej męża. Ale dla Felixa Castora to dzień powszedni. Często miewa dużo większe kłopoty.

Brutalne morderstwo na King's Cross wygląda dokładnie jak zbrodnia nieżyjącej od dziesięcioleci amerykańskiej seryjnej morderczyni. Człowiek rozsądny trzymałby się jak najdalej od podobnego bagna, ale Castor nie słynie z rozsądku. Jednocześnie toczy sądową batalię o ciało – i częściowo duszę – opętanego przyjaciela, Rafiego, i dręczy go przeczucie, że te trzy sprawy coś ze sobą łączy.

Być może z pomocą sukkuba Juliet i paranoicznego geniusza komputerowego, zombie Nicky'ego Heatha Castorowi uda się złożyć w jedną całość elementy układanki, zanim ktoś zrzuci go w głąb szybu windy albo rozszarpie mu gardło. A może i nie.

KREW NIE WODA

Mike Carey

Felix Castor zarabia na życie jako egzorcysta, więc radzenie sobie ze zmarłymi to jego specjalność. Dzięki zleceniom policyjnym i najróżniejszym sprawom prywatnych klientów sądzi, że widział już wszystko. Lecz nocne wezwanie na osiedle w południowym Londynie dowodzi, że wciąż jeszcze istnieją rzeczy, które mogą go zaskoczyć. Ostatecznie nie co dzień widzi się własne nazwisko wypisane krwią na miejscu zbrodni.

A to dopiero początek. Osiedle opanowała epidemia przemocy i Castor nie potrzebuje szóstego zmysłu, by dostrzec, że dzieje się coś bardzo złego. Anathemata, ekskomunikowana bojówka kościoła katolickiego, także zajmuje się sprawą, lecz stosowane przez nią brutalne rozwiązania mogą jedynie pogorszyć sytuację. Własną grę prowadzi także brat Castora, Matthew.

Może i krew to nie woda, ale Castor podejrzewa, że ma do czynienia z czymś więcej niż krwią. I musi odkryć prawdę, nim zrobi to Anathemata. Inaczej rozpęta się piekło...

PRZYNIEŚCIE MI GŁOWĘ WIEDŹMY

Kim Harrison

Seria o wiedźmie Rachel Morgan, której postać wykreowała Kim Harrison, cieszy się na swiecie ogromnym powodzeniem i odnosi wiele sukcesów. Powieść przetłumaczono na 11 języków i sprzedano m.in. do: Serbii, Rosji, Holandii, Niemiec, Węgier, Japonii, Włoch, Francji, Hiszpanii, Chin i Polski, a książki o wiedźmie Racheli są na listach bestsellerów większości sieci księgarskich w Stanach. Do dzisiaj w Stanach Zjednoczonych ukazało się 10 tomów, a serię wydano w 15 krajach świata.

Efektem ubocznym badań genetycznych nad modyfikowana żywnością stał się wirus. Spowodował on powstanie nowych odpornych ras. Wszystkie nowe gatunki za swoje miejsce zamieszkania wybrały miejsce zwane Zapadliskiem. Zapadlisko to Las Vegas dla paranormalnych. Tam można spotkać wampiry, wiedźmy, czarownice i wilkołaki, i wiele, innych krzyżówek ludzi i wampirów.

Rachel Morgan jest wiedźmą i agentem. Jej kariera zmierza do nikąd a ona sama każdej nocy stawia wyzwanie paranormalnym stworom usiłując całe towarzystwo utrzymać w ramach cywilizacji.

Powieść „Przynieście mi głowę wiedźmy" została nagrodzona: Romantic Times's Best Fantasy novel 2004 , P.E.A.R.L's (Paranormal Excellence Award for Romantic Literature) , Best Science Fiction novel of 2004. Autorka otrzymała również nagrodę P.E.A.R.L w kategorii Najlepszy Nowy Autor 2004 roku.

DOBRY, ZŁY
I NIEUMARŁY

Kim Harrison

Czarownica Rachel Morgan, seksowna, niezależna łowczyni nagród, która krąży wśród najgęstszych cieni śródmieścia Cincinnati w poszukiwaniu grasujących nocą przestępców, ma niełatwe życie.

Potrafi sobie poradzić z odzianymi w skórę wampirami, a nawet zadaje się z przebiegłymi demonami. Lecz wielokrotny morderca, który żywi się specjalistami od najniebezpieczniejszego rodzaju czarnej magii, wystawia ją na niezwykle ciężką próbę.

Konfrontacja z pradawnym, nieprzejednanym złem to nie dziecinna zabawa – a tym razem Rachel będzie miała szczęście, jeśli uda jej się zachować duszę.

NIGDZIEBĄDŹ

Neil Gaiman

Bardzo straszna.

Bardzo śmieszna.

Bardzo osobliwa.

Najlepsza humorystyczna powieść fantasy lat dziewięćdziesiątych.

Pełna niezwykłych przygód, barwnych postaci i niesamowitych zdarzeń.

Neil Gaiman, laureat World Fantasy Award, jest znany w Polsce z powieści „Dobry Omen", napisanej wspólnie z Terrym Pratchettem.

CHŁOPAKI ANANSIEGO

Neil Gaiman

Bezczelnie śmiała i oryginalna nowa powieść, traktująca o mrocznym proroctwie, dysfunkcjonalnych rodzinach i tajemniczych podstępach (oraz o pewnej limonce).

„Chłopaki Anansiego" to najnowsze dzieło literackiego maga Neila Gaimana, ulubieńca popkultury. Autor powraca do mitycznych krain, opisanych jakże błyskotliwie w bestsellerowych „Amerykańskich bogach". Czytelnicy z Ameryki i całego świata po raz pierwszy poznali pana Nancy'ego (Anansiego), pajęczego boga, właśnie tam. „Chłopaki Anansiego" to historia o jego dwóch synach, Grubym Charliem i Spiderze. Gdy ojciec Grubego Charliego raz nadał czemuś nazwę, przyczepiała się na dobre. Na przykład kiedy nazwał Grubego Charliego „Grubym Charliem". Nawet teraz, w dwadzieścia lat później, Gruby Charlie nie może uwolnić się od tego przydomku, krępującego prezentu od ojca – który tymczasem pada martwy podczas występu karaoke i rujnuje Grubemu Charliemu życie. Pan Nancy pozostawił Grubemu Charliemu w spadku różne rzeczy. A wśród nich wysokiego, przystojnego nieznajomego, który zjawia się pewnego dnia przed drzwiami i twierdzi, że jest jego utraconym bratem. Bratem tak różnym od Grubego Charliego, jak noc różni się od dnia, bratem, który zamierza pokazać Charliemu, jak się wyluzować i zabawić... tak jak kiedyś ojciec. I nagle życie Grubego Charliego staje się aż nazbyt interesujące. Bo widzicie, jego ojciec nie był takim zwykłym ojcem, lecz Anansim, bogiem-oszustem. Anansim, buntowniczym duchem, zmieniającym porządek świata, tworzącym bogactwa z niczego i płatającym figle diabłu. Niektórzy twierdzili, że potrafił oszukać nawet Śmierć.

„Chłopaki Anansiego" to szalona przygoda, popis biegłości literackiej i urocza, zwariowana farsa, opowiadająca o tym, skąd pochodza bogowie – i jak przeżyć we własnej rodzinie.

MIASTO KOŚCI
TOM I TRYLOGII
„DARY ANIOŁA"
Cassandra Clare

Tysiące lat temu, Anioł Razjel zmieszał swoją krew z krwią mężczyzn i stworzył rasę Nefilim, pół ludzi, pół aniołów. Mieszańcy człowieka i anioła przebywają wśród nas, ukryci, ale wciąż obecni, są naszą niewidzialną ochroną. Nazywają ich Łowcami Cieni.

Łowcy Cieni przestrzegają praw ustanowionych w Szarej Księdze, nadanych im przez Razjela. Ich zadaniem jest chronić nasz świat przed pasożytami, zwanymi demonami, które podróżują między światami, niszcząc wszystko na swej drodze. Ich zadaniem jest również utrzymanie pokoju między walczącymi mieszkańcami podziemnego świata, krzyżówkami człowieka i demona, znanymi jako wilkołaki, wampiry, czarodzieje i wróżki. W swoich obowiązkach są wspomagani przez tajemniczych Cichych Braci. Cisi Bracia mają zaszyte oczy i usta i rządzą Miastem Kości, nekropolią znajdującą się pod ulicami Manhattanu, w której leżą martwe ciała zabitych Łowców Cieni. Cisi Bracia prowadzą archiwa wszystkich Łowców Cieni, jacy kiedykolwiek żyli. Strzegą również Darów Anioła, trzech boskich przedmiotów, które anioł Razjel powierzył swoim dzieciom. Jednym z nich jest Miecz. Drugim Lustro. Trzecim Kielich.

Od tysięcy lat Cisi Bracia strzegli Darów Anioła. I było tak aż do Powstania, wojny domowej, która niemal na zawsze zniszczyła tajemny świat Łowców Cieni. I mimo że od śmierci Valentine'a, Łowcy Cieni, który rozpoczął wojnę, minęło wiele lat, rany, jakie zostawił, nigdy się nie zabliźniły.

Od Powstania minęło piętnaście lat. Jest upalny sierpień w tętniącym życiem Nowym Jorku. W podziemnym świecie szerzy się wieść, że Valentine powrócił na czele armii wyklętych. A Kielich zaginął...

MIASTO KOŚCI
TOM II TRYLOGII
„DARY ANIOŁA"
Cassandra Clare

Piętnastoletnia Clary Fray poszukując swojej zaginionej matki, trafia
do tajemnego świata, położonego głęboko pod ulicami Nowego Jorku, zwanego Podziemnym Światem, pełnego tajemniczych wróżek,
wampirów, hybryd człowieka i wampira, i demonów.

Clary jest rozdarta pomiędzy uczuciami, które żywi do dwóch chłop-
ców – jej najlepszego przyjaciela, Simona, oraz do tajemniczego łowcy
wampirów, półczłowieka, półanioła Jace'a. Okazuje się, że jej ojcem
jest zbuntowany Nocny Łowca, Valentine, który jest winien morderstw i zdrady. Teraz powraca na czele wiernych mu zwolenników
aby dokończyć przewrotu i dokonać eksterminacji wszystkich demonów i wampirów. Valentine odkrywa przed Clary straszną tajemnicę:
ma ona brata i jest nim Jace. Valentine dokonuje napadu na siedzibę
Nocnych Łowców i ucieka wraz z Jacem. Clary pozostaje sama i wy-
rusza do ostatniego schronienia Nocnych Łowców.

MIASTO SZKŁA
Tom III trylogii „Dary Anioła"
Cassandra Clare

W dwóch poprzednich tomach „Miasto Kości" i „Miasto popiołów", poznaliśmy główną bohaterkę bestsellerowej serii „Dary Anioła", Clary Fray – nastoletnią rudowłosą dziewczynę o skłonnościach do wpadania w tarapaty. Jej najlepszym i jedynym przyjacielem jest chłopak, matka jest roztrzepaną artystką, a miejscem rozrywki są ulice Manhattanu i nocne kluby. Tutaj tez Clary przezywa szereg mrożacych krew w zyłach przygód, zyskuje nowych przyjaciół i nie tylko...

W kolejnym tomie „Miasto szkła", pośród chaosu wojny Nocni Łowcy będą musieli się zdecydować, czy podejmą walkę u boku wampirów, wilkołaków i innych Podziemnych... czy przeciwko nim. Również Jace i Clary muszą podjąć ważną decyzję: czy pozwolić sobie na zakazaną miłość?

Cassandra Clare nienawidzi pisać w domu, ponieważ rozpraszają ją telewizyjne reality show oraz jej dwa koty. Najchętniej pisze w kawiarniach i restauracjach. Lubi pracować w towarzystwie przyjaciół, którzy pilnują, by dotrzymała terminów. Jest fanką internetowych społeczności, ma swój profil na Facebooku i YouTube.